Root

GOLDMANN

D0610731

Buch

Zwei kleine Mädchen werden zur gleichen Zeit in einem Krankenhaus in Kalifornien geboren. Das eine Baby ist die gesunde Tochter der wenig begüterten Familie Twigg, das andere das mit einem Herzfehler zur Welt gekommene Kind von Barbara Mays, der Tochter des berühmten Stifters des Krankenhauses. Die Babys werden absichtlich vertauscht, und die Twiggs stellen erst nach neun Jahren durch eine Blutuntersuchung fest, daß ihr sterbendes Kind nicht ihr eigenes ist. Ein dramatischer Kampf um ihre wirkliche Tochter entbrennt. Und auch als sich alles gegen sie verschworen zu haben scheint, geben Ernest und Regina die Hoffnung nicht auf, gegen einen übermächtigen Gegner einen Ausweg aus einem nicht enden wollenden Alptraum zu finden. Mit ihrem ebenso packenden wie ergreifenden Tatsachenbericht entlarvt Loretta Schwartz-Nobel die skrupellose Verschwörung eines ganzen Krankenhauses gegen ein ahnungsloses Paar.

Vertauscht – die dramatische, mitten ins Herz treffende Geschichte über den verzweifelten Kampf eines Elternpaares um sein verlorenes Kind.

Autorin

Loretta Schwartz-Nobel lebt als freie Schriftstellerin in Gladwyne, Pennsylvania. Sie hat bereits mehrere Preise für ihre journalistischen Arbeiten erhalten. Zu ihren Büchern gehört unter anderem *Laß uns nicht allein* (Goldmann TB 42602), mit dem sie sich als eine der besten True-Crime-Autorinnen der USA etabliert hat.

Loretta Schwartz-Nobel

Vertauscht

Der verzweifelte Kampf von Ernest und Regina Twigg, ihre verlorene Tochter zurückzugewinnen

Aus dem Amerikanischen
von Gabriele Fröba

GOLDMANN VERLAG

Die amerikanische Originalausgabe erschien 1993 unter dem Titel
»The Baby Swap Conspiracy«
bei Villard Books, New York

Umwelthinweis:
Alle bedruckten Materialien dieses Taschenbuches
sind chlorfrei und umweltschonend.
Das Papier enthält Recycling-Anteile.

Der Goldmann Verlag
ist ein Unternehmen der Verlagsgruppe Bertelsmann

Copyright © der Originalausgabe 1993 by Loretta Schwartz-Nobel
Copyright © für die Auszüge aus dem Gedicht »I Shall Be Released«
von Bob Dylan 1967, 1970 by Dwarf Music (ASCAP).
Abdruck mit freundlicher Genehmigung von Dwarf Music.
Copyright © für die Auszüge aus »The Network of the Imaginary Mother«
von Robin Morgan 1962, 1968, 1973, 1974, 1975, 1976 by Robin Morgan.
Abdruck mit freundlicher Genehmigung der Edite Kroll Literary Agency.
Copyright © der deutschsprachigen Ausgabe 1994
by Wilhelm Goldmann Verlag, München
Umschlaggestaltung: Design Team München
Umschlagfoto: Guido Pretzl, München
Druck: Elsnerdruck, Berlin
Verlagsnummer: 42574
SN · Herstellung: Sebastian Strohmaier
Made in Germany
ISBN 3-442-42574-3

1 3 5 7 9 10 8 6 4 2

*Im Gedenken an Arlena und an die Tage mit Kimberly
sowie an Irisa, Normia, Gina, Will, Tommy und Barry,
deren Leiden zu oft vergessen werden.*

Irgendwann müssen wir uns von der Mutter trennen.
Doch bis wir dazu reif sind, bis wir reif genug sind,
wegzugehen und auf uns selbst gestellt zu sein,
ist die Trennung das Schrecklichste,
was uns widerfahren kann.

Judith Viorst

INHALTSVERZEICHNIS

DANKSAGUNG

Ich bin dankbar für die unzähligen Stunden, die Regina Twigg, Ernest Twigg, ihre Kinder, Cindy Tanner-Mays und John Blakely mit mir verbracht haben.

Dieses Buch wäre ohne die Hilfe und Unterstützung meines Mannes Joel Nobel niemals zustande gekommen. Ich möchte außerdem meiner Schreibkraft Claudia Disu danken, meiner Mutter Fay Rosenberg, meinen Töchtern Ruth und Rebecca, und unserem Kindermädchen Rosemary Gross, das während der vielen Stunden, die ich mit Schreiben verbracht habe, meinem kleinen Sohn wie eine zweite Mutter war.

Große Dankbarkeit bin ich außerdem meiner Agentin Ellen Levine schuldig sowie der Herausgeberin dieses Buches, Diane Reverand, deren Vertrauen und Erfahrung dieses Buch erst ermöglicht haben.

EINE KURZE ERKLÄRUNG

Die Teile, in denen die Ereignisse aus Regina Twiggs oder Cindy Mays' Sicht geschildert werden, basieren auf Tonbandaufzeichnungen, die, soweit es der Klarheit wegen erforderlich war, überarbeitet wurden.

Auch einige Szenen in diesem Buch oder Teile der Dialoge wurden – jeweils auf der Basis von Aufzeichnungen und Gesprächsnotizen – dramaturgisch umgestaltet und chronologisch geordnet. Soweit diese Passagen auf der Erinnerung der Befragten beruhen, kann es sein, daß dabei die persönliche Auffassung der Betroffenen dominiert. Es ist unmöglich, alle Ereignisse und Gespräche wortwörtlich wiederzugeben, ich habe mich jedoch bemüht, so sorgfältig wie möglich vorzugehen.

Einleitung

Wie viele andere habe ich von dem Fall zuerst aus der Zeitung erfahren. Ich konnte mir kein eigenes Bild davon machen, auch nicht von den Leuten, die in den Fall verwickelt waren, und ich konnte mir auch nicht vorstellen, wie es zu der Verwechslung gekommen sein mochte. Da ich selbst Mutter bin, war ich einfach berührt von all den schrecklichen Dingen, die im Zusammenhang mit diesem Fall passiert waren, ein Alptraum aller Eltern. Außerdem war ich als neugierige Journalistin daran interessiert, soviel wie möglich über den Fall zu erfahren. Einige Wochen lang sammelte ich alle Informationen darüber und studierte sie gründlich.

Etwas an der Ausdruckskraft in Regina Twiggs Gesicht, einer Ausdruckskraft, die man sogar auf den undeutlichen Zeitungsbildern erkannte, ließ mich von dem Fall nicht mehr loskommen. In den folgenden Wochen schrieb ich das Exposé für ein Buch, fand einen interessierten Verlag und unterschrieb einen Vertrag.

Es war aber nicht so einfach, wie ich gehofft hatte. Auf Anraten ihres Anwalts John Blakely wollte Regina Twigg über ein Jahr lang nicht mit mir über den Fall sprechen. Robert Mays weigerte sich ebenso. Es gab kein Gerichtsverfahren, keinen aufschlußreichen Artikel, und ohne solche Unterlagen konnte auch kein Buch entstehen. Ich habe das Projekt zurückgestellt und abgewartet.

Schließlich rief mich John Blakely an. Er und die Twiggs waren daran interessiert, in Frage kommende Autoren kennenzulernen, und wollten, daß ich nach Florida kam. Ich reihte mich also in die Schlange sensationslüsterner Journalisten und Filmproduzenten ein. Als ich mit Regina und Ernest Twigg sowie ihren beiden Anwälten in einem großen Konferenzraum zusammentraf, bekam ich das Projekt zugesagt. Wir machten aus, daß sie zwar mit mir zusammenarbeiten würden, ich aber zu bestimmen hätte, in welche Richtung sich das Buch entwickeln sollte. Welche das sein würde, konnte ich ihnen allerdings noch nicht sagen. Sie waren einverstanden.

Wie ich schon bald merkte, war der Ablauf der Geschichte komplexer gewesen, als ich angenommen hatte. Je mehr ich mit Regina sprach, um so mehr Fragen entstanden bei mir über das Kind, das Regina geboren hatte und das in einer anderen Stadt, bei einer anderen Familie, aufgewachsen war. Ich rief erneut bei Bob Mays' Anwalt an und hinterließ einige Nachrichten. Mays hat meine Anrufe nie beantwortet. Später erfuhr ich dann, daß sein eigener Buchvorschlag die Runde in New Yorker Verlagen machte. Er arbeitete mit einem Autor aus Texas zusammen, der sich eine »überaus effektvolle Mischung« vorstellte, zusammengesetzt aus dem Tod von Bob Mays' erster Frau, Barbara, und der Liebe des einsamen Witwers zu seinem einzigen Kind. Ein Buch ist daraus nie geworden. Der Plot wurde allerdings für die NBC-Kurzserie mit dem Titel *Switched at Birth* verwendet, die zwanzig Millionen Zuschauer gesehen haben. Ich war einer davon, aber ich wollte mehr wissen.

Die einzige, die etwas Persönliches über Kimberly Mays wußte, war Cindy Mays, die Frau, die Bob geheiratet hatte, nachdem seine erste Frau gestorben war – die Frau, die Kimberly großgezogen hat und die ihr, so mußte das Kind es jedenfalls empfinden, vom zweiten Lebensjahr an Mutter war.

Fünf Monate lang rief ich Cindy und ihre Anwälte an. Jedesmal sagte man mir, daß sie nach ihrer Scheidung von Bob Mays diesen Teil ihres Lebens hinter sich gelassen habe und daß sie nicht mehr in den Fall hineingezogen werden wolle. Schließlich sagte ich ihr: »Ich weiß, daß Sie Informationen haben, die kein anderer hat. Es sind wichtige Informationen, die den Twiggs helfen könnten, herauszubekommen, was für Kimberly das beste ist. Wenn Sie Kimberly wirklich lieben, müssen Sie die Informationen herausgeben.«

»Ich hab sie sehr lieb. Sie haben wohl recht«, sagte sie.

Am nächsten Morgen flog ich nach Tampa. Wir trafen uns im Radisson Bay Hotel und verbrachten die nächsten drei Tage und Nächte mit Gesprächen, die wir nur unterbrachen, um etwas zu essen und ein wenig zu schlafen.

Die Geschichte, die zum Vorschein kam, unterschied sich in schockierender Weise von dem, was ich erwartet hatte. Vor allem war sie schockierend anders als die von dem einsamen Witwer und guten Alleinerzieher, die in der Presse und in der NBC-Kurzserie erzählt worden war. Der vermeintlich so ruhige, charmante und freundliche Bob Mays entpuppte sich nun als berechnend, jähzornig und ausfallend.

Ich habe die Geschichte, die Cindy Tanner-Mays erzählt hat, in ihren Worten kommentarlos wiedergegeben und ließ sie nur durch die Protokolle der Psychiater und Psychologen, die mit Mays' Familie gearbeitet haben, bestätigen. Bob Mays' Anwalt behauptet, Cindy sei eine rachsüchtige Exfrau, und er bestreitet, daß Mays jemals Kimberly mißbraucht habe.

Ich lernte Cindy Mays als ganz und gar nicht rachsüchtig, sondern vielmehr als rücksichtsvoll kennen. Sie hatte mehr als zwei Jahre lang geschwiegen, auch gegenüber Reportern, die sie gut kannten. Und da sie als Medienbeauftragte für das Tampa General Hospital arbeitete, gab es viele solche Reporter. Ich aber war die einzige, der sie Vertrauen schenkte.

Cindy zeigte mir das Haus, in dem Bob und Kimberly gelebt hatten. Sie weihte mich in ihre Erinnerungen ein und zeigte mir die Fotos, die sie sorgfältig aufgehoben hatte. Sie erlaubte mir, mit ihrer Tochter Ashlee zu sprechen, die mit Kimberly zusammen aufgewachsen war. Schließlich kam die Geschichte von beiden heraus, von Kimberly Mays und Arlena Twigg, die Geschichte von zwei kleinen Mädchen, die bei der Geburt vertauscht wurden und die sich nie gekannt haben. Und die Geschichte zweier Frauen, die sich ebenfalls nie gekannt haben, Regina Twigg und Cindy Mays, zwei Frauen, die Töchter geliebt haben, die nicht ihre eigenen waren. Frauen, denen die Familie über alles ging. Und die – Ironie des Schicksals – beide ihre kleine Tochter verloren haben, als sie neun Jahre alt waren. Beide Frauen haben mir erzählt, daß es besonders hübsche Kinder waren, tapfere Kinder, die einen Schicksalsschlag nach dem anderen einstecken mußten. Ich habe versucht, ihre Schicksale, ihre Träume und ihre Sehnsüchte so lebendig wie möglich werden zu lassen.

Jedesmal, wenn ich wieder etwas erfahren habe, wurde mir immer unbegreiflicher, was vor rund zehn Jahren in dem kleinen Krankenhaus in Florida passiert war. Auf einmal war ich gefangen in einem Netz von unbeantworteten Fragen, gefälschten Dokumenten, Erinnerungen, die – weil es so bequemer war – Lücken aufwiesen und ganz offensichtlich Lügen waren. Ich bin zum Hardee Memorial Hospital nach Florida gereist und habe mir dort, ohne meine Identität preiszugeben, Zugang zu vergrabenen Dokumenten und den vertraulichen Protokollen verschafft.

Unzählige Stunden habe ich Karteikarten des Krankenhauses, Notizen von Krankenschwestern, abgeänderte Geburtsurkunden und eine ungeheure Anzahl von einander widersprechenden Erklärungen studiert. Was sich vor meinen Augen entfaltete, war ein Stoff – viel explosiver, als ich jemals erwartet hätte.

Mehr als drei Jahre lang habe ich den Fall nicht nur recherchiert, sondern mit ihm gelebt. Manchmal hat er mich an Orte gebracht, die ich lieber gemieden hätte, aber es ging eben nicht anders. Ich mußte den Dingen einfach auf den Grund kommen. Anhand der Schilderungen der Kinder und der Enthüllungen über Bob Mays mußte ich das Puzzle dieser Baby-Tausch-Verschwörung zusammensetzen – einer Verschwörung, die viel Leid gebracht hat, viele schwere Schicksalsschläge. Eine Verschwörung, die ganz unbeabsichtigt eine bemerkenswerte Geschichte von Liebe und Mut, eben die Geschichte von Arlena Twigg und Kimberly Mays, entstehen ließ.

Loretta Schwartz-Nobel
Philadelphia, Pennsylvania

1. TEIL

Die Töchter

Zuerst sehen wir die Welt mit den Augen eines Kindes. Dieses Kind wird immer in uns bleiben, gleichgültig, wie erwachsen und wie stark wir äußerlich werden.

John Bradshaw

REGINA TWIGG ERZÄHLT:

Einer schubste uns auf den Rücksitz eines Autos, stieß uns zu Boden und drückte uns den Kopf nach unten, so daß wir nicht sehen konnten, wie die Polizei sie wegschleppte. Das Auto war groß, schwarz und blank poliert. Alle Fenster waren geschlossen. Es war ein warmer Sommertag, und im Auto war es heiß – heiß wie ihr stinkender Atem. Sie drückten uns so hinter die Sitze, daß wir sie weder sehen konnten noch hören, wie sie weinend nach ihren Kindern schrie. Aber irgendwie habe ich sie doch gesehen und gehört, und bis heute kann ich mein Entsetzen nicht vergessen. Ich war drei Jahre alt gewesen, und sie war meine Mutter.

Zuerst lebten wir bei einer Verwandten. Sie schlug meine kleine Schwester mit einem Gürtel, wenn sie auf dem Töpfchen nicht, wie befohlen, ein zweites Mal konnte. Der Staat nahm uns dort schließlich wieder weg, weil sie uns nicht zur Schule schickte. Wir kamen dann ins Waisenhaus.

Zwei- oder dreimal brachte jemand vom Sozialamt meine Mutter aus der Nervenheilanstalt zu uns ins Waisenhaus. Ich erinnere mich daran, wie sie mit uns gesprochen, uns geküßt und uns Bonbons mitgebracht hat, und ich weiß noch, wie sie geweint und sich an uns festgeklammert hat und wie sie, wenn sie gehen mußte, gesagt hat: »Ich liebe euch. Ich werde euch immer lieben.«

Eines Tages haben sie uns gesagt, daß sie tot sei und wir zur Adoption freigegeben würden. Jahre später habe ich dann erfahren, daß man ihr gesagt hatte, sie werde nie aus der Anstalt entlassen und könne uns daher auch nicht großziehen. Man überzeugte sie davon, daß es das beste für uns sei, wenn sie die Adoptionspapiere unterschriebe.

Meine ganze Kindheit über konnte ich nichts tun, als – so

oft ich traurig oder alleine war – daran zu denken, wie sie mich in ihren Armen gehalten und Schlaflieder für mich gesungen hat.

1. KAPITEL

Die Verwechslung

Am 2. Dezember 1978 um elf Uhr nachts merkte Regina Twigg, daß es soweit war. Die stechenden Krämpfe, die von der Taille ausgingen, hatten sich nun auf den Bauch ausgedehnt und waren stärker und regelmäßiger geworden. Daß es ihr siebtes Baby war, machte die Sache weder einfacher noch weniger beängstigend. Besonders, weil ihr letztes Töchterchen, Vivia, plötzlich im Alter von sechs Wochen gestorben war.

Regina wußte, daß man für ein gesundes Baby gar nicht dankbar genug und bei der Wahl einer guten medizinischen Betreuung nicht vorsichtig genug sein konnte. Deshalb hatte sie diesmal Dr. William Black und das Hardee Memorial Hospital ausgesucht. Ihre Freundin Celia Warrington hatte es ihr empfohlen, obwohl es fast eine Stunde Fahrzeit von zu Hause entfernt war.

»Ernest, ich glaub, es muß schnell gehen«, sagte Regina. Ernest guckte vom Fernseher auf und gähnte. Regina wußte, daß es nur aufgesetzte Ruhe war und daß die Aufregung, wenn er sie auch verbarg, ihren Mann innerlich fast zerfraß. Trotzdem, es wirkte beruhigend auf sie. Sie überprüfte noch mal ihr längst gepacktes Krankenhausköfferchen und schielte hinüber zu Ernest. Er lächelte. Die Falten um seine Augen wurden tiefer. »Typisch Ole-Ernest«, sagte sie lachend. »Du bummelst immer noch rum, als hätten wir die ganze Nacht Zeit.« In Wirklichkeit vertraute sie darauf, daß er sie rechtzeitig im Krankenhaus ablieferte oder notfalls selber Geburtshelfer spielte. Sie kannte niemanden, der so zuverlässig war. Irgendwie glaubte sie fest daran, daß er alles fertigbringen könnte.

Er stand auf, tätschelte Regina die Schulter und verständigte sich zwinkernd mit Meta, einer siebenundachtzigjährigen Deutschen, die in dem kleinen gelben Landhaus hinter ihnen wohnte. Sie war sofort herübergekommen, ein paar Minuten nach Reginas ersten Wehen und ihrem aufgeregten Anruf. Regina zögerte noch und ließ ihre grünen Augen durchs Zimmer schweifen, ob sie nicht doch etwas vergessen hatte.

Sie war fünfunddreißig, eine beeindruckende Frau mit rotblonden Haaren, hohen Wangenknochen, einer adeligen Nase, makellos rosiger Haut und weißen Zähnen. Ihrer ganzen Erscheinung nach – abgesehen vielleicht von dem durchdringenden Blick, mit dem sie alles und jeden musterte – hätte niemand geahnt, wieviel sie bereits in jungen Jahren durchgemacht hatte.

Regina ging mit dem typischen Gang einer hochschwangeren Frau durch den engen Flur zum Zimmer ihrer ältesten Tochter. Mit ihren zehn Jahren war Irisa schon wie eine kleine Mutter und sorgte für die Familie. Sie wachte über die jüngeren Kinder, manchmal sogar über die Mutter, und beschützte sie. An der Tür blieb Regina stehen und schaute im gedämpften Licht des Flurs auf Irisa. Wenn ihr blondes Haar so über das runde, weiche, immer noch babyhafte Gesicht fiel, sah sie noch niedlicher aus als sonst. »Schätzchen«, flüsterte Regina und beugte sich über das Bett, »Mommy und Daddy gehen jetzt ins Krankenhaus. Meta schläft bei uns im Bett, falls eines von den Kindern sie braucht.« Irisa riß die Augen auf.

»Warte mal, Mommy«, sagte sie und wühlte unter dem Kissen nach einem kleinen Brief, den sie geschrieben hatte. Regina faltete den zerknitterten Zettel auf. »Liebe Mommy, wir haben dich und das neue Baby lieb. Komm gesund wieder nach Hause.«

»Mommy hat dich auch lieb, Süße«, flüsterte Regina. Plötzlich hatte sie Angst zu gehen. Für sie waren Veränderungen immer mit einem Verlust verbunden gewesen, und etwas zu verlieren war schwieriger als alles andere. »Ich nehm das mit ins Krankenhaus. Es wird mir Glück bringen«, sagte sie.

»He, ihr beiden, was ist hier los?« nuschelte Ernest, an den

Türrahmen gelehnt. »Ich dachte, wir haben es schrecklich eilig. Deine Tasche liegt bereits im Auto, und der Motor läuft auch schon.«

Widerstrebend ging Regina zu ihm. Instinktiv drängte sie sich so nahe wie möglich an ihn. Er reichte ihr den Arm und führte sie hinaus zum Beifahrersitz des weißen 74er Plymouth-Kombiwagens. Sie brauchte das Gefühl seiner Nähe, sie mußte spüren, daß seine Einsdreiundachtzig und sein breites Kreuz sie beschützten.

Als sie losfuhren, warf Regina einen Blick zurück auf die Nasturtium Street, ein malerisches Eckchen in Sebring in Florida, abseits vom Verkehr. Das zweistöckige Haus mit den vielen Zimmern und der überdachten Veranda barg in jedem Schlafraum ein schlummerndes Kind. Für manche mochte es einfach wie ein bescheidenes Arbeiterhaus aussehen, aber für Regina war es wie aus einem Märchen. Alles, was sie sich jemals erträumt hatte, war in diesem Haus wahr geworden.

Eine stechende Wehe unterbrach ihre Gedanken und holte sie wieder in die Realität zurück. »Beeil dich doch, Schatz«, stöhnte sie. »Es tut immer mehr weh.«

Ernest fuhr etwas schneller als sonst, eine Hand auf dem Lenkrad und die andere nach Regina ausgestreckt. »Mach deine Atemübungen, Liebling. Du weißt, ich kann die Ampeln und Stoppschilder nicht einfach ignorieren«, sagte er.

Sie hielt Ernests Hand umklammert, und erst als die Schmerzen nachließen, lockerte sie den Griff. Dann lehnte sie den Kopf an seine Schulter und ruhte sich aus. Das rot-schwarz karierte Flanellhemd sorgte dafür, daß er sich nicht so hart und knochig anfühlte.

Sie schloß die Augen. Aus Erfahrung wußte sie, daß sie sich bestmöglich erholen mußte. Sie zog Ernests Hand in ihre und drückte sie an ihren harten, von Wehen verkrampften Bauch. »Fühlst du das Baby, Ernest? Ich würde es gerne noch ein bißchen in mir behalten.«

Regina liebte es, wenn sich das Leben in ihr regte. Es schien die Leere auszufüllen und das unablässige Verlangen ihrer Kindheit zu stillen. Sie konnte ihre Kinder nie genug lieben, denn sie wollte ihnen nicht nur so viel Liebe geben, wie sie brauchten, sondern auch die Liebe, die sie selbst als kleines Kind nie bekommen hatte, die Muttermilch, die Umarmungen, die Wärme, all das, was eine Mutter ihren Kindern schenken kann in der wundersamen Zeit, bevor sie zu sprechen anfangen.

Als sie auf dem großen, beinahe leeren Parkplatz vor dem Hardee Memorial Hospital hielten, verschnauften sie gerade lang genug, um einen Blick auf den Vollmond und die Orangenhaine und den Campingplatz gegenüber dem modernen, zweistöckigen, beigen Krankenhaus werfen zu können.

Ernest legte den Arm um Regina und führte sie in die Empfangshalle. Nachdem sie sich angemeldet hatten, gingen sie durch eine doppelte Schwingtür – vorbei an einer Bronzeplastik, an dem Schildchen *H. L. Coker*, einem der Gründer des Krankenhauses, und an einer Gedenkplastik für Bryant Coker.

Wären sie in einer anderen Nacht gekommen, hätten sie auch Velma Coker begegnen können, die oft freiwillig im Krankenhaus aushalf. Nur drei Tage bevor Regina ins Krankenhaus kam, hatte Velmas Tochter Barbara Coker-Mays ein Kind bekommen. Barbara hatte zehn Jahre lang versucht, schwanger zu werden. Das Baby kam mit einem Kaiserschnitt zur Welt und hatte, wie sich später zeigen sollte, einen angeborenen Herzfehler. Die Ärzte fürchteten, es könne jederzeit sterben.

Als Regina im Wehenzimmer war, wurde sie nervös. »Sie geben mir doch irgendwas? Ich steh das sonst nicht durch, dafür bin ich zu wehleidig«, bat sie Dr. Black.

»Eines nach dem andern«, beruhigte er sie. »Ich geb Ihnen jetzt erst mal was, und wenn Sie's brauchen und es soweit ist, bekommen Sie eine Rückenmarksnarkose.« Er wandte sich Ernest zu. »Noch ein kleiner Twigg für den Familienclan. Wann setzt sie Sie endlich vor die Tür?« Ernest zuckte peinlich berührt die Schultern und senkte die Augen. Regina konnte ihm gerade noch zwischen zwei Wehen ein strahlendes Lachen schenken – eines von denen, die sie wie eine Achtzehnjährige aussehen ließen.

Der baumlange, schlaksige Arzt, mit dem feinen Grauschimmer im Haar, konnte sich ein Lächeln nicht verkneifen. Celia Warrington hatte recht gehabt: Dr. Black hatte wirklich einen Draht zu seinen Patienten. In seiner unkomplizierten Art gab er Regina das Gefühl, ganz für sie, für Ernest und das Baby dazusein.

An diesem Abend hatte Dena Spieth Dienst, eine Frau in der Mitte ihres Lebens und eine erfahrene Krankenschwester dazu. Sie kontrollierte Reginas Wehen, nahm die Herztöne des Ungeborenen auf Monitor auf und kümmerte sich um die notwendigen Medikationen. Die Arbeit ging ihr leicht von der Hand. Ungefähr um drei Uhr morgens, als Regina zur Geburt bereit war, rollte Dena Spieth sie in den Kreißsaal, legte sie im gynäkologischen Stuhl zurecht und bereitete sie auf die Rückenmarksnarkose vor.

Das nächste, woran Regina sich erinnern konnte, war der stolze Glanz auf Ernests Gesicht und die unbändige Freude, die sie empfand, als sie hörte, es sei ein Mädchen.

»Ich gratuliere«, sagte Dr. Black grinsend. Er hielt das Baby noch an seinen Füßen. »Sieht so aus, als hätten sie ein gesundes kleines Mädchen.« Das Baby wurde der Krankenschwester übergeben, die ihm Silbernitratlösung in die Augen tropfte, es badete und ihm Aquamephyton gegen Blutgerinnsel gab. Dr. Black überprüfte die Vitalität des Neugeborenen nach dem Apgar-Schema und stellte den Idealwert zehn fest.

Kurz bevor Regina den Kreißsaal verlassen sollte, öffnete Dena Spieth den Schrank und riß drei mit Identifikationsnummern bedruckte Bänder von einer Rolle. Dann nahm sie drei Papierstreifen und vermerkte auf jedem Reginas Namen, das Datum, Dr. Blacks Namen und den Zeitpunkt der Geburt.

Sie schob die Streifen in die Identifikationsbänder und befestigte eines an Reginas Handgelenk und je eines am Hand- und Fußgelenk des Babys. Bevor Dena Spieth die Bänder in der richtigen Länge zurechtschnitt, steckte sie einen Finger zwischen Haut und Band, um sicher zu sein, daß das Band nicht zu locker oder zu fest saß. Dann drückte sie es mit Daumen und Zeigefinger zusammen.

Das System war so entwickelt worden, daß die Bänder nicht abfallen oder von selbst aufgehen konnten. Wenn ein Band geöffnet worden war, konnte es nicht wiederverwendet werden. Sie waren extra so konstruiert, daß sie erst bei der Entlassung entfernt wurden. Das war eine der speziellen Sicherheitsvorkehrungen des Hardee Memorial Hospitals, mit denen verhindert werden sollte, daß die Babys aus Versehen vertauscht wurden.

Ungefähr um fünf Uhr morgens wurde das Baby Regina in den Arm gebettet. Sie lag auf dem Rollbett, und man fuhr beide nach oben. Regina schloß die Augen. Sie spürte, wie ihre winzige Tochter sich an sie schmiegte. Plötzlich fühlte sie sich sehr müde. Das Baby an ihrem Herzen, ruhte sie sich aus, bis es Zeit zum Stillen war. Viel Milch hatte sie bei keinem Kind gehabt, aber sie hatte ihnen immer zuerst die Brust gegeben, damit sie die Vormilch bekamen. Das war der beste Start ins Leben, den sie ihnen geben konnte.

Gegen Abend war Regina guter Dinge. Sie hatte sich wieder erholt. Sie war aufgedreht und hatte Lust, sich mit jemandem zu unterhalten. Die Frau, mit der sie in einem Zimmer lag, war Mexikanerin und konnte kein Englisch. Dr. Black hatte ihr gesagt, laufen täte ihr gut, und so schlüpfte sie gegen sechs Uhr in Bademantel und Pantoffeln und setzte sich in Richtung Kinderschlafraum in Bewegung. Sie ging langsam und vorsichtig, weil sie wußte, daß sie nach einer Geburt zu Blutstürzen neigte.

Als sie am Zimmer 210B ankam, einem Privatzimmer, sah sie eine große schlanke Frau, die ein Baby – nur in Windeln und Unterhemd – im Arm hielt. Die Decke war weggezogen, und für Regina sah es so aus, als habe die Mutter das Baby gerade gewickelt oder als wollte sie es in aller Ruhe betrachten. Regina machte vor der Tür halt und lehnte sich gegen den

Rahmen, um sich auszuruhen. Sie begegnete dem Blick der Mutter – einer Frau mit einem scharfgeschnittenen, hübschen Gesicht.

»Hallo. Was ist es denn?« fragte Regina lächelnd.

»Ein Mädchen«, erwiderte die Frau. Aber in ihrer Stimme war keine Freude. Sie drückte das Baby fest an sich und schaute zu Boden.

In diesem Moment kam eine Etagenschwester den Gang herunter mit einer Bettpfanne in der Hand. Als sie merkte, daß die beiden Frauen sich unterhielten, legte sie einen Arm um Regina und zog sie schnell weg. »Das ist ein trauriger Fall«, flüsterte sie, als ob es was Vertrauliches wäre. Regina war von Natur aus neugierig und hoffte, noch mehr zu erfahren. Es war ihr aber unangenehm, irgendwelche Fragen zu stellen, denn im Waisenhaus hatte man ihr beigebracht, daß man seine Nase nicht in anderer Leute Angelegenheiten steckte.

Die Krankenschwester lief hastig weiter, ohne mehr über den traurigen Fall zu erzählen. Regina zuckte die Achseln und ging in ihr Zimmer zurück. Die Begegnung hatte ihr die gute Laune verdorben. Es war eine von den Situationen, denen sie anfangs keine große Bedeutung zumaß, aber an die sie sich später, als sich die Geburt und der Krankenhausaufenthalt zu einem großen Fall entwickelten, sehr genau erinnerte.

Am nächsten Morgen um zehn Uhr brachte die Schwester ein Baby ins Zimmer und gab es ihr. Regina nahm es und legte es sich ganz selbstverständlich an die Brust. Das Baby lag schwach in ihren Armen, sie sah es an und runzelte die Stirn. Dann wandte sie sich der Schwester zu und sagte: »Ich glaube, das ist nicht dasselbe Baby.«

»Das ist nicht dasselbe Baby?« plapperte die Schwester erstaunt nach. »Wie meinen Sie das, es ist nicht dasselbe Baby? Reden Sie doch keinen Unsinn. Stimmt was nicht bei Ihnen? Warum sollte es nicht dasselbe Baby sein?«

»Mein Baby hat rotblonde Haare und eine rosafarbene Haut. Dieses hat dunkelblondes Haar und eine dunkler getönte Gesichtsfarbe.

»Alle Mütter erzählen uns so was. Sie sind einfach eine überängstliche Mutter. Es steht doch Ihr Name auf dem Armband, oder?«

Regina nahm die winzige Hand hoch und sah das Identifikationsarmband mit dem Namen »Twigg« darauf. Bevor sie verwirrt nicken konnte, sagte die Schwester: »Überprüfen Sie noch das Band am Fußgelenk. Sehen Sie, wie ich's gesagt habe, Sie sind einfach eine überängstliche Mutter.«

Nachdem die Schwester schnell wieder hinausgegangen war, versuchte Regina noch mal, das Baby an die Brust zu legen. Das Kind sah krank aus und hatte Probleme beim Saugen. Regina nahm es hoch, weil sie glaubte, es müsse vielleicht ein Bäuerchen machen. Sie sah es sich noch einmal genau an. Die Haut war eindeutig dunkler getönt, als Regina sie in Erinnerung hatte. Und nun fiel auch auf, daß das Baby blau um die Lippen war. »O Gott, es wird blau«, rief Regina, »es hat sich wohl beim Saugen zu sehr angestrengt.«

Die Krankenschwester, die wieder hereingekommen war, um das Baby zu holen, sagte: »Machen Sie sich keine Sorgen. Ich gebe ihr etwas Zuckerwasser, wenn ich sie in den Säuglingsraum zurückbringe.«

Als Ernest an diesem Abend um Viertel nach sechs kam, sprudelten Reginas Ängste sofort aus ihr heraus. Sie klang völlig ungewohnt und aufgebracht. »Ernest, ich weiß, daß du mich für verrückt hältst, aber das Baby, das sie mir heute gebracht haben, sah nicht aus wie unser Baby. Das Mädchen ist dunkler. Beim ersten Mal dachte ich, ich bilde es mir nur ein, aber heute nacht ist es mir wieder aufgefallen.«

Ernest sah sie an, als sei sie völlig von Sinnen. »Red doch nicht so einen Unsinn«, sagte er ungeduldig. »Das ist wirklich krankhaft. Verrückt ist das. Ich möchte nicht, daß du so was noch mal sagst, klar?« Regina sah, daß er immer wütender wurde. »Was ist denn bloß mit dir los?« fuhr er sie an.

Die alte Unsicherheit stellte sich wieder ein. Ernest ist so glücklich, und ich mache alles kaputt, dachte sie. Sie wurde still, war bekümmert und eingeschüchtert. »Ich glaube, ich habe mich geirrt. Wahrscheinlich habe ich einfach gesponnen, oder ich war zu ängstlich. Tut mir leid, Schatz«, sagte sie. »Vielleicht hat sie ein dunkleres Aussehen mitbekommen, weil du Indianerblut in der Familie hast. Nach einiger Zeit vergeht das vielleicht.«

»Vielleicht«, antwortete Ernest. Er war schon seit jeher stolz auf seine entfernte Abstammung von den Indianern. Es tat ihm leid, daß er so grob zu ihr gewesen war. »Ruh dich ein bißchen aus, Liebling. Ich glaube, du bist einfach nur müde. Ich komme morgen früh wieder, um dich abzuholen. Und denk dran«, fügte er hinzu, wobei er wieder gequält aussah, »die Kinder freuen sich schon unbändig, also beruhige dich lieber und schlag dir das Hirngespinst aus dem Kopf.«

Um zehn Uhr, kurz nachdem Ernest gekommen war, um Regina abzuholen, kam Dr. Palmer ins Zimmer, ein schlaksiger Mann Ende Vierzig mit vollem grauem Haar. Eine Schwester stand neben ihm.

Dr. Palmer war – als Arzt und prominentes Gemeindemitglied – in der ganzen Gegend bestens bekannt. Regina erstarrte, als sie den Ausdruck auf seinem Gesicht sah. Sie wußte sofort, daß irgend etwas nicht stimmte. Sie war schlechte Nachrichten gewöhnt und konnte Probleme geradezu riechen, so wie Tiere Angst oder Gefahr riechen.

Reginas Blick wanderte an der Schwester vorbei, sie wollte sehen, ob das Babykörbchen im Flur stand. Gewöhnlich brachte ihr die Schwester das Baby herein, und wenn es Probleme gab und Dr. Palmer eigens deswegen kam, so würde das sicherlich etwas mit dem Baby zu tun haben. »Dr. Sedaros ist heute nicht da«, fing Palmer an. Er sprach mit sanfter Stimme. »Ich springe für ihn als Ihr Kinderarzt ein.«

»Wo ist das Baby?« fragte Regina nervös.

»Wir müssen uns noch ein paar Minuten mit Ihnen unterhalten, bevor wir das Baby reinbringen«, antwortete er. Er zog einen Stuhl herum und stellte ihn neben Ernest. »Mrs. Twigg . . .« Er räusperte sich. »Wir haben aus Ihrer Karteikarte gesehen, daß in Ihrer Familie Herzleiden vorgekommen sind.

Außerdem hatten sie ein kleines Mädchen, das an einem Herzfehler gestorben ist.«

Regina hatte sich aufgesetzt, um alles mitzubekommen. Doch jetzt hätte sie sich gern wieder verkrochen. Sie hätte sich am liebsten zusammengerollt und die Decke über den Kopf gezogen, so wie sie es im Waisenhaus immer gemacht hatte, damit das Schreckliche nicht wahr werden konnte. Aber sie tat nichts von all dem. Sie holte tief Luft und hielt Ernests Hand fester, um das Zittern ihrer eigenen Hand unter Kontrolle zu bringen.

»Es tut mir leid, daß ich Ihnen das sagen muß, aber Ihr Baby hat auch einen angeborenen, schweren Herzfehler.«

Es dauerte nicht einmal eine Minute, bis er es gesagt hatte, aber was zählte jetzt noch die Zeit. Sie war stehengeblieben oder lief rückwärts. Regina konnte nur noch an ihr letztes kleines Mädchen, Vivia, denken. In der einen Minute war sie noch warm, lebendig und wunderschön gewesen, und in der nächsten Minute hatte sie blau und leblos in ihren Armen gelegen.

Es war am 23. August 1975 passiert.

Sie waren tausend Meilen von zu Hause entfernt auf einem vierspurigen Highway. Sie kamen aus Jellico in Tennessee und fuhren zu Ernests Mutter, die wegen einer Totaloperation im Krankenhaus lag. Die vier kleinen Mädchen waren dabei.

Nach Vivias Geburt hatte man ihr gesagt, Vivia habe einen Herzfehler. Das Fallot-Syndrom hatte der Arzt es genannt. Und gesagt, daß das Kind am besten mit drei Monaten in einer großen Herz-Spezialklinik untersucht werden solle, damit man sich ein genaues Bild machen könne. Aber dann war Vivia, ohne daß es Anzeichen dafür gegeben hätte, mit sechs Wochen gestorben.

»Ernest«, sagte Regina, »das Baby bekommt nicht richtig Luft.«

»Das ist alles nur ein bißchen anstrengend für sie«, antwortete er. »Mach dir keine Sorgen, wir sind bald da.« Kurz darauf rang Vivia verzweifelt nach Luft. Ihre Augen quollen aus dem Kopf, sie lief rot an. Regina spürte, daß das Baby steif wurde.

»O Gott«, schrie Regina. »Sie kriegt keine Luft mehr. Ernest, sie kriegt keine Luft mehr.«

Voller Panik hielt Ernest an, legte das Baby auf den Sitz und begann mit Wiederbelebungsversuchen. Regina sprang auf die Straße und versuchte – verzweifelt mit den Armen rudernd – ein Auto anzuhalten. Sie hoffte, irgendwie werde einem Vorbeifahrenden gelingen, was ihnen nicht gelungen war.

In einem vorbeirasenden Auto drehte sich eine Frau auf dem Beifahrersitz um und starrte sie an. Regina hatte den Kopf nach hinten geworfen und den Mund weit aufgerissen, sie schlug wild mit den Armen um sich. Weil der fremde Wagen nicht anhielt, hetzte Regina ans Lenkrad zurück und jagte den Highway zum Krankenhaus runter. Als sie das andere Auto überholten, sah die Frau zu ihr herüber, und diesmal winkte sie.

Das Auto schwankte heftig, und die drei anderen kleinen Mädchen auf dem Rücksitz weinten. Als sie beim Krankenhaus ankamen, geriet der Wagen ins Schleudern und landete im Graben. Ernest packte das Baby und rannte so schnell er konnte in die Notaufnahme. Es war zu spät. Man erklärte Vivia gleich bei der Ankunft in dem winzigen Krankenhaus in Jellico in Tennessee für tot.

Die nächsten drei Monate hatte Regina den Boden unter den Füßen verloren. Sie war so sehr von dem Verlust getroffen, daß Ernest dachte, sie würde sich nie mehr erholen. Jede Nacht wachte sie um vier Uhr morgens aus einem unruhigen Schlaf auf. Jedesmal träumte sie, Vivia sterbe in ihren Armen. Jeden Abend, sobald Regina die Augen schloß, starb das Baby erneut. Und wenn sie die Augen aufschlug, lag die lange Nacht vor ihr, voller Gefahren und Unsicherheiten. An einem Morgen streckte sich Ernest nach ihr aus und schmiegte sein Gesicht gegen ihres. Sie konnte seinen Atem und die Bartstoppeln an ihrer Haut fühlen.

»Ich mach wohl besser die Kinder für die Schule fertig, ich

will nicht, daß sie zu spät kommen«, sagte sie und drehte sich weg, ohne nachzusehen, wie spät es war, und ohne ihn zu beachten. Was hatte denn überhaupt noch Bedeutung?

»Der einzige, der dich davor retten kann, alles zu verlieren, bist du selbst«, sagte er und drehte sich ebenfalls weg. Er stieg auf seiner Seite aus dem Bett. Er war verletzt, weil er merkte, daß sie zum ersten Mal unfähig war, sich ihm zuzuwenden.

»Ernest, sag mir doch, wie ich aufhören soll, traurig zu sein. Ich habe das Baby neun Monate in mir getragen, ich habe es mit Gottes Hilfe zur Welt gebracht, und sechs Wochen später habe ich es sterben sehen.«

»Du hast noch andere Kinder, an die du denken mußt, Regina. Sie brauchen dich jetzt.«

»Ich weiß, ich weiß«, antwortete sie monoton. Sie hätte ja gerne auf Ernest gehört, aber sie konnte es nicht. Erst einige Wochen später, als sie auf dem Flur einen Schrei hörte und sah, wie Normia ihr Schwesterchen Gina mit einem Spielzeugfrosch jagte, fand sie auf einmal wieder zur Wirklichkeit zurück. Irgendwie hatte dieser komische, lustige Vorfall sie blitzartig wieder zurückgeholt. Und in diesem Augenblick hatte sie wieder Augen für ihre anderen Kinder und begriff endlich, daß sie sie brauchten.

Das war vor drei Jahren gewesen. Jetzt, als sie auf dem Bett des Hardee Memorial Hospitals saß, wurde in ihr die Erinnerung daran lebendig. Dr. Palmer sagte irgend etwas, daß das Baby in die Universitätsklinik in Miami gebracht werden sollte. Ernest nickte ruhig und zustimmend. Plötzlich brach Regina in Tränen aus, als wäre ein Damm gebrochen. Während ihr die Tränen herunterliefen, redete sie sich ein, daß das Ganze nur einer von ihren Alpträumen wäre, und sie fragte sich, warum er nicht zu Ende ging. Sie wußte, daß es kein Traum war, trotzdem kam ihr alles so unwirklich vor. Sie kämpfte dagegen an, die Wahrheit ganz zu erkennen, sie wollte sich eine Hoffnung bewahren. Sie brauchte eine Hoffnung, damit die alten Erinnerungen sie nicht wieder überfielen. Sie suchte beim Arzt und bei der Krankenschwester nach einem Lächeln oder einem Zeichen der Beruhigung.

Die Schwester sprach hastig, sagte irgend etwas wie, daß sie die Entlassungspapiere bringen würde, damit Regina sie unterschreiben könne. Und Dr. Palmer sagte zu Ernest irgend etwas davon, daß er das Baby noch mal im Behandlungsraum haben wollte, bevor sie es mit nach Hause nahmen.

Die Schwester ging aus dem Zimmer. Als sie wiederkam, brachte sie das Baby im Korb mit und hielt die Papiere in der Hand. Sie lief zwischen Babykorb und den Papieren hin und her, ihr dunkler Schatten tanzte an der Wand.

Und dann blieb sie endlich stehen. Sie sagte, es sei Zeit, Reginas Identifikationsnummer mit der auf dem Armband des Babys zu vergleichen. Durch die dichten Nebel ihres Kummers hörte Regina die Schwester das Stück Papier ablesen, ihre Stimme drang wie aus der Ferne zu ihr: »Ich bestätige hiermit, daß ich bei meiner Entlassung das Baby bekommen, es untersucht und festgestellt habe, daß es mein Baby ist. Ich habe die Identifikationsbänder überprüft, die an dem Baby und an mir versiegelt waren, und habe die identische Nummer 1059 sowie die korrekte Identifikationsinformation vorgefunden.«

»So, Mrs. Twigg«, sagte die Schwester mit scharfer Stimme, »wiederholen Sie diese Ziffern, Mrs. Twigg«, mahnte sie eindringlich, »bitte hören Sie mir zu, das gehört zu Ihrer Entlassungsprozedur. Ich gebe Ihnen nun das Baby. Überprüfen Sie es bitte und stellen Sie fest, ob es Ihr Baby ist. Wenn sie das getan haben, werde ich das Armband abschneiden und vor Ihren Augen in das Protokoll einkleben.« Sie wartete. Regina nickte ausdruckslos und wiederholte wie in Trance die Ziffern. »Unterschreiben Sie hier. Gut. Ja, sehen Sie, jetzt sind Sie ein braves Mädchen«, sagte die Schwester.

Die Schwester legte das Baby ab und hantierte am Bettzeug herum. Regina konnte nicht genau sehen, was sie machte, weil sie sich gerade mit einer Unmenge Taschentücher die Augen und das Gesicht abtrocknete und versuchte, sich wieder zu beruhigen. Woran sie sich noch Jahre später erinnern konnte, war die grobe, gefühllose, sachliche Art, mit der die Schwester sagte: »Hier – nehmen Sie's!« Dabei stand sie um Armeslänge entfernt und streckte ihr das Baby mit den blauen Lippen und der dunkel getönten Haut hin.

Ein paar Minuten später verließen Ernest und Regina Twigg das Hardee Memorial Hospital. Sie trugen das kranke Baby von Barbara Coker-Mays hinaus. Neun Jahre sollte es dauern, bis sie herausfanden, daß es nicht ihre Tochter war.

Regina Twigg erzählt:

Mein ganzes Leben lang, soweit ich zurückdenken kann, habe ich mich nach einer Familie gesehnt, die ganz mir gehört. Nachdem meine Mutter uns weggenommen wurde, ist meine wichtigste Erinnerung aus der Kindheit der Verlust der Familie. Ich habe aus dem Fenster des Kinderheims in Wellsville in Ohio auf den endlosen zweispurigen Highway gesehen und auf den Ohio River mit den Ruderbooten, die an den Ufern entlangglitten. Ich habe von meiner schönen Mutter geträumt, von ihrem Lachen und von einem Lied, das sie uns vorsang, während wir um sie herum standen.

Mit drei Jahren war ich ins Heim gekommen. Alle kleinen Kinder wohnten in der oberen Etage, die Mädchen auf der einen, die Jungen auf der anderen Seite. Sie achteten dort darauf, daß Jungen und Mädchen getrennt blieben. Deshalb habe ich meinen Bruder fast nie gesehen. Manchmal konnten wir uns sekundenlang auf dem Spielplatz sehen, wenn wir Glück hatten und sie Jungen und Mädchen gleichzeitig zum Spielplatz schickten. Das war aber auch schon alles. Wenn ich einen flüchtigen Blick von ihm erhaschen konnte, durfte ich ihm »Hey, Joey« zurufen, mehr nicht.

Ich werde nie meine Schwestern vergessen, die Zwillinge. Sie hatten rotblonde Haare, die in der Sonne glänzten. Sooft mich jemand adoptieren wollte, konnte ich nicht aufhören zu weinen, weil ich bei meinen Schwestern bleiben wollte. Schließlich kamen die Leute jedesmal zu dem Schluß, ich könne mich nicht anpassen, und brachten mich wieder ins Waisenhaus. Doch einmal, als ich wieder ins Heim zurückkam, waren meine Zwillingsschwestern weg. Ich begriff, daß sie auch adoptiert worden waren, und heulte und schluchzte. Eine Angestellte im Waisenhaus fuhr mich an: »Halt den

Mund.« Ich höre sie's heute noch sagen: »Halt endlich den Mund.«

Insgesamt wurde ich dreimal versuchsweise zur Adoption weggegeben. Beim dritten Mal klappte es. Das Traurige daran ist, daß die erste Familie so unheimlich nett gewesen war, Leute, die mich ehrlich liebhatten. Die Frau schenkte mir, als sie mich zurückschickten, eine Puppe, die ich noch heute habe. Sie wohnten in Leetonia in Ohio. Ich weiß nicht, ob sie überhaupt noch leben. Sie hatten einen Jungen, der Richard hieß. Ich habe sie gebeten, meine Schwestern auch aufzunehmen, aber das wollten sie nicht, sie wollten nur ein Kind.

Jahre später habe ich erfahren, daß meine Schwestern, genau wie ich, niemals Liebe erhalten haben. Sie konnten nicht glauben, daß ihre Adoptiveltern sie wirklich gewollt hatten und daß sie in die Familie paßten. Sie waren immer zufriedene, lebhafte Mädchen gewesen, genau wie jenes andere normale Kind auch. Aber nachdem sie als Adoptivkinder ein Zuhause gefunden hatten, kamen sie sich wie verstoßen vor. So ein Gefühl bleibt in einem stecken. Ich glaube, daß wir nicht so schlimme Narben oder nicht so viel Leid erlitten hätten, wenn das Waisenhaus nicht abgerissen worden wäre und wir alle dort hätten bleiben können. Im Heim hatte man trotz aller Einsamkeit das Gefühl der Gemeinschaft mit den anderen Kindern. Wir hielten alle zusammen und waren fast etwas wie eine eigene, elternlose Familie. Damit will ich nicht sagen, daß es keinen Streit gab. Natürlich gab es Meinungsverschiedenheiten, aber es war so, als ob wir gegen den Rest der Welt zusammenhalten müßten. Und weil eine Welt, in der niemand für dich da ist, voller Schrecken ist, hielten die Kinder zusammen und halfen sich gegenseitig.

Wir Kinder gegen den Rest der Welt – das verband uns. Wir waren ja so gut wie isoliert von anderen Menschen. Mit neun Jahren hatte ich noch nie Rührei mit Schinken gegessen, immer nur Haferflocken und Haferbrei. Ich hatte nie ein Telefon oder eine Zeitung zu Gesicht bekommen und wußte nur sehr wenig davon, was es hieß, Teil einer Familie zu sein.

Bei der zweiten Adoption auf Probe blieb ich nur eine Woche. Nachdem ich von der ersten Familie ins Kinderheim zurückgebracht worden war, nahm mich eine Familie in New Amsterdam in Ohio auf. Ich war als Baby nicht anständig gefüttert worden, weil meine Mutter nicht genug Geld gehabt hatte, um uns etwas zu essen zu kaufen, deshalb hatte ich extrem krumme Beine. Als die Frau mich zu sich nach Hause genommen hatte und meine Beine sah, schrie sie auf. »O Gott! Von den krummen Beinen habe ich nichts gewußt. Die kommt wieder zurück.«

Ich war drei Wochen dort und habe ihr regelrecht die Füße geküßt, weil ich zu dieser Zeit schon wußte, daß meine Schwestern weg waren und ich sie sowieso nicht mehr sehen würde. Meine kleine Schwester war bereits adoptiert worden, und meinen Bruder habe ich auch nie wiedergesehen. Ich hatte fünf Jahre lang im Waisenhaus gelebt, und mit acht Jahren wollte ich unbedingt bei dieser Familie in New Amsterdam bleiben und ein Zuhause haben, aber die Frau hat mich zurückgeschickt – wegen der krummen Beine.

Damals konnten die Leute einfach so kommen und sagen: »Ich möchte ein paar Kinder, am liebsten solche, die schon älter sind und noch keine Adoptiveltern gefunden haben.« Prinzipiell ging man davon aus, daß ältere Kinder nicht mehr zur Adoption vermittelt werden konnten. Ich weiß nicht, wie sie es geschafft haben, doch noch Adoptivfamilien für uns zu finden. Ich erinnere mich nur daran, wie jemand zu mir sagte: »In deinem Alter findet sich keiner mehr für eine Adoption, aber das Waisenhaus wird abgerissen, und deshalb müssen wir irgendwas für dich finden, wo du bleiben kannst.« Ich weiß, daß sie uns nur allzugern jedem gaben, der anrief und nach Kindern fragte.

Ich hatte das Gefühl, als finge die ganze angsteinflößende Welt draußen vor dem Waisenhaus an. Als ich vom Heim zu der Familie fuhr, deren Zuhause meines werden sollte, auf Probe jedenfalls, schaute ich aus dem Fenster auf die Weite des grünen Landes und die Catawell Barges. Und als ich dann wieder zurück ins Waisenhaus kam, saß ich stundenlang am Fenster und sang das Lied »Far Away Places« und dachte an meine Mutter.

Meine Mutter war nicht mehr da. Sie war weit weg, und bis heute kann ich dieses Lied nicht hören, ohne in Tränen auszubrechen. Ich sehne mich immer noch nach meiner verlorenen Mutter. Aus irgendeinem Grund bilde ich mir ein, sie sei von einer Brücke gesprungen.

Unser Waisenhaus stand in dem Ruf, eines der besseren zu sein. In der Weihnachtszeit schickten Leute aus der ganzen Stadt Weihnachtsgeschenke an die armen Kinder. Manche Leute hatten ein bestimmtes Kind, das sie besuchten, und manchmal schickten sie auch mitten im Jahr ein Geschenk.

Die kleinen Kinder wurden hauptsächlich von jungen High-School-Mädchen beaufsichtigt. Manche von ihnen hatten selbst Probleme und ließen ihren Ärger an uns aus. Ich kann mich noch gut daran erinnern, daß Kindern der Hintern rot geschlagen wurde, weil sie angeblich etwas Böses gesagt hatten, was aber gar nicht stimmte. Die High-School-Mädchen schlugen einfach mutwillig zu. Ein Mädchen hat einmal meiner kleinen Schwester den Hintern blutig geschlagen. Sie schrie wie am Spieß, aber das Mädchen wollte nicht aufhören.

Ich kann mich nicht erinnern, daß ich oft Erwachsene gesehen hätte. Ich weiß, daß es eine Frau gab, die für die kleinen Mädchen verantwortlich sein sollte, aber die war immer nur auf ihrem Zimmer, praktisch ließ sie sich nie blicken. In Wirklichkeit waren die High-School-Mädchen für uns zuständig. Wir hatten in unserer kleinen Schule eine Lehrerin, aber die gehörte auch nur zu denjenigen, die kamen und wieder gingen, dagebliebenen ist sie nie. Die Männer und Frauen, die eigentlich das Waisenhaus führten, hielten sich in der unteren Etage in einem Büro auf. Sie hatten da unten ihre eigenen Wohnungen, und wir bekamen sie fast nie zu Gesicht.

Die Betten standen in einem Schlafsaal aufgereiht, und ein

paar von den größeren Kindern waren seelisch ziemlich angeknackst. Ein Mädchen versuchte gelegentlich, kleinere Kinder zu belästigen. Die anderen rieten mir, einfach zu schreien, wenn sie mich jemals anfassen oder zu sich ins Bett locken wollte. Und als sie's dann tat, schrie ich aus Leibeskräften. Sie kam nicht weit, ich brüllte wie am Spieß. Sie sprang aus meinem Bett, und alle Kinder eilten mir zu Hilfe. So funktionierte unser Bündnis, die Vereinbarung, die wir getroffen hatten, ohne groß darüber zu reden: uns gegenseitig zu beschützen.

Aber meine engsten Verbündeten, meine Schwestern und meinen Bruder, sah ich kaum noch. Ich kann mich noch genau daran erinnern, wie wir an einem Tag auf dem Spielplatz gestanden hatten, ungefähr zu der Zeit, als sie im Heim versuchten, uns Kinder irgendwie loszuwerden. Wir versprachen, wir schworen uns gegenseitig, daß wir – meine Zwillingsschwestern, mein kleiner Bruder und meine kleine Schwester – uns niemals trennen lassen würden, aber wir ahnten eben noch nichts von unserer Hilflosigkeit.

Noch heute denke ich wehmütig an die kleine Sophie, die ich nie wieder gefunden habe. Sie sah aus wie Shirley Temple. Manchmal fragten die Leute: »Wie heißt du, Kleine?« Dann stampfte sie mit dem Fuß auf, daß ihre kleinen Locken wippten, und antwortete: »Ich heiße Sophie Joanne Gibbons.«

Ich habe mich oft gefragt, ob sie sich daran noch erinnert. Ob sie noch weiß, wer sie ist. Die Leute, die sie adoptiert haben, haben sie in ihrem Auto mitgenommen und sind vor meinen Augen mit ihr weggefahren. Sie war die jüngste und die erste, die wegging. An ihr Alter kann ich mich nicht mehr erinnern. Ich habe aber eine vage Erinnerung, mehr eine Ahnung, daß sie von jemandem aus Yorkville in Ohio adoptiert wurde.

Die Frage, ob sie sich an uns erinnert, geht mir oft durch den Kopf. Obwohl sie ihr wahrscheinlich einen anderen Nachnamen gegeben haben, vielleicht auch einen anderen Vornamen, möchte ich doch gerne wissen, ob Sophie sich, wenn sie noch lebt, daran erinnert, wie sie mit dem Fuß aufgestampft und ihren Namen genannt hat. Oder ob sie sie innerlich so umgekrempelt haben, daß sie sich gar nicht mehr erinnern will. Ich wünschte, ich könnte erfahren, was aus ihr geworden ist. Ich wünschte, ich könnte sie wiedersehen. Und ich hoffe, daß sie mich, wenn es je dazu kommt, überhaupt noch kennen will.

Vor ein paar Jahren kam in Steubenville in Ohio eine Dame in das Bekleidungsgeschäft, in dem ich damals arbeitete. »Sie sehen aus wie ein Mädchen, das ich kenne, ein junges Mädchen in Yorkville in Ohio. Sie sind ihr wie aus dem Gesicht geschnitten. Sie könnten ihre Schwester sein. Haben Sie Verwandte in Yorkville?«

»O Gott, ja«, sagte ich und erzählte ihr von der kleinen Schwester, die von mir getrennt worden war und die ich unbedingt wiederfinden wollte.

Sie sagte kein Wort mehr, nur noch: »Ich muß gehen.« Sie brach das Gespräch ab, als ginge es um irgendein gefährliches Gift, und hatte es eilig, wegzukommen. Ich versuchte, sie aufzuhalten und ihren Namen zu erfahren, aber es gelang mir nicht. Ich nehme an, sie hat Angst bekommen, etwas zu sagen und dadurch Ärger mit der Familie zu riskieren, falls das Mädchen wirklich meine Schwester gewesen war.

Zuerst begriffen wir damals gar nicht, warum sie versuchten, uns bei Adoptiveltern unterzubringen. Erst später haben wir herausgefunden, daß das Waisenhaus abgerissen werden sollte.

An einem Tag, den ich nie vergessen werde, riefen die Kinder mir zu: »Jemand nimmt Sophie mit.« Ich guckte hoch und sah die Leute mit ihr weggehen. Ich weinte und schrie. Ich wollte ihr nachlaufen, aber jemand hielt mich fest.

Die Frau trug ein zweiteiliges grünes Kostüm und der Mann einen braunen Anzug. Sie waren wunderschön angezogen und hatten ein phantastisches, nagelneues Auto. Sie stiegen mit Sophie ins Auto und fuhren weg. Ich wußte nicht, was für ein Auto das war, ich war zu klein, um so was zu wissen. Alles, was ich wußte, war, daß sie unten an der Straße in das Auto gestiegen waren, daß sie meine kleine Schwester hatten und daß sich die Straße endlos lang hinzog.

Wieder ein riesengroßer Verlust. Zuerst hatte ich meine Mutter verloren – und nun Sophie. Ich weiß noch, wie ich mir vorgesagt habe: »Sophie ist weg. Sophie ist weg. Sophie ist weg. Ich seh sie nie wieder.«

In den folgenden Jahren habe ich immer wieder daran gedacht, wie Sophie und ich auf dem Kinderspielplatz Löwenzahn gepflückt und zu Halsketten zusammengesteckt hatten, die wir uns dann umhängten. Für uns waren sie das schönste auf der Welt.

Wir suchten auch rostige Haarklemmen auf der Straße und steckten sie uns als Lockenwickler ins Haar. Wir wurden ausgeschimpft dafür, wir durften nämlich unser Haar nicht in Locken legen.

Erwachsene, die uns geholfen hätten, mit dem Gefühl aufzuwachsen, daß uns jemand liebhatte, die gab es nicht. Alles, was wir erlebten, war Strenge – wenn sie dachten, wir hätten gelogen, oder wenn wir ihnen auf die Nerven gingen.

Es gab dort so Schwingtüren im Flur, armeegrün gestrichen, hinter die mußten wir uns zur Strafe setzen und stundenlang dort bleiben, manchmal von morgens bis abends. Wenn wir dort herumsaßen, kratzten wir Bilder in die Farbe – Bilder von Häusern, Bäumen, Blumen, Strichmännchen von Müttern, Vätern und Kindern. Es waren keine Wandschmierereien, es waren nur Bilder von Familien, Häusern, Katzen und Hunden, Müttern und Vätern. All das, wonach wir uns sehnten und wovon wir träumten.

Mit ungefähr acht Jahren brach ich mir beide Arme, als ich mit verschwitzten Händen einen Maibaum hinaufkletterte und herunterfiel. Ich weiß noch genau, daß im Krankenhaus im Bett neben mir ein Mädchen lag, das jeden Tag Besuch von seinen Eltern bekam. Ich dachte, sie muß unendlich glücklich sein, eine Mommy und einen Daddy zu haben. Mich besuchte niemand. Ich werde das schreckliche Gefühl der Einsamkeit nie vergessen, das Gefühl, nicht zu einer Familie zu gehören. Es wird für den Rest meines Lebens in mir bleiben.

Nachdem die zweite Familie mich zurückgewiesen hatte, wurde ich das dritte Mal versuchsweise zur Adoption aufgenommen. Ich schaute aus dem Autofenster und ließ die Szenerie an mir vorübergleiten. Ich dachte nur: »Was passiert wohl mit mir?«

Schließlich hielten wir an. Man ließ mich in Ohio, an der Grenze zwischen Jefferson und Mahoning, aussteigen. Meine Adoptiveltern warteten auf mich. Meine neue Mutter war eine große, stämmige Frau mit einem strengen Gesicht, in dem kein Lachen lag. Ihr Mann wirkte ruhig und distanziert. Offensichtlich war es für sie einfacher, mich dort zu treffen, als ins Waisenhaus zu kommen. Ich hatte sie noch nie in meinem Leben gesehen, aber ich stieg einfach von einem Auto ins andere. Sie hatten eine sechs Monate lange Probezeit vereinbart, um zu entscheiden, ob sie mich wollten. Bei ihnen zu Hause lebten noch vier andere Adoptivkinder, drei Jungen und ein Mädchen.

Wie sich schließlich herausstellte, war das das Zuhause, in dem ich bleiben sollte. Sie behielten mich, aber in all den Jahren sagte meine Adoptivmutter mir nie das, was ich am dringendsten hören wollte: daß sie mich wirklich liebte. Sie konnte es einfach nicht sagen. So etwas lag ihr nicht.

Noch lange, nachdem ich adoptiert worden war, suchte ich irgendeinen Kontakt, der innere Wärme versprach. Nachts träumte ich immer, ich wäre wieder im Waisenhaus. In meinem Traum waren die Decken hoch, die Flure wie ein Irrgarten, und dann fiel das Ganze in sich zusammen und zerbrach. Ich schrie laut, um zu hören, ob einer da war, aber niemand antwortete. Viele Jahre lang, sogar nachdem ich Ernest geheiratet und endlich jemanden hatte, den ich lieben konnte, kamen in Streßzeiten die Traumbilder wieder. In diesem Traum fühlte ich mich vollkommen allein und hoffnungslos verloren in Spinnweben und Dreck. Und als Vivia gestorben war, waren es ebenfalls diese Traumbilder, die mich immer wieder heimsuchten.

Vivias Tod weckte all meine alten Kindheitsängste nach dem Verlust meines Bruders und meiner Schwestern in mir. Einerseits glaubte ich, ihr Tod sei ein einmaliger Schicksalsschlag. Andererseits aber hatte ich immer das dumpfe Gefühl, ich würde noch ein Kind verlieren. Ich wußte nicht, wie es dazu kommen sollte, aber dann haben sie mir das mit Arlena gesagt.

2. KAPITEL

Arlenas Kindheit

Regina stand mit dem Baby im Arm vor dem Haus. Sie hatte sich die Augen rot geweint. Ernest wühlte in den Taschen nach dem Schlüssel. Noch bevor er aufschließen konnte, öffnete Irisa die Tür. Sie war rot vor Aufregung. Sie hatte die Küche geputzt, im Wohnzimmer Staub gesaugt und alles abgestaubt, wo sie hinlangen konnte. Nun erwartete sie Mommy und das Baby mit einem Strauß selbstgepflückter Blumen, den alle Kinder gemeinsam gesucht hatten.

»Ach, meine Liebe«, sagte Regina und mußte gleich wieder weinen, als sie Irisa so sah. »Unser Baby ist krank.«

Irisa runzelte die Stirn, aber dann glätteten die Falten sich gleich wieder. »Du wirst es schon gesund kriegen, Mommy.«

Gegen einen Herzfehler und allgemeines Kränkeln half selbst die allergrößte Liebe nichts, das wußte Regina natürlich. Sie wußte aber auch, daß Irisas Vertrauen unerschütterlich war. In gewisser Weise wiederholte sich hier die Tragik ihrer frühen Jugend.

In den Augen der anderen war sie immer das starke, kraftvolle, optimistische Mädchen mit den goldfarbenen Haaren, den grünen Augen und den schönen Wangenknochen gewesen. Aber hinter ihrer Schönheit versteckten sich nur der ständige Hunger, die Resignation und die Hilflosigkeit, die sie in Wirklichkeit fühlte.

Irisa hängte sich an ihre Mutter. »Der liebe Gott hilft dir, sie gesund zu machen«, sagte sie. Regina war wie versteinert. Irisa hatte zugesehen, wie Vivia gestorben war. Noch ein Todesfall, das wäre zuviel für ein Kind gewesen, das durfte einfach nicht passieren.

Sie nahm Irisas Hand und ging mit dem Baby ins Haus. »Ja, Mommy und Daddy werden das Baby gesund kriegen«, murmelte sie.

Die Intensivstation für herzkranke Neugeborene in der Universitätsklinik in Miami war voller kleiner Korbwagen mit hübschen, nur wenige Tage alten Babys, die an Schläuchen und Geräten hingen, Kinder wie Arlena, noch zu klein, um zu weinen, wenn sie jemand mit der Nadel stechen wollte, zu klein, um sich zu fragen, ob sie bis zur nächsten Mahlzeit überleben würden. Die Eltern schliefen oft fünf, sechs Tage ohne Pause auf den Besucherstühlen, damit sie in der Nähe waren, wenn die Babys sie nachts brauchten. Weil Regina so kurz nach der Geburt nicht verreisen konnte, war sie zu Hause bei den Kindern geblieben, Ernest hatte Arlena nach Miami gebracht.

Mit Hilfe eines Katheters gaben sie eine Kontrastflüssigkeit in Arlenas Herz und machten es auf einem Bildschirm sichtbar. Dr. Delores Tamer, die Kinderherzspezialistin, versuchte die inneren Vorgänge zu verfolgen. Sie war gründlich und schien besorgt zu sein. Sie sagte Ernest, Arlena habe nur eine funktionierende Herzklappe. Drei der üblicherweise vier Herzklappen fehlten, außerdem Arlenas untere Herzkammer, und die wichtigsten Gefäße waren falsch plaziert. Dr. Tamer erklärte, daß sie die obere Kammer öffnen müsse, damit das mit Sauerstoff angereicherte Blut durch Arlenas Körper fließen könne. Ohne diese Behandlung würde Arlena die Woche nicht überleben.

Mit drei Jahren würde Arlena vielleicht stark genug sein, für eine Operation am offenen Herzen, aber im Moment stand ein solcher Eingriff nicht zur Diskussion. »Es würde sie umbringen«, sagte Dr. Tamer. »Wir werden versuchen, sie mit Digoxin zu stützen. Sie muß es morgens, mittags und abends einnehmen. Vergessen sie nie, es ihr zu geben. Davon, wie regelmäßig sie ihr die Medizin geben, hängt es ab, ob sie überlebt.«

Als sie sechs Wochen alt war, bekam Arlena Lungenentzündung. Nachdem sie sich davon erholt hatte, erkrankte sie an Kehlkopfdiphtherie. Schließlich überstand sie auch Krupp. Alles, was zu einer Infektion führen konnte, zum Beispiel Grippe, Windpocken, sogar jede Hals- oder Zahnentzündung, war möglicherweise ihr Todesurteil.

Trotz allem sagten die Ärzte Ernest und Regina, Arlena sei ein erstaunliches Baby. Sie konnten kaum glauben, wie gut sie mit ihrer Situation fertig wurde. Mit acht Monaten mußte sie wieder zu einer Katheterlegung kommen. Neun Stunden lang lag sie reglos da. Dann wachte sie plötzlich auf und schrie nach Milch.

Alle sechs Monate mußten sie die stundenlange Fahrt nach Miami auf sich nehmen, um das Blut und den Eisengehalt in ihrem Körper kontrollieren und durch Röntgenaufnahmen überprüfen zu lassen, ob sich ihr Herz vergrößerte. Als sie zwei Jahre alt war, bog ihr ein Arzt den Hals so weit zurück, daß Regina dachte, er müsse jeden Augenblick brechen. Sie wollten den Puls in einer der Venen finden, aber alle Mühe war umsonst.

Sogar an Tagen, an denen es ihr besonders gutging, brauchte man ihr nur die Hand auf den Rücken zu legen, um zu spüren, wie ihr kleines Herz schlug. Es war ein lautes, kraftvolles, angestrengtes Pochen, wie von einer Maschine. Trotz allem war sie ein auffallend hübsches und liebenswertes Mädchen, das durch seinen Lebenswillen jeden für sich einnahm.

3. KAPITEL

Kimberlys Kindheit

Im Rollstuhl saß eine große, hagere Frau mit Schienen an beiden Beinen. Ihr scharfgeschnittenes, hübsches Gesicht war von der Chemotherapie blaß geworden und vor Schmerz verzerrt. Ein hübsches, blondes kleines Mädchen mit großen, grünen Augen und einem für sein Alter erstaunlich intelligenten Blick sprang neben ihr herum. Hinter ihnen stand ein schlaksiger Mann – genauso blond wie das kleine Mädchen und wie die Perücke der Frau. Er schob den Rollstuhl.

Sie ist noch so jung, dachte Cindy, als sie aufstand, um die drei zu begrüßen. Normalerweise gehörten die Krebspatienten, die im späten Stadium ins Tampa General Hospital kamen, der älteren Generation an. Jedenfalls diejenigen, die bereits Operationen und Chemotherapien hinter sich hatten. Diejenigen, die kurz vorm Sterben standen. Diese Frau war ungefähr Anfang Dreißig, und ihr Mann sah nicht viel älter aus.

Das kleine Mädchen lachte und sprang hin und her und hielt sich an der Lehne des Rollstuhls fest. Die Kleine war so niedlich und munter, und ihre Mutter war zu krank, um sie zu halten. »Was wird nur aus dem kleinen Kind, wenn die Mutter stirbt?« überlegte sich Cindy und setzte beim Händeschütteln ein gezwungenes Lächeln auf.

»Ich bin Cynthia Tanner«, sagte sie. Robert Mays gab ihr die ausgefüllten Formulare für die Krankenhausverwaltung. Sie schaute sie durch. »Mr. Mays, sind Sie der Patient?« fragte sie ihn. Es war das erste Mal, daß sie sich ihm zuwandte.

Er sah sie mit einem amüsierten, ein wenig gönnerhaften Lächeln an: »Nein«, antwortete er, »meine Frau Barbara ist die Patientin.«

»Sie haben aber alle Fragen so beantwortet, als wären Sie's, Sir«, sagte sie und rutschte dabei unruhig auf ihrem Stuhl herum. »Wir brauchen den vollen Namen ihrer Frau, ihr Geburtsdatum, ihre Sozialversicherungsnummer und so weiter, aber nicht die von Ihnen.«

Barbara lächelte. Sie hielt das Ganze wohl für spaßig. »Bob steht gerne im Mittelpunkt«, sagte sie.

»Es tut mir leid, Sir, aber Sie müssen noch mal zur Anmeldung und das ändern.« Er wirkte verärgert. Barbara kicherte. »Ich hebe die Röntgenbilder für Sie auf und kümmere mich um die Kleine, bis Sie wieder hier sind«, bot Cindy ihm an.

»Danke, wir kommen schon zurecht«, sagte Barbara. Aber da sie wohl den Eindruck hatte, sie sei ein bißchen barsch gewesen, fügte sie hinzu: »Ich möchte gerne von der Zeit, die mir noch bleibt, möglichst viel mit ihr verbringen.«

»Ich verstehe«, sagte Cindy verlegen. Ihr wurde klar, daß die Frau wußte, wie bald sie sterben würde.

Sie kamen jeden Tag dorthin, Mutter, Vater und die kleine Tochter. Die Kleine war ein richtiger Wirbelwind. Sie rannte durch die Anmeldung, machte sich über die Schubladen her und spielte mit der alten defekten Gegensprechanlage, während ihre Mutter Bestrahlungen bekam. Sie war ein so fröhliches und hübsches Kind, daß alle Therapeuten, Rezeptionsangestellten und Krankenpfleger sie immer wieder tätschelten, mit ihr spielten und Späßchen mit ihr machten. Es ist schwierig für ein kleines Kind, ein oder zwei Stunden stillzusitzen, sagten sie. In Wirklichkeit tat sie allen leid. Eine Schande, daß sie bald keine Mutter mehr haben würde.

Auch Cindy ließ der Gedanke nicht mehr los. Normalerweise erledigte sie kühl, reserviert und tüchtig ihre Arbeit. Aber Kimberly war nur ein paar Jahre jünger als ihre Tochter Ashlee. Sie versuchte sich vorzustellen, wie es wäre, wenn sie Unterleibskrebs bekäme und sterben müßte. Was würde dann aus Ashlee? Sie durfte gar nicht daran denken. Sie hatten nur sich beide.

Cindy war das älteste von drei Kindern. Ihrem Vater gehörte eine Abfallbeseitigungsfirma in Hillsborough County in Florida und eine zweite in Pasco County. Er konnte gut davon leben. Ihre Mutter war Krankenschwester. Cindy war an schöne Kleider, schöne Autos und ein schönes Zuhause gewöhnt, aber sie war nie verwöhnt worden. Sie hatte gelernt zu sparen. Es war eine angenehme, problemlose Mittelstandskindheit gewesen, bis ihre Eltern sich nicht mehr verstanden. Cindy konnte die ständigen Streitereien nicht aushalten, darum war sie von zu Hause weggelaufen, nach ein paar Tagen aber zurückgekommen. Eine Zeitlang wurde es besser, aber als sie siebzehn geworden war, ließen ihre Eltern sich scheiden. Cindy hatte das nie verkraftet. Ein paar Jahre später hatten ihre Eltern wieder geheiratet, um sich im Februar 1977 zum zweiten Mal scheiden zu lassen.

Nach ihrer eigenen Scheidung hatte Cindy eine Weile bei ihrer Mutter gewohnt. Ihre Ehe war schon nach ein paar Monaten zerbrochen. Sie wußte, daß sie einen großen Fehler gemacht hatte, und zog aus, aber sie kam nie ganz von ihrem Exmann los. Sie traf sich noch ein paarmal mit ihm und wurde schwanger.

Cindy und Ashlee wohnten in einem schäbigen Wohnwagen am Stadtrand – nun schon so lange, daß Ashlee es gar nicht anders kannte. Cindy arbeitete in drei Jobs, um Ashlee durchzubringen und sich eine gute Tagesstätte für sie leisten zu können. So hatte sie sich den Traum von der perfekten amerikanischen Familie eigentlich nicht vorgestellt, aber sie kam zurecht. Vierzig Wochenstunden arbeitete sie in der Anmeldung des Tampa General Hospitals, außerdem Freitag und Samstag abend als Kellnerin in einer Bar mit Restaurantbetrieb und sonntags als Schreibkraft in der radiologischen Abteilung im Tampa General.

All das war nichts im Vergleich zu dem, was Barbara Coker-Mays durchmachen mußte. Es gehörte zu Cindys Job, die tägliche Strahlenbelastung der Patientin festzuhalten, daher wußte sie immer genau, wann Barbara neben der Bestrahlung noch chemotherapeutisch behandelt wurde. Cindy versuchte es dann immer so einzurichten, daß sie vorbeischaute und eine Weile mit Barbara plauderte. Alle machten das so, die Therapeuten, die Krankenschwestern und die Pfleger. Meistens wurde nur Belangloses geredet. An einem Tag aber, den Cindy nicht mehr vergessen konnte, hatte Barbara ihr das blasse, hübsche Gesicht zugewandt und gesagt: »Wissen Sie, was ich mir mehr als alles in der Welt wünsche?«

»Nein«, sagte Cindy in der Hoffnung, sie könne es ihr besorgen.

»Kimberlys zweiten Geburtstag noch zu erleben.«

Manchmal traf Cindy mit Barbaras Mutter Velma in der Eingangshalle zusammen. Ein paarmal hatte sie versucht, eine Unterhaltung zu beginnen, aber Mrs. Coker wollte wohl nicht. Cindy stempelte sie im stillen als eingebildet ab.

Sie versuchte es damit zu erklären, daß Barbara vielleicht schon wieder eine Chemotherapie bekam oder noch einmal operiert werden mußte. In solchen Situationen reagieren Menschen mitunter sehr merkwürdig. Und im Grunde ging es ja um Barbara, nur sie zählte, und Barbara freute sich über jedes Gespräch.

Einmal, als Cindy sie besuchte, war Mrs. Coker gerade bei ihr. Barbara war immer nett und liebenswert. Sie versuchte, Cindy und ihre Mutter bekannt zu machen und sie einander ein bißchen näherzubringen. Cindy stand auf der einen Seite des Bettes, Mrs. Coker auf der anderen. Mrs. Coker tat einfach so, als wäre Cindy Luft für sie. Cindy blieb nichts anderes übrig, als achselzuckend darüber hinwegzusehen.

Sie sah Barbara und Bob oft und wußte, daß es Spannungen zwischen ihnen gab. Sie vermutete, daß es irgend etwas mit Mrs. Coker zu tun habe. Was für eine Schande, dachte sie, zu streiten, wenn nur noch so wenig Zeit bleibt. Eigentlich sollten Menschen, die den Tod vor Augen haben, jeden einzelnen Augenblick auskosten und sich ihre Liebe zeigen, damit dies in Erinnerung blieb. Aber so einfach ging es wohl nicht.

Beim letzten Mal, als sie unangemeldet in Barbaras Zimmer gekommen war, hatte sie gleich gemerkt, daß sie im falschen Augenblick hereingeplatzt war. Bob beugte sich gerade über Barbaras Bett und hielt ihre Hand. Er wirkte verstimmt. Sie zog ihre Hand weg, weinte und sah verloren und verwirrt aus. Cindy versuchte, unbemerkt wieder zu verschwinden. Aber dabei stieß sie eine Vase mit einem Rosenstrauß um, den ein Geistlicher Barbara nachmittags mitgebracht hatte.

»O Barbara«, sagte sie mit belegter Stimme, »das tut mir wirklich leid. Natürlich ersetze ich den Schaden.« Und dann hatte sie, als sie Bob in die Augen sah, einen Moment lang den Eindruck, er sei heute ganz anders als sonst.

Als sie ihm das nächste Mal über den Weg lief, sagte sie zu ihm: »Bob, wissen Sie, bei Krebskranken ist es ganz normal, daß sie wieder wie Kinder werden und bei ihrer Mutter sein wollen. Bei manchen ist das beinahe wie ein Schritt zurück zum Tag der Geburt. Ich habe Patienten im Rollstuhl hier hereinkommen sehen, die sich wie ein Fötus zusammengekrümmt hatten. Unbewußt setzt Barbara vielleicht – wie ein Kind – ihre ganze Hoffnung darauf, daß ihre Mutter ihr helfen und sie gesund machen könnte.«

Bob zuckte nur mit den Schultern. »Sie ist meine Frau, und eigentlich sollte ich auf sie aufpassen können.«

»Das verstehe ich doch«, sagte Cindy und legte ihm die Hand auf den Arm. »Aber vielleicht geht es ihr darum, innerlich von ihrer Mutter und ihrem Kind Abschied zu nehmen.«

Er nickte und schien zu verstehen, was sie meinte. »Sie haben recht, Cindy. Sie weiß, daß sie sterben wird. Sie muß sich von vielen Dingen verabschieden.«

4. KAPITEL

Der Anruf

Das Telefon in dem alten Haus in der Nasturtium Street klingelte. Regina hob ab und meldete sich mit »Hallo«. Kurze Zeit blieb es still.

»Ist dort Mrs. Twigg?« fragte eine Frau am anderen Ende.

»Ja«, antwortete Regina. Sie hob Arlena hoch und hielt sie auf dem Schoß, während sie sprach.

»Wahrscheinlich erinnern Sie sich nicht an mich, Mrs. Twigg«, sagte die Frau. »Wir waren zur gleichen Zeit im Krankenhaus und haben beide ein Mädchen bekommen. Ich weiß, daß ihr Baby nicht gesund war. Es war wohl ziemlich krank, als es geboren wurde, und ich wollte nur mal wissen, wie es ihm geht.«

»Das ist ja ein Ding«, sagte Regina verblüfft. »Das ist fast schon zwei Jahre her. Ich kann gar nicht glauben, daß sie noch daran denken und mich dann auch noch anrufen.«

»Na ja«, sagte die Frau, »ich mußte oft an das Baby denken. So bin ich einfach. Ich kann so was nicht vergessen.«

»Meine Güte«, gab Regina zurück, immer noch verwundert, »es ist wirklich nett, daß sie mich anrufen. Ich kann tatsächlich jemanden gebrauchen, der es gut mit mir meint. Mein Kind ist nämlich immer noch sehr krank, es wäre fast gestorben. Wir bringen es jedes halbe Jahr nach Miami zu Tests. Die Kleine steht das alles ganz tapfer durch.«

»Na ja«, fuhr die Frau fort, »ich hab auch ein kleines blondes Mädchen, und ich hab mir überlegt, daß wir uns vielleicht mal treffen, damit die Kinder zusammen spielen können.«

»Ja, natürlich«, antwortete Regina. »Ich fände das schön. Ich würde das kleine Mädchen gerne mal sehen.«

»Ich Ihres auch«, sagte die Frau.

»Wie wär's mit Donnerstag?« fragte Regina. Plötzlich brach die Frau am Ende der Leitung in Tränen aus.

»He«, sagte Regina verwirrt, »was ist los? Ist irgendwas nicht in Ordnung?«

Sie hörte eine andere Frauenstimme im Hintergrund. »Liebling, du mußt jetzt mit Telefonieren aufhören. Es geht dir nicht gut.«

»Es tut mir leid«, sagte die andere Frau dann ins Telefon. »Sie ist krank. Sie wird ein anderes Mal zurückrufen.« Sie legte auf.

Regina blieb ein paar Minuten regungslos sitzen. Dann rief sie ihre Freundin Betty Parker an. »Betty, ich habe den seltsamsten Anruf meines Lebens bekommen«, sagte sie.

»Herrje, Regina«, sagte Betty, nachdem sie die ganze Geschichte gehört hatte. »Mich hat noch nie jemand nach zwei Jahren angerufen und sich so viele Gedanken um mein Baby gemacht.«

Den ganzen Donnerstagmorgen wartete Regina. Ein weißes Auto fuhr gegen Mittag vor. Regina und die Kinder beobachteten es von der überdachten Veranda aus. Sie glaubte drei Erwachsene und ein Kind zu sehen, die aus dem Wagen zur Veranda herübersahen. »Sie sind da«, rief Regina den Kindern zu. Doch als sie zum Gartenzaun ging, fuhr das Auto weg.

5. KAPITEL

Eine neue Liebe

Es war Freitag abend, und Cindy brachte Ashlee zum Babysitter. Sie war ganz in der Nähe von Barbaras und Bobs Wohnung, hatte noch ein bißchen Zeit und entschloß sich, dort vorbeizufahren. Ashlee erklärte sie: »Ich möchte noch kurz in Brandon halten. Ich habe dort Bekannte, bei denen ich schnell mal reinschauen will.«

Bob machte auf. Er war überrascht, Cindy zu sehen. Seine Stimme klang schwach und brüchig, seine Augen waren gerötet, und er wirkte erschöpft. »Sie hat mich verlassen«, sagte er. »Als ich nach Hause kam, war sie weg. Ich habe ihr angeboten, eine Tagesschwester zu engagieren, aber sie hat es abgelehnt. Ich war für einen Tag zu einem Treffen nach Stanford gefahren, und als ich nach Hause kam, war das Haus leer. Keine Frau, kein Kind, kein Kinderbettchen, sogar die Babynahrung war weg. Dann sind ihre Eltern gekommen. Sie haben fast alles mitgenommen. Sie haben sie nach Wauchula geholt.«

»Oh, Bob, das kann ich kaum glauben«, sagte Cindy. »Es tut mir so leid. Ich wollte eigentlich nur kurz ›hallo‹ sagen und euch Ashlee zeigen. Ich hatte ja keine Ahnung.« Sie kam sich hilflos vor, wie sie so dastand und nach Worten rang.

Es wurde unbehaglich still. Bob hüstelte. »Wollen Sie nicht reinkommen? Haben Sie Zeit?«

»Ich kann jetzt wirklich nicht. Ich muß arbeiten. Aber sagen Sie bitte Bescheid, wenn Sie Hilfe brauchen«, antwortete sie. Sie streckte ihm die Hand hin. Er hatte einen festen Händedruck. Seinem traurigen Blick konnte sie nicht standhalten, er irritierte sie.

Eine Zeitlang hatte sie die Verbindung zu Bob und Barbara verloren. Sie wußte nicht, was aus ihnen geworden war. Sie überlegte manchmal, ob sie Barbara anrufen und sich mit ihr verabreden sollte. Aber es war ihr unangenehm, sich in die Angelegenheit anderer Leute zu mischen. Sie hätte auch Bob anrufen können, aber dabei hätte sie sich auch nicht wohl gefühlt. Ihrer Meinung nach war sie sowieso schon weit genug hineingezogen worden. Ab und zu dachte sie darüber nach, ob sie wohl geschieden waren oder ob Barbara schon tot war oder ob sie vielleicht wieder zusammen waren.

Mitte Februar 1981 verbrachte Cindy, obwohl sie frei hatte, einen Abend in der Bar, in der sie arbeitete. Sie war mit einer Freundin bei einem Stadtfest gewesen, und sie hatten sich entschlossen, auf dem Weg nach Hause noch kurz anzuhalten und etwas zu trinken. Sie hatten sich für diese Bar entschieden, weil Cindy dort jeden kannte: den Barmixer, die Kellnerinnen, die Stammkunden, die geschiedenen und alleinstehenden Frauen. Arbeiterinnen und ein paar, die es beruflich weiter gebracht hatten. Ihnen allen ging das Leben, das sie führten, auf die Nerven, sie suchten nach Entspannung von ihren täglichen Sorgen und ihrer stumpfsinnigen Routine. Ein bißchen Abwechslung, ein bißchen Abenteuer, jemanden zum Festhalten, wenn es auch nur für ein Lied im stickig-verqualmten, aufgeheizten Dunkel war.

Cindy fühlte sich wohl bei diesen Leuten, beschützt und sicher. Als sie aufsah, erkannte sie Bob, der mit einem anderen Mann an einem Tisch saß. Sie lächelte ihm zu, ging zu ihm hinüber und gab ihm die Hand. »Bob, wie ist es Ihnen ergangen? Was machen Sie hier?« fragte sie.

»Das ist Dave, mein Chef Dave«, antwortete Bob und lächelte. »Wir hatten eine Besprechung, danach sind wir essen gegangen, und dann dachten wir, wir nehmen noch einen Drink.«

An diesem Abend erfuhr sie alles. Wie Barbara, eine große, blonde Frau, ihm vor zehn Jahren einen Zettel ans Auto geklemmt hatte, auf dem stand: »He, du Teufelskerl, wann machst du mal eine Spritztour mit mir?«

Barbara bekam ihre Spritztour und heiratete Bob ein Jahr später. Sie arbeitete als Kosmetikerin in einem Schönheitssalon, er arbeitete bei einem Ernteunternehmen für Zitrusfrüchte, das ihrer Familie gehörte. Sie war die jüngste von drei Kindern, er war der älteste von zweien. Seine Mutter bekam das zweite Kind, als er achtzehn war. Sein Vater hatte bei der Luftwaffe Karriere gemacht und oft umziehen müssen. Bob war in Okinawa zur Schule gegangen. Als er mit der Schule fertig war, setzte er ein Jahr aus und reiste durch Europa. Die Luftwaffe erwartete ihn bereits, als er zurückkam. Das war 1964, auf dem Höhepunkt des Vietnamkrieges. Sie schickten ihn zu einem Stützpunkt in Deutschland. Er flog als Wehrpflichtiger die Route Vietnam und zurück, ein paarmal schaffte er es, sich einen Platz in einem Lehrgang zu ergattern. Aber es lag ihm nicht so richtig, irgendwo die Schulbank zu drücken. Er sah gut aus, war charmant und sprachgewandt. Jeder mochte ihn. Barbara war auch charmant und warmherzig. Sie schienen das perfekte Paar zu sein. Es war Liebe auf den ersten Blick.

Sie zogen nach Orlando und wollten sofort ein Kind bekommen. Nachdem sie fast zehn Jahre lang die Temperatur gemessen hatte, alle möglichen Experten zu Rate gezogen hatten und bereits aufgeben wollten, wurde Barbara schwanger. Die Schwangerschaft verlief gut, aber die Wehen wollten einfach nicht einsetzen. Schließlich mußte Bob sie in seinem Pickup zum Hardee Memorial Hospital bringen, damit die Wehen eingeleitet werden konnten. Sogar das funktionierte nicht. Schließlich mußte ein Kaiserschnitt durchgeführt werden, weil vom Monitor, der die Herztöne des Ungeborenen registrierte, Notsignale ertönten. Dr. William Black war der Geburtshelfer, aber sie riefen auch noch Dr. Ernest Palmer und Dr. Adley Sedaros hinzu, damit alles unter Kontrolle blieb.

Es wurde eine schwere Geburt für Barbara, aber sie war außer sich vor Glück. Die ersten anderthalb Jahre mit Kimberly waren die glücklichsten ihres Lebens.

Eines Morgens wachte Barbara mit unerträglichen Schmerzen auf. Als Bob sie ins Krankenhaus brachte, stellte der Arzt Unterleibskrebs im fortgeschrittenen Stadium fest, mit zahlreichen Metastasen. »Wir geben ihr vielleicht noch sechs Monate«, erklärte man ihm. Er wollte es ihr selbst sagen.

»Ich weiß schon«, sagte sie, als sie sein Gesicht sah. »Ich kann keine Kinder mehr bekommen.«

»Barbara«, sagte er, »sie haben Krebs gefunden.« Kimberly war noch ein kleines Kind. Es ging mit der Bestrahlung und der Chemotherapie los. Dann folgte eine Operation, weil die Bestrahlung Barbara ein Loch in den Dickdarm gebrannt hatte.

»Ich glaube, sie hat sich selber nicht mehr schön gefunden«, sagte Bob. »Und sie wollte wohl nicht, daß ich sie so sehe.«

Barbara wollte sich ein paar Monate später scheiden lassen, und Bob lieh sich Geld von seinen Eltern, damit er sich einen Anwalt nehmen konnte. Als sie vor Gericht gingen, lagen dem Gericht sämtliche medizinischen Berichte vor. In dem Moment, als Barbara hereingerollt wurde, war allen klar, daß sie nicht mehr lange zu leben hatte. Bob hatte eine ausgezeichnete Krankenversicherung, genau das, was Barbara brauchen würde, wenn sie wieder ins Krankenhaus mußte. Die Versicherung bezahlte sogar sämtliche Medikamente. Das war für das Gericht entscheidend, es wies die Scheidungsklage zurück.

»Die Ehepartner leben getrennt«, ordnete das Gericht an. »Ihr wird das Sorgerecht für Kimberly zugesprochen, solange sie lebt, er kann sie jedes zweite Wochenende besuchen.«

Bob hatte seine Geschichte beendet. Er trank den Jack Daniels und barg das Gesicht in den Händen. Im Kerzenlicht konnte Cindy die dünnen, goldblonden Haare auf seinen Armen sehen. Bobs Chef forderte sie zum Tanzen auf.

»Bob denkt die ganze Zeit an Sie«, sagte Bobs Chef. Er bewegte sich nur leicht, achtete aber mit ausgestrecktem Arm auf Abstand. »Er redet die ganze Zeit nur von Ihnen.«

»Wie meinen Sie das?« fragte Cindy verwundert.

»Er muß Ihnen doch gesagt haben, wie dankbar er ist, daß Sie vorbeigekommen sind und ihn besucht haben. Wie gut Sie mit Kimberly umgehen können, wie gut Sie aussehen, was für ein toller Mensch Sie sind.«

Die Musik spielte immer noch. Cindy bewegte sich, und auch Bobs Chef bewegte sich, aber da war ein neues Gefühl in ihr, das seinen eigenen, stillen Rhythmus hatte. Sie sah hoch.

»Er ist heute abend nur hierhergekommen, um Sie zu sehen. Er hat gehofft, daß Sie hier sind. Bob ist sehr allein, Cindy«, sagte Bobs Chef. »Warum fordern Sie ihn nicht zum Tanzen auf?«

Als das Lied zu Ende war, ging sie fast wie im Traum zu Bob. Er stand auf und streckte ihr die Arme entgegen. Sie spielten »Can I Have This Dance for the Rest of My Life«. Sie lächelte ihm zu, und er lächelte zurück – sein warmes, freundliches Lächeln, das ihn zugleich jung und alt aussehen ließ. Dieses leichte, charmante Lächeln, das ihr bereits bei der ersten Begegnung aufgefallen war.

»Heute nacht nehm ich dich mit nach Hause«, flüsterte er. Er legte seine Arme um ihre Taille und zog sie an sich.

Sie war eine gestandene, vernünftige Frau, kräftig, straff und geschmeidig. Nicht mal ihr kurzes, blondes Lockenhaar machte ein Püppchen aus ihr. Sie stand mit beiden Beinen im Leben und arbeitete hart. Sie hatte es mit der Liebe versucht und mit der Ehe und war gescheitert. Aber sie beherrschte ihre Gefühle. Sie kam allein zurecht, sie hatte ihren Campingwagen, sie hatte Ashlee, und drei Jobs hatte sie auch. Aber jetzt war sie innerlich aufgewühlt. Sie fühlte sich zu Bob hingezogen, sie spürte seine Kraft und ahnte, daß er sie brauchte.

Im Auto nahm er ihre Hand. »Erinnerst du dich noch an den Tag, als du über die Vase gestolpert bist?« fragte er lachend. »Da habe ich das erste Mal gemerkt, daß ich etwas für dich empfinde.«

Sie lachte atemlos. Sie fühlte sich ausgelassen und schüchtern zugleich. Er parkte das Auto auf der Straße und beugte sich zu ihr. Er sah ihr mit verlangendem Blick tief in die Augen. Sie wich zurück. Er spürte ihre Angst und ihren Widerstand und ging auf Distanz.

»Nächstes Wochenende, wenn ich Kimberly habe, möchte ich gerne mit ihr vorbeikommen«, sagte er leichthin. »Wir können etwas zusammen unternehmen.« Es war ihm bewußt, daß das Kind ein Magnet zwischen ihnen war, stärker als die Leidenschaft. Einem Mann wie Bob, sogar wenn er so charmant und nett war, mit einem so offenen Lachen und so angenehmen Umgangsformen, konnte Cindy widerstehen. Aber einem kleinen Kind, niedlich und unschuldig, das bald ohne Mutter sein würde – wie konnte sie dem widerstehen?«

»Gerne«, sagte sie, »sehr gern.«

Er erstickte ihre Worte, indem er sich über sie beugte und seine weichen, offenen Lippen auf ihre preßte.

»Liebling«, flüsterte er. Ihr Herz raste. Es warnte sie vor ihm und zog sie gleichzeitig zu ihm hin.

6. KAPITEL

Die Twiggs

Arlenas Krankheit verschlang alle Ersparnisse. Ernests Versicherung bezahlte zweitausend Dollar für jede Katheterlegung, aber dann blieben immer noch fünfhundert übrig, die sie selber zahlen mußten. Natürlich machten die Arztrechnungen es unmöglich, viel für die anderen Kinder auszugeben. Sie wurden satt und hatten etwas zum Anziehen, es waren eben das ganze Schuljahr dieselben Schuhe und dieselben Jeans. So ernst war ihre Situation. Trotzdem hatten sie immer etwas Sauberes an, dafür sorgte Regina. Wenn sie zum Lebensmittelhändler gingen, mußten sie oft auf den Pfennig sehen. Die kleinen Extras, die andere Familien in ihren Kühlschränken haben, konnten sie nicht kaufen. Nur das Allernotwendigste, und damit hatte es sich. In einem Jahr gab es Rührei zu Thanksgiving, weil sie sich den Truthahn nicht leisten konnten.

Mit Arlenas Gesundheit ging es auf und ab. Manchmal machte sie solche Fortschritte, daß man sich fragte, ob sie nicht vielleicht doch wieder gesund würde. An guten Tagen konnte es sein, daß die Leute glaubten, es sei nichts Besonderes mit ihr los. Allerdings hatte sie immer einen dunklen Teint, und ihre Lippen waren bläulich angelaufen. Manchmal war sie voller Energie. Aber manchmal eben auch richtig schwach. Dann sah man es ihren Augen an: ein müdes Kind, das ständig Schmerzen ertragen mußte. Ein Kind, dem bewußt war, daß seine Beine es eines Tages nicht mehr tragen würden.

Als die Kinder einmal alle im Garten hinter dem Haus spielten, rief Regina ihrem Mann zu: »Ernest, sorg dafür, daß sie

Ruhe gibt. Sie soll endlich still sein.« Aber Ernest winkte ab.

»Laß sie doch spielen. Sie will auch mal ihren Spaß haben«, antwortete er. Sie lief ihrem Daddy mit einem Ball hinterher und hörte gar nicht mehr auf zu rennen. Regina sah, wie sie immer mehr blau anlief. Gerade als sie drauf und dran war, Arlena festzuhalten und sie zu beruhigen, wurde das Kind ohnmächtig und kippte um. Regina hob Arlena hoch und trug sie ins Haus. Nach ein paar Minuten kam Arlena wieder zu sich, ihr Herzschlag stabilisierte sich. Aber Regina wurde wieder einmal daran erinnert, daß bereits eine ganz normale Anstrengung über Arlenas Kräfte gehen konnte.

Gleichzeitig aber war sie bemerkenswert aktiv. Manchmal zog sie Rollerskates an und fuhr den Bürgersteig auf und ab. Sie lernte erst auf dem Dreirad fahren und dann auf dem Fahrrad. Es war nicht gerade einfach für sie, aber sie war immer mit Eifer dabei. Einmal, als ihr ihre Schwester Gina das Balancehalten beibrachte, flog sie plötzlich über die Lenkstange und landete auf ihrem Hintern. Zuerst war sie erschrocken, aber sie rappelte sich wieder hoch. Als sie merkte, daß ihr nichts passiert war, wollte sie gar nicht mehr aufhören zu lachen.

Jeden Sonntagmorgen war Kirche. Wenn nicht eines der Kinder krank war, kam Regina immer mit allen, die Gesichter frisch geschrubbt und strahlend, aufgereiht wie die Orgelpfeifen. Auch an zwei Abenden in der Woche, sonntags und donnerstags, versammelten sie sich in dem beigen Betonblock der nicht konfessionsgebundenen Kirche Christi. Sie sangen Lieder und lernten Geschichten aus der Bibel. An den anderen Abenden spielte Regina mit ihnen, las oder sang ihnen vor. Regina schrieb Countrysongs und sang sie am Klavier. Die Tiefe und Kraft ihrer Stimme spiegelte die Leidenschaft und Intensität ihres Lebens. Wenn alles anders gekommen wäre, wäre sie vielleicht ein Country-Western-Star geworden. Von Zeit zu Zeit trug sie die Lieder, die sie geschrieben hatte, vor. Einmal sang sie, von Arlena und den anderen Kindern mit andächtigen Blicken bewundert, ein Lied über die bedrohten Seelöwen, auch eines, das sie selbst geschrieben und vor dreitausend Zuhörern beim Blue Springs Manatee Festival vorgetragen hatte.

Die Kinder bestimmten ihre Tage und ihre Nächte. Sie tauchten oft in ihren Träumen auf. Vor Jahren schon, im Waisenhaus, hatte sie ihr Selbstwertgefühl verloren. Mit den Kindern hatte sie es wiedergefunden. Sie waren der Beweis, daß sie überlebt hatte. Sie war eindeutig ihre Mutter. Wenn sie mit ihnen zusammen war, entspannten sich ihre Gesichtszüge und wurden mädchenhaft. Sie redete sanfter und ruhiger, ihre Augen leuchteten. Selbst ihr Gang verriet ihren Stolz: eine Mutter, die ihre Kinder liebte und für sie verantwortlich war.

In Gegenwart anderer erwachsener Frauen war Regina trotzdem immer noch unsicher. Sie sehnte sich nach der Anerkennung durch eine Freundin, aber sie empfand vieles anders als sie, sie war unsicher, und sie kleidete sich schlichter. Ständig ging ihr Arlena durch den Kopf, daß sie krank werden und sterben könnte. Bei öffentlichen Veranstaltungen nahm sie sich zusammen. Manchmal, wenn sie die Distanz der anderen Frauen merkte, kniff sie die Augen zusammen, wurde blaß und stocksteif. Sie ließ den Kopf hängen – eine unterwürfige Geste.

Sie wußte, daß diese Frauen dachten, sie hätte zu viele Kinder, ihr Haus sei zu klein und zu voll. Wer glaubte sie eigentlich zu sein? Ethel Kennedy vielleicht? Wußte sie nicht, daß sie nur eine arme Frau war – mit einer Wiege und einem Bügeleisen?

Die Abende waren am einsamsten. Die Kinder schliefen, und Ernest war bei der Arbeit. Es gehörte zu Reginas Gewohnheiten, die Spielsachen aufzuheben, die die Kinder jeden Tag herumliegen ließen. Manchmal fühlte sie sich unerklärlich traurig, wenn sie das Spielzeug in die große Truhe legte, die sie in einem hellen, freundlichen Rot gestrichen hatte. Während sie neben der Truhe saß, umgeben von Spielsachen und Stille, hätte sie manchmal weinen können wie ein Kind. Plötzlich kam sie sich unfertig vor, so leer und sehr allein.

Will, der nur zehn Monate älter war als Arlena, war auch krank. Er hatte von Geburt an zu den Schläfen hin schielende Augen, und mit achtzehn Monaten mußte er sich einer schweren Augenoperation unterziehen. Also standen zwei Wiegen an ihrem Bett, und zwei Babys in Windeln schrien nachts nach ihr. Und Regina war wieder schwanger. Und Ernest kam immer öfter abends nicht nach Hause, weil er länger arbeiten mußte.

Trotzdem war sie glücklich in ihrer Ehe. Wenn es nach Regina ging, würde es immer eine glückliche Ehe bleiben. Sie brauchte ihren Mann und ihre Kinder so sehr, daß sie sich etwas anderes gar nicht vorstellen konnte.

Es gab ein paar Wunden, schmerzhafte Streitpunkte – geklärte und ungeklärte: Da war eine Arbeitskollegin, die ziemlich regelmäßig bei ihnen anrief und Ernest um Gefälligkeiten und Hilfe in ihrem Haus bat. Regina hatte Gerüchte über die zweimal geschiedene Frau gehört, die wohl nie genug bekam. Die Anrufe und Ernests verändertes Verhalten zu Hause trieben Regina dazu, daß sie eines Tages unangekündigt mit den Kindern dort vorbeiging.

Bereits der Anblick dieser schlaksigen Frau, die nie einen BH anzog, wie sie um Ernest herumtanzte und ihm schöne Augen machte, brachte Regina zur Weißglut. Sie wußte am besten, daß er auch nur ein Mann wie jeder andere war und genauso anfällig für Versuchungen. »Mir liegt viel an Ernie«, sagte die Frau und lächelte.

»Oh, mir liegt auch viel an ihm«, erwiderte Regina.

Es gab weder Geständnisse noch Beschuldigungen. Regina lehnte es ab, durch einen Seitensprung sofort ihre Familie oder ihre Ehe zerstört zu sehen. Sie war darauf vorbereitet, wenn nötig, um Ernest zu kämpfen und alles zu tun, um ihn zu behalten.

Danach behandelte sie Ernest liebevoller, aufmerksamer und zärtlicher als jemals zuvor. Er versprach ihr, treu zu sein, und sie akzeptierte das. Aber manchmal, gerade wenn er nachts weg war und sie von Spielsachen und Dunkelheit umgeben war, fühlte sie sich sehr traurig, aber fest entschlossen, das zu behalten, was sie hatte. Er würde immer ihr wunderbarer Ernest bleiben, nichts konnte das ändern. Man hatte ihr die Mutter, den Bruder und die Schwestern genommen. Niemand konnte ihr jemals nehmen, was ihr jetzt gehörte.

REGINA TWIGG ERZÄHLT:

Ich war gerade zwölf, als er mich im Musikzimmer der Familie an sich zerrte. Ich wehrte mich. Ich fühlte seine Hand und das Kratzen seines Bartes. Ich roch seinen Schweiß und seinen hastigen, stinkenden Atem. Er packte mich fester. Ich kämpfte. Er hörte nicht auf, mich festzuhalten und wälzte sich, obwohl ich mich wehrte, auf mich.

Schließlich schrie ich aus vollen Kräften: »Laß los, Daddy, laß mich los. Tu das nicht, laß mich!« Es waren noch andere im Haus, und er hatte Angst, daß mich jemand hören könnte. Also schubste er mich weg. Er hatte einen so seltsamen Gesichtsausdruck, und ich dachte: Er haßt mich.

Als die Schule anfing, kam ich in eine Klasse mit begabten Kindern der höheren Mittelschicht. Ich blieb immer ausgeschlossen. Ich wußte nicht, wie man in einem Wohnzimmer sitzt und sich anderen gegenüber benimmt, ich wußte nicht mal, wie man richtig lernt und sich weiterbildet, jedenfalls nicht so, wie die anderen das konnten. Ich brauchte länger, um vieles zu begreifen, und gegen Mathematik hatte ich zum Unglück irgendwie eine Sperre aufgebaut. Mit Algebra hatte es einfach keinen Zweck.

Als ich mit dem Zeugnis nach Hause kam, wurde meine Adoptivmutter fuchsteufelswild. Sie verlangte von meinem Vater, mich im Keller zu verprügeln. Also zog er mir außer der Unterhose und dem BH alles aus, drückte mich runter und schlug mich mit dem Ledergürtel. Wenn er mich schon anders nicht bekommen hatte, so bekam er mich wenigstens auf diese Art. Diesmal machte er sich keine Gedanken darum, wie laut ich schrie, weil meine Adoptivmutter ja wußte, was er tat.

Als er fertig war, hatte ich Blutergüsse von den Kniekehlen

bis zur Taille und an den Oberschenkeln bis hinauf zur Hüfte. Jeden Zentimeter Haut hatte er mir verprügelt.

Danach schlug er mich immer wieder. Ich ging einfach davon aus, Eltern dürften so etwas. Egal, wie sehr er mich schlug, ich schaffte einfach keine besseren Noten. Niemand zeigte mir, wie man richtig lernt oder Zusammenhänge begreift.

Ich hatte eine Freundin, Janie. Sie ertappte mich eines Tages dabei, als ich wieder geschlagen worden war, daß ich neben meinem Spind stand und weinte. »Was ist los?« fragte Janie.

Ich erzählte es ihr. Sie nahm mich nach der Schule mit nach Hause, und ich erzählte es ihrer Mutter. Ich zeigte ihr die Blutergüsse, und sie erklärte mir, daß das gegen das Gesetz verstoße und daß man es Kindesmißhandlung nenne. Als ich abends nach Hause kam, erzählte ich meiner Adoptivmutter, was Janies Mutter gesagt hatte. Sie wurde richtig wütend.

»Du brauchst einfach deine Tracht Prügel, und wie«, schrie sie. Sie befahl meinem Adoptivvater, mit mir in den Keller zu gehen und mich wieder zu schlagen, und zwar fester als jemals zuvor. Ich hatte schwarze und blaue Stellen mit Striemen und dicken Blutergüssen, die tagelang nicht verschwanden. Erst wurden sie tiefrot, und dann verfärbten sie sich blau.

An einem anderen Tag machte ich gerade den Abwasch. Ich hatte das ganze zweite Stockwerk geputzt, alle Betten für die Untermieter bezogen, die meine Adoptivmutter aufgenommen hatte, und alle Socken mit der Hand gewaschen. Meine Adoptivschwester und ich hatten den Abwasch zusammen erledigt. Wir hatten uns ein bißchen darum gestritten, wer abtrocknet.

Plötzlich, aus heiterem Himmel, sagte meine Adoptivmutter: »Ich glaube, ihr braucht beide eine Tracht Prügel.«

Ich wehrte mich, und auf einmal ging bei mir eine Klappe herunter. Ich sah meine Adoptivmutter an und sagte: »Ich glaube nicht. Wir haben nichts Verkehrtes gemacht, und es verstößt gegen das Gesetz, uns zu schlagen. Das habe ich dir doch gesagt.«

Mein Adoptivvater versuchte, mich zu packen, und ich lief weg. Ich rannte und rannte. Er jagte mich durchs ganze Haus, und am Ende schrie er meine Adoptivmutter keuchend und mit hochrotem Gesicht an: »Schick mich nie wieder, die Kinder zu schlagen. Ich habe keine Lust auf einen verdammten Herzinfarkt.«

7. KAPITEL

Die Mays'

Es war von Anfang an eine Bilderbuchfamilie. Die perfekte amerikanische Familie, von der Cindy immer geträumt hatte. Eine junge Mutter, ein gutaussehender Vater, zwei süße Kinder und ein schönes kleines Haus. Sie hatte schon immer davon geträumt, solange sie zurückdenken konnte. Der Traum war immer geblieben, gleichgültig, was sie gerade tat, ob sie Getränke servierte, am Tisch bediente, auf sexy getrimmt und mit hartem Ausdruck Krebspatienten begrüßte, mit ihren Familien sprach, oder ob sie sonntags, wie es das Los der Sekretärin war, liegengebliebene Berichte tippte. Immer war der Traum in ihr, der Traum, irgendwann einmal zu einer richtigen Familie zu gehören. So wie die, in der sie aufgewachsen war. Der alte Traum, den Märchenprinzen zu finden.

Das nächste, woran sie sich erinnerte, passierte ungefähr am ersten März. Bob überprüfte alle bloßliegenden Kabel in ihrem alten Wohnwagen, schüttelte den Kopf, lächelte sein wunderbares Lächeln und sagte: »Hier ist es nicht sicher. Das ist eine Todesfalle, Liebling. So ein Wohnwagen kann jede Minute in Flammen aufgehen. Du und Ashlee zieht zu mir.« Heute bestreitet Bob, daß sie zusammengelebt hätten, bevor Barbara gestorben sei.

Niemand im General Hospital wußte, daß sie einander trafen, und auch in ihren Familien wußte keiner was, die Cokers natürlich auch nicht. Bob und Cindy glaubten, jeder müsse ihnen auf den ersten Blick die ehebrecherische Beziehung ansehen, also sei es besser, alles schön im Verborgenen zu halten, bis die Zeit reif war.

Ein paar Wochen später riefen die Cokers an und sagten,

Barbaras Zustand habe sich erheblich verschlechtert. Sie brauchte eine Bluttransfusion. Sie brachten sie in die Intensivstation und wollten, daß Bob hinkäme. Er war dann auch da, als sie in der gleichen Nacht starb.

Bob leistete seit ein paar Monaten Anzahlungen für ein Grab für Barbara in Orlando. Als sie sich alle im Krankenhaus in Brandon trafen, fragten ihn die Cokers, ob sie Barbara nicht in Wauchula beerdigen könnten. Die Cokers besaßen dort einen Friedhof mit einer Leichenhalle, sie wollten für alle Kosten aufkommen. Bob war einverstanden.

Am nächsten Morgen war er verständlicherweise bedrückt. Cindy ertappte ihn dabei, wie er das Lied von Carpenter hörte »We've Only Just Begun« und weinte. Es war Barbaras Lieblingslied.

Am Nachmittag änderte sich seine Stimmung. Kurze Zeit nach Barbaras Tod rief Bob seine Eltern an und erzählte ihnen, daß er so glücklich sei wie nie zuvor. Er sagte, er sei in eine Frau verliebt und habe jetzt eine tolle neue Familie.

Ein paar Wochen später machten sich Bob und Cindy mit den Kindern nach Orlando auf und verbrachten ein Wochenende in Disney World. Sie wohnten in einem Reisemobil auf einem Campingplatz in Fort Wilderness und luden seine Eltern, die in der Nähe lebten, zum Grillen ein. Während alle draußen beim Essen saßen, ging Cindy hinein, um den Salat zu holen, den sie vorher vorbereitet hatte. Als sie sich nach Öl und Essig umdrehte, sah sie Bob mit einem Glas Jack Daniels im Eingang stehen. Er starrte sie an.

»Ich will dich heiraten«, sagte er und grinste dabei.

»Na klar«, sagte sie lachend und stemmte die Hände in die Hüften. »Wie wär's mit Donnerstag?«

»Donnerstag hört sich gut an«, gab er zurück. »Willst du wirklich?«

Sie sah ihn überrascht und erfreut an. »Meinst du das ernst?«

Er nickte. »Ich will dich heiraten. Hast du am Donnerstag frei?«

Sie wurde ein bißchen rot. »Ich glaub schon«, sagte sie. Sie versuchte, ihre Aufregung zu verbergen. »In der Mittagspause habe ich frei.« Sie trocknete die Hände ab; sie zitterten. »Paßt es dir um zwölf?«

Er stellte sein Glas auf den Küchentisch und packte sie an den Ellenbogen. Lachend bog er den Kopf zurück und wirbelte sie jubelnd herum. Dann trug er sie hinaus zu den anderen.

Kurz nach der Hochzeit klopfte es an der Tür. Cindy faltete gerade die Wäsche, die über die Couch verstreut lag. Sie machte auf, und Velma und Merle Coker standen vor der Tür. Kimberly sagte zu Cindy inzwischen schon Mommy, und es mußte den Cokers sofort klar sein, daß sie dort wohnte.

Bob kam herbei und erklärte ihnen, daß sie verheiratet seien. Die Cokers verhielten sich reserviert, aber höflich. Cindy kam Mrs. Cokers Blick so vor, als wolle sie ständig sagen: »Das weiß ich doch schon längst.« Sie sagten, daß sie Kimberly für ein paar Tage mitnehmen wollten, um Barbaras Schwester Kay zu besuchen.

»Nicht jetzt. Wir sind gerade eine neue Familie geworden«, sagte Bob. »Wir versuchen, die beiden Mädchen aneinander zu gewöhnen und ihnen ein ganz normales Familienleben zu geben. Die letzten Jahre hat Kimberly aus dem Koffer gelebt, hin und her gezogen zwischen mir und Barbara und dir und meiner Mutter. Ashlee war es gewöhnt, Cindy für sich zu haben. Beide brauchen endlich mal ein richtig ruhiges Familienleben. Kim muß lernen, aufs Töpfchen zu gehen und selbst zu essen. Wir brauchen etwas Zeit, um das alles hinzukriegen. Wir müssen uns alle aneinander gewöhnen. Wir wollen nicht ein Kind hier und das andere woanders haben.«

»Wir sagen das jedem«, fügte Cindy noch hinzu. Sie wollte, daß es nicht so persönlich klang. »Ich habe meiner Mutter, meinen Großeltern und meinen Geschwistern gesagt, sie sollen nicht kommen und nur einem der Mädchen etwas mitbringen und dem anderen nicht. Jetzt sind sie beide unsere Mädchen. Sie können jederzeit zu Besuch kommen. Aber es gilt das gleiche wie für meine Familie: Wenn sie einer etwas mitbringen, soll die andere auch etwas bekommen. Die Mädchen sind jetzt Schwestern, und so wollen wir es auch halten.«

Velma verzog das Gesicht, als ob sie jeden Moment weinen wollte. Merle legte den Arm um sie, nahm sie beiseite und redete ruhig auf sie ein. Danach gingen sie.

Velmas schlimmste Befürchtungen waren vor ihren Augen Wirklichkeit geworden. Seit der Beerdigung hörte man aus jedem ihrer Worte den Kummer heraus. Sie hatte ihr Haus in einen Schrein verwandelt. An den Wänden, auf den Regalen und auf dem Kaminsims – überall hingen und standen Bilder von Barbara, in jedem Stadium ihres Lebens. Ihre schöne Barbara. Das Schicksal hatte Velma wahrhaftig einen harten Schlag versetzt. Töchter sollen ihre Mutter beerdigen, und nicht umgekehrt.

Im Sterben hatte Barbara Velma angesehen und gesagt: »Paß auf die Kleine auf, Mutter. Zieh sie groß für mich.« Und jetzt war Velma das genommen worden. Ihr waren die Hände gebunden.

Manchmal sah sie ein kleines Mädchen im Supermarkt oder auf der Straße und mußte weinen, ohne zu wissen, ob sie um Barbara oder Kimberly weinte. Sie hatte nicht nur ihre Tochter, sondern auch ihre Enkelin verloren.

Zerrissen von Kummer und dem Gefühl schrecklicher Hilflosigkeit, fing sie an, Briefe an Kimberly zu schicken. Cindy war rasend vor Wut. Kimberly war gerade zwei Jahre alt, sie konnte ganz eindeutig weder lesen noch schreiben und wußte nicht mal, wie man einen Briefumschlag öffnete. Auf Cindy machten die Briefe einen krankhaften und depressiven Eindruck.

Sie öffnete Briefe, in denen stand: »Liebe Kimberly, erinnerst Du Dich an den Pfirsichbaum (oder auch Apfelbaum oder sonst ein Baum, sie wußte es nicht mehr genau), der im Hinterhof stand und zu dem Du immer hinaufgesehen hast? Du hast dabei auf dem Schoß Deiner Mutter gesessen. Also, der Baum steht jetzt in Blüte.« Oder: »Wir waren auf dem Friedhof und haben das Grab Deiner Mutter besucht.« Oder: »In der Kirchengemeinde haben sie letzten Sonntag zur Erinnerung an Deine Mutter einen Baum gepflanzt.« Velma tat Cindy leid, aber so leid nun auch wieder nicht. Es wäre schändlich gewesen, diese gefühlvollen Briefe einem zweijährigen Kind vorzulesen, das glaubte, sie sei seine Mutter.

Die Cokers riefen noch mal an, um zu sagen, sie wollten Kimberly zu einem Besuch bei Barbaras Schwester mitnehmen. Diesmal ging es um einen ein- oder zweiwöchigen Besuch. Aber sie hatten überall im Haus diese Fotos von Barbara aufgestellt und schienen nicht zu begreifen, daß Kimberly Zeit brauchte, bevor sie etwas über ihre Mutter erfahren sollte. Das war jetzt Bobs und Cindys Aufgabe. Wenn sie der Meinung waren, sie sei alt genug, würden sie es ihr sagen.

Es kam noch ein Brief. Diesmal war es eine Rechnung des Bestattungsunternehmens der Cokers für Barbaras Begräbnis. Bob setzte sich hin und schrieb einen freundlichen Brief an das Beerdigungsinstitut, in dem er erklärte, daß die Rechnung an die Cokers geschickt werden müsse, so sei das vereinbart worden. Ein paar Wochen später kam wieder ein Brief von dem Beerdigungsinstitut, in dem stand, daß sich die Cokers daran nicht erinnern konnten und daß Bob ihnen den Rechnungsbetrag schulde. Damit fing der Krieg an.

Das entscheidende Ereignis trug sich einige Wochen später zu. Bob war geschäftlich unterwegs und mußte jede Woche ein paarmal auswärts übernachten. In einer dieser Nächte rief Kays Mann an und fragte nach Bob.

»Ich bin seine Frau«, sagte Cindy. »Vielleicht kann ich Ihnen weiterhelfen.«

»Ich bin Barbara Cokers Schwager«, sagte der Mann. »Ich höre, sie wollen Merle und Velma nicht erlauben, Kimberly zu besuchen?«

Cindy knickte in sich zusammen, sie rang um Fassung. Dann versuchte sie in ruhigem Ton alles zu erklären. »Die Kleine braucht ein festes Zuhause, bevor sie soweit ist, sich selbst ihren Weg zu suchen.«

Der Wutausbruch am anderen Ende der Leitung war wie eine Explosion. »Sie sind nicht Kimberlys Mutter!« schrie der Mann.

An dieser Stelle legte Cindy auf. Er rief noch mal an. Sie legte wieder auf, aber es war zu spät. Er spukte bereits durch ihre Träume.

Als Bob später anrief, war sie hysterisch. »Mit den Briefen und sogar mit der Beerdigungsrechnung komme ich noch klar. Aber dich mit diesen Anrufen aufzuregen, während ich weg bin – das geht zu weit, Liebling«, versuchte Bob sie zu beruhigen. Am nächsten Tag bekamen sie eine Geheimnummer.

Dann rief Barbaras Schwager bei Bobs jüngerem Bruder Reed an. Er versuchte, die Geheimnummer von ihm herauszubekommen und erzählte ihm, was für schreckliche Leute Bob und Cindy doch seien, weil sie Kimberly die Cokers nicht besuchen und sie nicht wissen ließen, wer ihre wirkliche Mutter war. Reed legte auf und ließ seine Nummer ebenfalls ändern. Für die nächsten drei Jahre hatten sie Ruhe vor den Cokers. Cindy war erleichtert. Mrs. Coker war ihr immer ein Dorn im Auge gewesen, hatte sie nie akzeptiert, sondern dauernd nur darauf herumgehackt, daß Kimberly nicht ihr Kind sei und sie im übrigen auch nicht Bobs erste Frau sei. Jetzt konnte Cindy anfangen, ihren Traum von einer richtigen Familie zu träumen, wenigstens eine Weile.

CINDY MAYS ERZÄHLT:

Kurz nach unserer Hochzeit fuhren wir für eine Woche mit den Mädchen nach Daytona Beach. Bobs Eltern, sein Bruder und seine Schwägerin kamen übers Wochenende auch hin. Sonntags kamen wir an, und wie das so ist den ersten Tag am Strand, waren wir alle in Bombenstimmung.

Bob wollte eine Fahrt in einem alten Jeep machen, der weder die Plakette der Sicherheitsinspektion hatte, noch angemeldet war. Er hatte ihn hinten an unserem Auto angekoppelt und so während der Hinfahrt ins Schlepptau genommen.

Nachdem er ein paar Drinks getrunken hatte, ließen wir die Kinder bei Ruth und Bob, seinen Eltern (sein Vater hieß nämlich auch Bob). Debbie, Reed und ich fuhren zum Strand. Ich saß neben ihm auf dem Beifahrersitz, sein Bruder und seine Schwägerin saßen hinten. Der Jeep hatte Vierradantrieb, und Bob wollte Reed zeigen, wie gut er im Sand fuhr. Ich glaube, Reed wollte ihn kaufen oder dachte zumindest darüber nach. Jedenfalls fuhr Bob geradewegs in die Dünen, und einige Leute dachten wohl – weiß Gott, warum –, er werde gleich ihre Hunde überfahren. Sie riefen bei der Polizei an und beschrieben den Wagen.

Wir waren zwei- oder dreihundert Meter den Strand hinuntergefahren, als der Polizist Bob anhielt und sagte: »Den Führerschein, bitte. Sie haben keine Zulassung und keine Sicherheitsplakette.«

Bob antwortete: »Tja, das stimmt. Ich bin gerade erst angekommen und zeige meinem Bruder, wie der Vierradantrieb funktioniert.«

»Wir haben in der Zentrale einen Anruf bekommen. Jemand hat gesagt, Sie hätten versucht, seinen Hund zu überfahren.«

In diesem Moment verlor Bob die Beherrschung. Ich saß im

Jeep, und Bob stand draußen, aber ich war nahe genug, um zu sehen, wie Bob vor Wut kochte.

Ich erinnere mich, wie ich zu Reed und Debbie gesagt habe: »O Gott, er fängt gleich an herumzubrüllen, er verliert die Beherrschung.« Ich wollte aussteigen, zu ihm gehen und versuchen, ob ich ihn beruhigen könnte, aber Reed und Debbie rieten mir, im Auto zu bleiben, weil ich heulte. Ich konnte nicht aufhören zu weinen, weil es einfach zu furchtbar war, gleich am ersten Tag unseres Urlaubes zu erleben, wie er einen Polizisten anschrie. Ich konnte einfach nicht fassen, was da passierte.

Er fing an zu schreien: »Ich soll versucht haben, irgendeinen gottverdammten Köter zu überfahren? Sie spinnen doch. Die sind ja alle verrückt.« Er wurde richtig laut und ausfallend und brüllte die Polizisten weiterhin an. Sie legten ihm kurzerhand Handschellen an, nahmen ihn mit und notierten seine Personalien.

Ich heulte immer noch. Ich sagte Reed, er solle den Jeep zurück ins Motel fahren. Von der Polizei ließen wir uns sagen, wohin sie ihn bringen würden. Auf dem Polizeirevier mußte Bob in ein Röhrchen blasen. Sie brummten ihm eine Geldstrafe auf wegen der Zulassung und Sicherheitsplakette und zeigten ihn wegen Trunkenheit am Steuer an.

Zuerst dachte ich: »O Gott, worauf hab ich mich da eingelassen?« Als ich seine Kaution bezahlt hatte, mußte ich einfach nur weg. Ich stieg ins Auto und fuhr allein durch die Gegend, einfach nur so. Ihn ließ ich im Zimmer zurück, mit den Mädchen, seinen Eltern, seinem Bruder und seiner Schwägerin. Ich zerbrach mir den Kopf, wie das alles passieren konnte. Als ich zurückkam, sagte ich ihm, ich könne das nicht leiden, daß er so rumsäße und soviel tränke. Er sah es ein und trank für den Rest der Woche weniger. Trotzdem konnte ich nicht darüber hinwegkommen, daß er jähzornig geworden und so mit einem Polizisten umgesprungen war. Es war das erste Mal, daß ich einen seiner Wutanfälle miterlebt hatte.

Kurze Zeit später rief er mich aus einem Steakhaus an, er war sehr betrunken und wollte, daß ich ihn abhole. Er war spontan mit ein paar seiner Kunden etwas trinken gegangen.

Als ich ankam, saß er mit einigen Männern und Frauen am Tisch. Er war sehr ausfallend. Ich kann mich nicht genau erinnern, was er gesagt hat, aber ich mußte schon einiges wegstecken.

Eine der Frauen zeigte sich ganz offenkundig interessiert an Bob. Ich versuchte, ruhig zu bleiben und sagte: »Du hast jetzt genug, Bob. Laß uns gehen.«

Aber nein, er hatte nicht genug. Also bestellte er noch einen Drink und sagte wieder etwas, was mich verletzte. Ich weiß noch, daß ich das Glas genommen und unter der Tischplatte über ihn geschüttet habe. Er sprang auf und lief hinaus. Ich ging ihm nach, aber er schrie und beschimpfte mich und wollte einfach nicht zu mir ins Auto steigen. Er fuhr mit seinem eigenen Wagen. Ich versuchte, ihm zu folgen, aber ich verlor ihn.

Ich habe keine Ahnung, wie er in dieser Nacht nach Hause gekommen ist. Es dauerte eine Stunde, bis er kam, also fuhr ich inzwischen den Babysitter nach Hause und wartete dann auf ihn. Schließlich kam er angefahren, stolperte kreuz und quer über den Parkplatz und blieb auf einmal stehen und fing mitten auf dem Motel-Parkplatz zu pinkeln an. Er war sternhagelblau in dieser Nacht, er merkte gar nicht, daß ich da war, so betrunken war er. Vielleicht hatte er auf dem Heimweg noch mehr getrunken, ich weiß es nicht. Aber als er hereinkam, kippte er einfach um. Das war im ersten Jahr unserer Ehe.

(Nachträglich bestreitet Bob, daß er seinerzeit dauernd betrunken war.)

Das nächste Mal, als er wieder betrunken nach Hause kam, wollte ich wissen, wo er gewesen war. »Warum hast du mich nicht angerufen? Mein Gott, einfach mal kurz anrufen und mir sagen, daß ich mir keine Sorgen machen soll! Du könntest ja auch tot im Straßengraben liegen«, sagte ich.

Ich hätte wissen sollen, daß es keinen Sinn hat, mit ihm zu reden, wenn er betrunken ist. Es war immer besser, ihn einfach umkippen und ausschlafen zu lassen und erst am nächsten Tag, wenn er ein schlechtes Gewissen hatte, darüber zu diskutieren. Aber so vernünftig war ich nicht. Ich erinnere mich, daß ich ihn, während er nichts als endlich einschlafen wollte, immer wieder am Arm gepackt und gesagt habe: »Wo warst du? Sag's mir, wo warst du?«

»Nein, ich sag's dir nicht, ich sage überhaupt nichts dazu«, sagte er. »Halt den Mund und laß mich in Ruhe. Ich will schlafen.«

Ich bohrte weiter und wollte wissen, wo er gewesen sei und warum er mich nicht angerufen habe.

Bobs Verhalten war meistens erschreckend, wenn er getrunken hatte. Aber in dieser Nacht benahm er sich doppelt beängstigend, einfach grauenhaft. Plötzlich zielte er mit einer Waffe auf mich. Mit einer 357er Magnum.

»Halt den Mund und hau ab. Nimm deine Tochter und hau ab«, schrie er. Er richtete die Waffe auf mich und entsicherte sie.

Wir hatten ein großes Bett mit vier Pfosten, er bewahrte die Pistole auf seiner Bettseite in einem Halfter auf, am oberen Pfosten festgeschnallt. Er war betrunken und richtete eine entsicherte Waffe auf mich und sagte mir, ich solle mein Kind nehmen und abhauen. Ich zitterte. Kimberly lag bei Ashlee im Bett, aber sie schlief fest. Ich nahm Ashlee und rannte weg.

Ich hatte, als wir heirateten, davon geträumt, daß wir eine Familie wären, und ganz plötzlich stand er da, die Pistole auf mich gerichtet, und sagte: »Nimm deine Tochter und hau ab.« Das machte meinen Traum schlagartig zunichte, unsere Töchter seien unsere gemeinsamen Kinder.

Ich war noch im Nachthemd. Ashlee auch. Ich hatte sie einfach aus dem Bett genommen und zu den Nachbarn getragen. Das war ungefähr um zwei Uhr nachts. Sie war sechs Jahre alt.

Bill und Vicky Reynolds, die Nachbarn, hatten zwei Kinder,

ein Mädchen und einen Jungen. Ich glaube, ihre Tochter war genauso alt wie Kimberly, der kleine Junge war noch ein Baby. Vicky schlief, ihr Mann war auf Reisen. Er war Vertreter und in dieser Nacht nicht zu Hause.

Ich hämmerte gegen die Tür und schrie: »Kann ich reinkommen? Ich muß rein. Kann ich zu euch kommen? Laß mich rein, bitte«, bat ich. »Ich brauche irgendeine Bleibe.«

Ich weiß noch, daß wir alle Lichter ausgemacht haben, weil ich nicht wollte, daß Bob wußte, wo ich bin. Ich hatte Angst, daß er mit der Waffe nach mir suchen käme.

Erst am nächsten Tag erfuhr ich, daß er meinen Vater angerufen und gesagt hatte: »Hol deine Tochter ab. Ich hab sie rausgeschmissen. Sie läuft hier irgendwo mit Ashlee rum.« Ich habe nie daran gedacht, die Polizei anzurufen, zu dieser Zeit liebte ich ihn noch zu sehr.

Am nächsten Tag verließ ich Vickys Haus, ging die paar Schritte nach nebenan in unser gemeinsames Zuhause und zog mich an. Er lag immer noch sturzbetrunken im Tiefschlaf. Ich machte Kimberly und Ashlee fertig, brachte sie in den Kinderhort, wie ich es immer tat, und dann ging ich wieder zur Arbeit. Gegen Abend bekam ich Rosen. Wissen Sie, er schickte immer Rosen, das war so eine Angewohnheit.

Solche Nächte kamen regelmäßig vor, nicht jede Woche oder jeden Monat, aber ich wußte nie, wann es passiert. Ich habe immer noch die kleinen Karten, die er mir mit den Rosen schickte, sie liegen hier herum. Ich habe eine Menge von diesen Karten.

2. TEIL

Sorgen am Rande

Ihre innere Berufung war sehr viel stärker,
als irgend jemand ahnte.
Mit leidenschaftlicher Zielstrebigkeit entriß sie ihre eigene
Seele der Vergessenheit.

Colette Dowling

8. KAPITEL

Getrenntes Leben

Ernest war voll innerer Unruhe, selbst dann, wenn die Kinder auf seinem Schoß herumkletterten und darum wetteiferten, seine Aufmerksamkeit zu erhaschen. Seine Augen lagen tief in den Höhlen, stumpfsinnig und gealtert.

Regina stand in der anderen Ecke der Küche und beobachtete ihn: das Gesicht in den Händen vergraben, auf die Ellbogen gestützt, völlig in sich versunken. Von weitem wirkte er noch wie der alte Ernest, aber sie fragte sich, was wohl in ihm vorging und was da draußen geschah, in seiner Arbeitswelt, die sie nicht kannte, im Leben ohne sie. Sie hatte Angst, ohne zu wissen, wovor. Sie spürte: Er will eine Veränderung.

Ihre Adoptivmutter war unerwartet an einem schweren Herzanfall gestorben und hatte ihr fünfundzwanzigtausend Dollar hinterlassen. Regina hatte vorgeschlagen, mit dem Geld ein neues Haus zu kaufen. Sie dachte, dann wäre Ernest vielleicht zufriedener.

Sie fanden ein Haus in Kompaktbauweise mit drei Schlafzimmern in Orange City in Florida. Es hatte einen Swimmingpool im Keller, schon über zwanzig Jahre alt, sieben mal vier Meter und einsachtzig tief. Sie entschlossen sich, das Schwimmbecken lieber in Ordnung zu bringen und ihren Spaß damit zu haben, als es einfach mit Schotter auszufüllen. Arlena war fünf geworden und ganz verrückt auf Schwimmen. Mit einem Schwimmreifen um die Taille konnte sie sich den ganzen Tag treiben lassen. Zum ersten Mal in ihrem Leben war sie in der Lage, mühelos ihr eigenes Gewicht zu tragen.

Die ganze Familie war begeistert von dem Pool – und auch von dem Haus, aber sie waren zu zehnt – Regina, Ernest und acht Kinder, und es hatte nur drei Schlafzimmer. Regina versuchte, die Betten wie in einem Schlafsaal aufzureihen, so wie früher im Waisenhaus. Vier Jungen in dem einen winzigen Zimmer und drei Mädchen im anderen, das hatte einfach nicht funktioniert. Da blieb nicht mal ein Laufgang zwischen den Betten, geschweige denn Platz zum Spielen.

Nach ein paar Monaten beauftragten sie ein Bauunternehmen, zwei weitere Räume anzubauen. Plötzlich hatte Regina eine Idee. Ernest hat immer hart gearbeitet, überlegte sie. Er hat seine Kinder ernährt und sich selbst fast nie etwas gegönnt. Er hatte sich schon immer eine Garage mit einer Arbeitsgrube gewünscht, eine richtige Mechanikergrube, damit er zu Hause genauso arbeiten konnte wie in einer Werkstatt, richtige Mechanikerarbeit, die nebenher etwas für die Haushaltskasse einbrachte. Da sie sowieso gerade umbauen ließen, warum sollte sie das nicht auch gleich erledigen?

Sie wollte wieder Freude in seinen Augen glänzen sehen. Er wirkte die ganze Zeit so müde und abgespannt. Sie versuchte, mit Worten an ihn heranzukommen, aber es wurde immer schwieriger, die Mauer zu durchbrechen, die er um sich aufgerichtet hatte. Also baute sie eine Garage ein. Jetzt konnte Ernest an Autos basteln und dabei auch noch zusätzliches Geld verdienen.

Regina wünschte sich mehr als alles andere, daß er ein bißchen glücklicher würde und mehr zu Hause bliebe. Sie wußte, daß seine Arbeitszeit bei der Eisenbahngesellschaft Amtrak unregelmäßig und lang war. Aber sie merkte auch, daß er noch mit etwas anderem beschäftigt war. Manchmal, wenn es ihr besonders schlechtging, fragte sie sich, ob er wohl in Gedanken bei dieser schlanken Frau wäre, die nie einen BH trug. Sie wollte über so vieles mit ihm sprechen, aber etwas in seinem Verhalten und seiner Miene – ja sogar in der Art, wie er die Schultern vorgeschoben hatte – hielt sie immer wieder davon ab.

Sie ertappte sich dabei, daß sie ihn, da sie nicht mehr an ihn herankam, aus ein paar Schritten Entfernung beobachtete. Sie versuchte, seine heimlichen Wünsche zu verstehen und sein Leben zu ergründen.

Ernest war das sechste von achtzehn Kindern. Er war in einem weitläufigen Bauernhaus großgeworden, am Stadtrand von Indiana in Pennsylvania, das seine Eltern das »happy house« genannt hatten. Es hatte viele Schlafzimmer und eine große, helle Küche. Sein Vater hatte die erste Stromleitung gelegt, aber eine Wasserleitung gab es immer noch nicht. Sie hatten einen wunderschönen Entenweiher und eine dänische Dogge, die Fleece hieß. Sogar für eine dänische Dogge war Fleece riesig.

Ernests Vater arbeitete als Reifenspezialist bei der McCreary Reifen- und Gummi-Gesellschaft. Finanzielle Probleme gab es bei ihnen ständig. Sie wohnten hoch in den Bergen, bauten selbst Obst und Gemüse an und backten ihr eigenes Brot. Ernests Mutter backte gewöhnlich so viel auf einmal, daß der ein Meter achtzig lange Tisch voll mit Pasteten, Kuchen und Brot lag. Die Familie hielt fest zusammen, es war, soweit Regina das beurteilen konnte, eine glückliche Kindheit gewesen. Die Jungen waren zusammen um die Wette gelaufen, hatten gejagt und waren schwimmen gegangen. Sie hielten Kühe, Schweine und Hühner. Die Kinder kümmerten sich um die Tiere und machten die Ställe sauber. Aber die Kühe melken, das konnte nur Ernest, weil die anderen zu zappelig waren und er die zartesten Hände hatte.

Die ganze Familie lebte in der guten alten christlichen Tradition. Der Vater hatte feste Prinzipien. Er sagte den Kindern nur einmal, was sie tun sollten. Wenn sie nicht gehorchten, bekamen sie Prügel. Nicht, weil er brutal gewesen wäre, er hatte eben seine Grundsätze. Er mußte so sein, sonst hätte er so viele Kinder nie unter Kontrolle bringen können. Eigentlich war er ein warmherziger Mensch, ein guter Vater, der fleißig arbeitete.

Ernests Mutter war eine aufrichtige Frau, die kein Blatt vor den Mund nahm. Sie sprach aus, was ihr in den Sinn kam, ohne zu überlegen, mit wem sie es gerade zu tun hatte. Sie war glücklich und ausgefüllt mit ihren Kindern. Noch Jahre später, als bereits alle Kinder erwachsen waren, traten ihr beim Anblick der Babyfotos Tränen in die Augen. Das waren ihre glücklichsten Zeiten gewesen, und sie betonte immer wieder, daß sie sie um keinen Preis in der Welt missen wollte. Ihr erstes Kind hatte sie mit sechzehn bekommen und ihr letztes mit dreiundvierzig.

Ernest war ein schüchternes Kind, das nicht viel Lärm vertragen konnte. Er war so verschlossen und unsicher, daß er in der dritten Klasse in einen Zustand verfiel, den man Veitstanz nennt. Seine Hände zitterten, und er bekam Hautausschlag. Es wurde so schlimm, daß sie ihn schließlich ein halbes Jahr zu Hause behielten. Der Unterrichtsstoff wurde ihm nach Hause geschickt. Manchmal kam sogar eine Lehrerin ins Haus. Es war eine ziemlich alte Dame, und viele Kinder mochten sie nicht, aber zu Ernest war sie sehr gut, er wurde in die nächste Klasse versetzt.

Seine Nervosität erschwerte es ihm, die Schule zu schaffen. Er war zwar gut in Mathematik, aber er blieb immer ein Einzelgänger und kam selbst schon bald auf die Idee, daß er nicht für die Schule geschaffen sei. Nach der zehnten Klasse ging er ab und meldete sich bei der Luftwaffe. Zuerst war er begeistert. Aber dann schien sich nur alles zu wiederholen, und Ernest langweilte sich.

Er wartete die Militärmaschinen, kam aber nie dazu, selbst mitzufliegen. Am liebsten wäre er nach Übersee gegangen, entweder nach Frankreich oder nach Japan. Er stellte mehrmals einen Antrag auf Versetzung, aber er wurde nie berücksichtigt. Als er sich weiterverpflichten sollte, versprachen sie ihm, ihn für eine Auslandsposition vorzuschlagen. Doch zu dieser Zeit wollte er sich schon nicht mehr länger verpflichten, auch nicht, wenn es ihm eine Versetzung nach England, Frankreich oder Japan eingebracht hätte. Er wollte einfach nur noch raus und zurück ins bürgerliche Leben.

Ernest traf Regina kurz nach seiner Entlassung. Er stand auf dem Parkplatz der Plymouth-Werkstatt in Akron in Ohio. Sie war nach Ohio gekommen, weil sie ihre erste Anstellung als Lehrerin dort bekommen hatte, aber es waren gerade Sommerferien, und sie hatte Nachtschicht in einer Fabrik für Plastikerzeugnisse. An diesem speziellen Samstagmorgen fragte die Frau aus dem unteren Stockwerk Regina, ob sie wohl so nett wäre, für sie über die Straße zu laufen und ihrem kleinen Jungen ein Eis mit Streuseln zu holen. Der Eiswagen stand auf dem Plymouth-Parkplatz.

Ernests Bruder Ed arbeitete dort, und Ernest ließ sein neues Auto bei ihm warten. Die hübsche Blonde mit der langen schwarzen Hose und dem kobaltblauen Top, die über die Straße ging, fiel Ernest sofort auf. Er holte tief Luft und pfiff ihr hinterher. »He, Regina, komm mal rüber«, rief Ed. »Mein Bruder möchte dich gern kennenlernen. So ein hübsches Mädchen hat er schon lange nicht mehr gesehen.« Ernest starrte sie immer noch an, er konnte den Blick nicht von ihr losreißen.

»Hättest du Lust, 'ne Kleinigkeit essen zu gehen?« fragte er schließlich.

Sie sah, wie seine Augen bewundernd an ihr auf und ab wanderten. Sie verschränkte die Arme und lächelte. Sie fühlte sich wie ein Filmstar. »Ich bin zu müde«, antwortete sie. »Ich habe die ganze Nacht gearbeitet und kein bißchen Schlaf gekriegt. Ruf mich die Woche noch mal an, wenn du willst. Ich guck mal, wie's in meinem Terminkalender aussieht.«

Regina hatte schon mit vielen Jungen Verabredungen gehabt. Mit einem hatte sich sogar ein ziemlich enges Verhältnis entwickelt. Ein einfacher Bursche, einsachtzig groß. Aber nachdem sie sich drei Monate getroffen hatten, verließ er sie wegen seiner früheren Freundin. Seitdem stand für sie fest, daß jeder Junge ihr weh tun würde.

Als dann aber Ernest bei ihr anrief, war sie überrascht und freute sich. Sie willigte ein, am Samstagabend mit ihm auszugehen. Jeder ging Samstag abends aus, rechtfertigte sie die Zusage vor sich selbst. Es würde ihr guttun, sich ein bißchen zu entspannen.

Sie gingen zu einem Treffpunkt, der allgemein nur die »Glens« hieß, saßen in einem Boot und aßen Pommes frites und Shrimps mit scharfer Soße und bummelten danach durch die Stadt. Regina spürte, wie Ernest seinen Arm gegen ihren preßte. Sie gingen in eine Bar in der Market Street. Eine Band spielte, und sie tanzten. Er zog sie ganz nah an sich. Er strahlte Sicherheit und Stärke aus. Danach gingen sie jeden Abend zusammen aus.

Gewöhnlich landeten sie am Schluß in Reginas altmodischem, im viktorianischen Stil gehaltenen Apartment im ersten Stock. Das Bett war im Wandschrank eingebaut, man konnte das Bett herausklappen. An der Wand hing eine Kohleskizze von ihrem früheren Freund. »Willst du das für immer da hängen lassen?« fragte Ernest.

»Ich hab mich noch nicht entschieden«, antwortete sie lachend. Aber nachdem er in dieser Nacht nach Hause gegangen war, nahm sie das Bild von der Wand.

Am nächsten Abend kochte sie für ihn. Die Teller standen noch in der Spüle, und Ernest machte sich gerade daran, sie zu spülen. »Regina«, begann er, »ich wollte dich mal was fragen.« Er kam zu ihr herüber und zog sie vom Stuhl in seine Arme. »Regina«, sagte er noch mal. Sie bemerkte den atemlosen Eifer in seiner Stimme. »Willst du mich heiraten?«

Sie sagte, sie wolle es sich überlegen, aber ihr Herz hämmerte. Er liebt mich, o Gott, er liebt mich wirklich. In diesem Augenblick schien ihr die Gewißheit, daß einem Mann etwas an ihr gelegen war und daß er sie haben wollte, das wunderbarste auf der ganzen Welt.

Ernest war genau das, was sie brauchte. Manchmal starrte er sie mit einem Blick an wie jemand, der von einer schönen Frau verwirrt ist, und sie spürte, daß er sie wollte. Wenn sie zum erschrockenen kleinen Mädchen mit Angst in den Augen wurde, liebte er sie genauso. Ihre Traurigkeit und Verletzlichkeit rührten ihn. Sie spürte ohne Worte, daß er sie akzeptierte. Auch über Ernest hatte man sich lustig gemacht, als er ein Kind gewesen war. Er liebte sie so, wie ein Mann eine Frau lieben muß. Und er konnte ihr auch die große perfekte Familie bieten, nach der sie sich ihr ganzes Leben lang gesehnt und die sie nie gehabt hatte.

Der 23. Dezember 1966, der Tag ihrer Hochzeit in der Kirche der Ersten Christen in Youngstown in Ohio, war einer der glücklichsten Tage in Reginas Leben. Er war zweiundzwanzig und sie war gerade dreiundzwanzig geworden. Es machte ihr nichts aus, daß sie kein Geld hatten, um in die Flitterwochen zu fahren. Sie machten einen Abendausflug nach Ripley in New York. Der Schnee reichte ihnen bis zu den Knien, aber es war schön. Als sie hielten, um einem Mann zu helfen, der im Sturm steckengeblieben war, sagte Regina ihm immer wieder, ihr Name sei Mrs. Ernest Twigg – so aufgeregt war sie darüber, verheiratet zu sein. Er guckte sie an, als sei sie verrückt. Schließlich mußte sie selbst lachen. »Wir haben doch gerade gestern erst geheiratet«, sagte sie.

Regina Twigg war nicht mehr allein in der Welt. Endlich hatte sie eine Identität, eine Bindung. Es war jemand da, der sich um sie kümmerte und um den auch sie sich kümmern konnte.

Sie nahmen einen Kredit auf und kauften einen gebrauchten Wohnwagen. Außen türkis und innen pinkfarben, keine Heizung und keine Doppelverglasung. Sie überlebten den Winter, indem sie die Elektroheizung im hinteren Schlafraum ständig laufen ließen. Dort hielten sie sich auf. Das Leben im Wohnwagen konzentrierte sich um die Heizung und das Bett. Regina verließ das Bett manchmal nur, um ins Bad zu huschen oder sich etwas zu essen zu holen. Einmal kaufte sie sich von einem Gehaltsscheck ein Doppelfenster.

Sie war wie berauscht vor Glück. Wenn Ernest ging, ohne ihr einen Abschiedskuß zu geben, lief sie ihm barfuß durch den Schnee die Straße hinterher.

Das Leben mit Ernest in Doylestown in Ohio, in dem rostigen Wohnwagen, war dem Himmel näher als alles andere, was Regina je erlebt hatte.

Ernest hätte genausogut auf einem weißen Pferd zu ihr geritten kommen und sie zu seinem Schloß tragen können. Für sie zählte nicht, wie Ernest wirklich war, sie brauchte ihn, weil er der Mann war, der die Leere in ihrem Leben ausfüllen konnte. Er war *ihr* Mann. Dieser große, schlaksige, ungehobelte Naturbursche mit Augen wie Halbmonde und einem Lächeln, das zaghaft anfing, aber immer breiter wurde, bis es in Regina eine Liebe entflammte, die so stark war, daß sie all die Jahre ausglich, in denen sie sich vergeblich nach Liebe gesehnt hatte.

Reginas Meinung nach konnte er so zupacken, wie ein Mann zupacken sollte, wenn er etwas bewegen will. Am Anfang ihrer Ehe arbeitete Ernest für das Elektrizitätswerk von Ohio. Er wartete die Hochspannungstransformatoren, die den Strom für die Stadt lieferten. Ernest war manchmal zwei Wochen weg und kletterte in diesen Leitungen herum. Sie wollten keine Lebensversicherung für ihn abschließen, weil das Risiko zu groß war.

Wenn er weg war, vermißte sie ihn furchtbar. Manchmal war sie fast überwältigt von Einsamkeit. Wenn er dann nach Hause kam, feierten sie stundenlang. Jede Trennung war ein Verlust, jede Heimkehr ein Augenblick, in dem sie sich neu fanden und der ihre Leidenschaft verstärkte.

Im Februar wurde Regina schwanger. Im zweiten Monat bekam sie Blutungen, aber sie war sich der Gefahr nicht bewußt und arbeitete weiter. Sie bekam einen Blutsturz und verlor das Baby im Juni.

Im darauffolgenden Winter wurde sie wieder schwanger. Diesmal blieb sie, als die Blutungen anfingen, im Bett. Auch als die Blutungen aufhörten, war sie so vorsichtig, daß sie fast keinen Schritt laufen wollte. Als jeder sehen konnte, daß sie schwanger war, schenkten ihr die jungen Frauen in der Wohnwagenanlage eine Babywanne und Bettwäsche – die hübscheste Bettwäsche auf der ganzen Welt, fand Regina. Sie hütete sie wie einen Schatz, wie sie auch jeden Moment ihrer Schwangerschaft hütete.

Im achten Monat verkauften sie den Wohnwagen und zogen in ihr erstes richtiges Haus. Es war ein zweistöckiges Haus in

Rittman in Ohio mit großen, hellen Zimmern. Sie strichen es grün. Es hatte eine Holzgarage, zwei große Schlafzimmer im oberen Stock und ein kleines im Erdgeschoß. Im Eßzimmer war ein Kristalleuchter, den die Vormieter zurückgelassen hatten.

Auf dem Weg zum Krankenhaus hielt Ernest die ganze Zeit Reginas Hand. Damals durften Ehemänner noch nicht in den Kreißsaal, aber Ernest besuchte sie sofort, nachdem das Baby geboren war. »Das hübscheste Baby, das ich je gesehen habe«, sagte er, »und du bist eine wunderschöne Mutter.« Drei Wochen lang trug er sie die Treppenstufen hinauf und hinunter, da sie immer noch zu Blutstürzen neigte und der Arzt ihr geraten hatte, keine Treppen zu steigen.

Ernest nahm eine neue Stelle bei einer Spedition an, der Consolidated Freightways Trucking Company, wo er in der Ladekolonne im Hafen Nachtschichten schob. Aber Ernest und Regina vermißten ein normales Familienleben mit normalen Arbeitszeiten. Darum nahm er eine Stelle als Hilfselektriker an, dann arbeitete er in einer großen Firma im Air-conditioning- und Heizungsbau. Schließlich bot sich ihm die Möglichkeit, bei der Eisenbahngesellschaft Amtrak unterzukommen, und da dort die Arbeitszeiten günstiger waren, wechselte er noch einmal.

Bis heute hatte sie immer das Gefühl gehabt, er sei glücklich. Er liebte die wachsende Familie genau wie sie. Jedesmal, wenn ein Baby geboren wurde, ließ er sich einen Bart wachsen. Ein eigenes, symbolisches Fruchtbarkeitsritual. Sogar nach Arlenas Krankheit hatten sie sich noch sehr über zwei weitere Babys, die Söhne Tommy und Barry, gefreut. Es gab natürlich Probleme, besonders finanzielle, aber außer bei Vivias Tod und wegen Arlenas Krankheit schien er zufrieden zu sein. Die Krise im Moment war anders. Er schien sich immer mehr in sich zurückzuziehen.

Schließlich rückte er doch damit heraus. Seine Stimme klang unnatürlich. »Ich habe die Möglichkeit, mich ins Reservierungsbüro in Fort Washington in Pennsylvania versetzen zu lassen. Ich glaube, ich könnte dort viel Erfahrung sammeln. Was meinst du? Ich habe noch nie auf diesem Gebiet gearbeitet.«

»Du warst doch schon im Fahrkartenbüro, einmal als zweiter Mann und einmal als erster. Du hast auch für AutoTrain gearbeitet«, sagte sie. Aber sie wehrte sich gegen die Entscheidung. Sie stolperte zurück, bis sie gegen die Wand stieß.

»Aber ich habe noch nie im Reservierungsbüro gearbeitet«, gab er zurück. »Ich muß mit Kopfhörern am Computer arbeiten. Es wird eine richtige Herausforderung. Du mußt hierbleiben, bis das Haus verkauft ist, aber dann kannst du mit den Kindern nachkommen. Das Krankenhaus dort in New Jersey, ganz in der Nähe, ist eines der besten, wenn Arlena mal operiert werden muß.«

Sie sah ihn an. Sie sah seinen Gesichtsausdruck und wußte, daß er gehen würde. Sie machte ein trauriges, gottergebenes Gesicht. Das war es also – sie sollte ohne ihn zurückbleiben. Sie nickte und sah ihm nach, als er in die Küche ging, um ein Glas Wasser zu trinken. Sie sah ihn genauso an wie vor vielen Jahren, als sie sich das erste Mal getroffen hatten, und sie sah wieder die breiten Schultern, die sie so liebte und die jetzt ein wenig vornübergebeugt waren.

Das Band ihrer Liebe war immer noch ein Geheimnis für sie, und es hielt weiterhin. Ihr und sein Leben und Schicksal waren für immer verbunden. Sie konnte sich nicht vorstellen, von diesem Mann getrennt zu leben. Allein hier in Florida mit den Kindern zu leben – das war unvorstellbar für sie.

Die alte Panik machte sich wieder bemerkbar: Er verläßt mich. Was ist, wenn ich das Haus nicht verkaufen kann? O Gott, er geht weg. Nur mit Mühe konnte sie sich beruhigen.

»Das Deborah-Institut für Herz- und Lungenerkrankungen ist ein wirklich gutes Krankenhaus. Ich weiß, daß sie ausgezeichnet für Arlena sorgen können«, sagte sie. Dann breitete sie die Arme aus, und er kam zu ihr, kniete vor ihr auf dem Boden und ruhte sich aus, den Kopf in ihren Schoß gelegt. Sie legte ihm die Hand auf sein Haar und streichelte ihn, beugte sich über seinen Nacken und küßte ihn. Sie hatte ihn immer so schrecklich vermißt, wenn sie getrennt waren.

Früher hatte sie manchmal allein im Bett gelegen und gelauscht, wie die Tropfen fielen, wenn die Eiszapfen in der Nachmittagssonne schmolzen. Schließlich, wenn es dunkel wurde und die Eiszapfen wieder froren, war sie aufgestanden und hatte sich das Abendessen gemacht. Kinder hatte sie damals noch nicht gehabt, es gab noch nicht soviel zu tun. Manchmal beruhigte es sie, ihre Wäsche zu waschen oder eines ihrer Lieblingslieder zu singen. Das vermittelte ihr das Gefühl, es gäbe eine winzige Ecke in der Welt, in die sie gehörte und die sie bewachen müßte, bis Ernest zurückkam.

In den ersten Jahren mit Ernest hatte sie Abstand zu den Ängsten ihrer Kindheit gewonnen – zu der Zeit, in der alles außerhalb ihrer Kontrolle lag. In ihr wuchs das Gefühl, Teil einer großen Welt zu sein. Sie las Zeitung. Sie hörte sich Nachrichtensendungen an. Sie besuchte das College. Später unterrichtete sie selbst in der Schule. Sie war eine reife erwachsene Frau, aber das Gefühl der Ruhe und des persönlichen Wohlempfindens verdankte sie der überschaubaren, geordneten kleinen Welt, die der Wohnwagen darstellte und die sie mit Ernest teilte.

Sie hatte recht gehabt. Es war schwierig, ohne Ernest in Orange City zu leben. Das Haus war riesig, verglichen mit dem winzigen Wohnwagen, und jetzt gab es acht Kinder, die sie brauchten und auf sie zählten.

So sehr sie ihre Kinder liebte und so sehr diese Kinder ihr Leben waren, das Haus kam ihr schrecklich leer vor, wenn Ernest nicht bei ihr im Zimmer schlief. Diese öde, einsame Leere stand im krassen Gegensatz zu dem Lärm, den die acht Kinder vollführten, und dem Chaos, das sie anrichteten. Acht Kinder, die ihre Aufmerksamkeit verlangten und sie brauchten, besonders als fünf von ihnen gleichzeitig mit Windpocken im Bett lagen.

Noch nicht einmal im Badezimmer war sie ein paar Minuten

allein. Trotzdem fühlte sie sich ohne Ernest völlig isoliert. Nichts kam ihr mehr vollständig vor. Sie wußte, daß er sieben Tage in der Woche zwölf Stunden lang arbeitete, um mit den Kosten für eine getrennte Familie klarzukommen. Er mußte für die Miete, für das Essen und für die Heizung in Pennsylvania bezahlen, während sie verzweifelt versuchte, ihre Rechnungen zu begleichen und in Orange City nicht völlig unterzugehen. Immer öfter wurde die beglückende Zärtlichkeit, die sie für ihre Kinder empfand, überschattet von der Verantwortlichkeit, die sie – emotional und finanziell – belastete. Ernest hatte sie immer wieder aufgebaut und ihr Ausgeglichenheit vermittelt. Jetzt hatte sie diese Kraftquelle verloren: diese Zeitspanne, wenn Ernest nach Hause gekommen war, sich um die Kinder gekümmert hatte und ihr wenigstens einen Augenblick geschenkt hatte, in dem sie mal nicht an die Kinder denken mußte und zu sich selbst kommen konnte, weil der Vater im Haus war.

Die Kinder spürten, daß sie schwach war, und testeten sie immer wieder. Sie wollten ihre neuen Grenzen herausfinden. Sogar wenn sie zufrieden spielten, Fernsehen guckten oder zu Abend aßen, kamen sie sofort angerannt, sobald sie sahen, daß Regina zur Zeitung griff oder ans Telefon ging. Sobald sie sahen, daß sie sich mal in ihre eigene Welt zurückziehen wollte – eine Welt, zu der sie nicht gehörten –, kam eines von ihnen und störte sie. Manchmal zog der ganze Haufen von acht Kindern an der Telefonleitung, hämmerte auf dem Klavier, verlangte Hilfe bei den Hausaufgaben oder jammerte, sie hätten Hunger, auch wenn sie gerade mit dem Essen fertig waren. Dann gab es auf einmal nur noch Frustration, die freilich Minuten später unterging in Küssen, Selbstvorwürfen und hingebungsvoller Liebe zu den Kindern. »Ich liebe euch wirklich. Ich liebe euch wirklich«, versicherte sie dann jedem einzelnen. Irgendwie hatte sie das Gefühl bekommen, die Liebe an sich habe sie verletzlich gemacht, und in der Intensität ihrer Liebe läge all ihr Leiden begründet.

Eine Zeitlang schien Arlena aufzublühen, auch ohne Ernest. Weder seine Abwesenheit noch Reginas Krise wirkten sich negativ auf ihre Gesundheit aus. An einem Tag, als sie gerade mit ihren Brüdern und Schwestern bei über vierzig Grad Hitze draußen spielte, überlegte Regina: »Ich muß sie reinholen. Arlena kann nicht da draußen bleiben. Es ist einfach zu heiß, irgendwas wird schiefgehen.« Irgendwie wurde sie abgelenkt, und Arlena blieb noch eine Stunde draußen. Als Regina sie schließlich hereinholte, sagte Arlena, sie fühle sich nicht wohl.

Sie mußten noch einkaufen fürs Abendessen. Regina machte sich auf den Weg zum Geschäft, denn sie dachte, wenn Arlena im Kinderwagen sitzt und sich ausruht, müßte es ihr eigentlich gutgehen. Aber auf dem Weg krümmte sich Arlena auf einmal und schrie vor Schmerzen, weil ihr Gehirn keinen Sauerstoff bekam. Regina fühlte Arlenas Herzschlag. Er setzte aus, dann schlug das Herz viermal und setzte schließlich bei jedem zweiten Schlag aus. Eine Minute lang pumpte es wieder, aber dann stockte es, fing wieder an und stockte erneut.

Verrückt vor Angst stürzte Regina nach Hause und legte Arlena ins Bett. Sie hatte Angst, das Kind zu bewegen, sie hatte sogar Angst, es ins Krankenhaus zu bringen, weil sie fürchtete, es könnte genau wie Vivia auf dem Weg im Auto sterben.

Sie legte Arlena auf die Couch, setzte sich neben sie und hielt ihre Hand. »Es wird alles wieder gut«, flüsterte sie immer wieder, bis es wie ein Gebet klang. Obwohl Arlena nach Luft japste, schwach und ganz blau vom Sauerstoffmangel war, konnte Regina mit dem Stethoskop, das ihr der Kinderarzt in Sebring geschenkt hatte, feststellen, daß sich Arlenas Herzschlag stabilisierte. Sie gab Arlena das Digoxin und zeichnete ihren Herzschlag auf einem Monitor auf, um zu sehen, ob er wieder normal würde. Nach einiger Zeit hörte das Herz auf zu stocken, Arlena schien noch einmal davonzukommen.

Arlena hatte die Augen geschlossen und lag einfach nur da. Manchmal schaute sie ihre Mutter an – mit den müden Augen eines Kindes, dem es bestimmt ist, ein Leben lang krank zu sein und zu leiden. Lange hatte sie nicht die Kraft, etwas zu sagen. Schließlich drückte sie sanft Reginas Hand und flüsterte: »Danke, Mommy.«

REGINA TWIGG ERZÄHLT:

Als ich noch sehr klein war, schenkte meine Adoptivmutter mir ein wunderschönes Kleid. Ich dachte, sie müsse mich ja doch lieben. Es war so ein Kleid, wie es alle trugen, ein Schürzenkleidchen. Ich zog es an, damit sie es abstecken und säumen konnte. Ich freute mich so sehr, daß ich vergnügt durch die Gegend hüpfte. Ganz plötzlich schrie sie mich an: »Zieh es aus! Du kannst einfach nicht stillstehen, ich bringe es zurück!«

Manchmal war sie eine gute Mutter, lustig und fürsorglich, und dann wieder schlug sie ganz plötzlich nach mir. Das Traurige war, daß ich sie trotzdem liebte. Ihre Art, mich zu behandeln, gab mir das Gefühl, daß irgend etwas mit mir nicht stimmte.

Die ganzen Jahre hindurch spukte mir die Erinnerung an meine richtige Mutter und meine Schwestern, die Zwillinge, durch den Kopf. Ich erinnerte mich, wie meine Schwestern als kleine Kinder auf dem Spielplatz des Waisenhauses getanzt und gespielt und wie ihre rotblonden Haare in der Sonne geglänzt hatten.

Meine Adoptiveltern nahmen es mir übel, wenn ich darüber redete, wie es früher gewesen war. Sie wollten, daß ich mich völlig davon loslösen und es vergessen sollte. Als ich neun war, änderten sie meinen Namen, und zwar von Mary Lee Madrid in Regina Iris Burge. Ich fühlte mich unter Druck gesetzt: Ich sollte zustimmen, weil ich ja geliebt werden wollte. Ich hatte sowieso keine Schwestern und keine Familie mehr, also fand ich mich mit allem ab, was sie wollten und von mir verlangten. Ich wußte, daß ich in Wirklichkeit Mary Lee Madrid war und es immer noch bin, auch heute noch. So etwas wird nicht einfach ausgelöscht, nur weil sie es aus meinem Leben streichen wollten.

Immer wenn ich etwas über meine Mutter, meine Schwestern oder meinen Bruder erfahren wollte, sagten sie: »Das ist jetzt vorbei. Das gehört zur Vergangenheit. Wenn du uns liebst, redest du nicht mehr davon. Hör auf, Fragen zu stellen, wenn du uns liebhast.«

Ich habe versucht, eine brave kleine Adoptivtochter zu sein, die ihnen schmeichelt und schöntut, nur um ein kleines Lob zu bekommen. Aber sosehr ich es auch versuchte, es funktionierte nicht.

Meine Adoptivmutter blieb launisch. Mein Adoptivvater schlug und erniedrigte mich weiterhin. Das ständige Hoch und Tief ihrer Gefühle brachte mich aus dem Gleichgewicht. Ich will gar nicht sagen, daß ich immer alles richtig gemacht habe oder nicht manchmal verdient hätte, bestraft zu werden, aber ich wußte nie, wann ich eine Strafe zu erwarten hatte und wie hart sie sein würde.

Manchmal, wenn meine Adoptivmutter mir bei den Hausaufgaben half und ich etwas nicht verstand, schlug sie mich plötzlich oder zog mich so fest an den Haaren, als wolle sie sie mir ausreißen. Dann drückte sie mein Gesicht auf den Boden, wie man es mit kleinen Hunden macht, wenn sie stubenrein werden sollen.

Einmal, als ich von der Schule heimkam und einen eineinhalb Meilen langen Heimweg hinter mir hatte, sank ich erschöpft aufs Bett. Ich dachte, ich ruhe mich noch ein paar Minuten aus, bevor ich die Gardinen wechsele. Als meine Adoptivmutter reinkam und sah, daß ich eine Pause machte, nahm sie die Gardinenstange und schlug mich so sehr, daß mein Oberarm ganz blau wurde.

An diesem Wochenende fuhren wir mit der Gemeinde zu Exerzitien. Eine Frau stand direkt neben mir und sah die schlimmen blauen Flecken und fragte, was denn passiert sei. Ich sah meine Adoptivmutter an, dann wieder die Frau. »Sie hat mich geschlagen«, sagte ich. Danach schlug sie mich nie wieder.

Ich wollte immer von ihr geliebt werden, bis zu ihrem Tode,

aber ich wußte nie, wie ich ihre Liebe gewinnen konnte. Ich liebte sie mit all meiner Kraft und weinte mir die Augen aus, als sie starb. Ich bin ganz sicher, daß ein Teil ihres Herzens mich lieben wollte, aber der andere Teil konnte es nicht. Ich glaube, sie hatte Angst, verletzt zu werden.

Zum Glück lebte meine Adoptivoma bei uns. Sie hatte Angst, sich offen mit meinen Adoptiveltern zu streiten, aber sie half mir, nicht nur das Gefühl zu haben, ich sei nichts wert. Sie sagte mir, ich sei genausoviel wert wie jeder andere auch, und mit ihrer Hilfe entschloß ich mich, es zu beweisen. Sie sagte mir immer wieder, ich solle stolz auf mich sein.

»Du mußt nicht immer die zweite Geige spielen«, sagte sie immer wieder. »Du bist genausoviel wert, wie jeder andere auch. Halt den Kopf hoch und sei stolz auf dich.«

Ich nahm mir vor, es zu versuchen. Wir wohnten direkt an der anderen Straßenseite von einem College. Meine Oma bot an, mir zu helfen, wenn ich mit dem Unterrichtsstoff nicht klarkäme, und ich faßte den Entschluß: »Na gut, dann werde ich hingehen.«

Ich bezahlte das College selbst, außer einem Semester. Ich war fest entschlossen, es zu schaffen. Ich dachte, wenn ich es schaffe, habe ich immer eine Grundlage, um auf eigenen Beinen stehen zu können. Unabhängig zu sein, das war sehr wichtig für mich, mein größtes Ziel. Es war meine Art, mit der Unsicherheit aus meinen Kindheitserfahrungen klarzukommen.

Vier Jahre lang ging ich fast nie aus. Die Zeit war ausgefüllt mit dem Studium – und mit Arbeit. In Mathematik und Naturwissenschaften war ich nicht besonders gut, aber ich hatte einen starken Willen.

Meine Adoptivoma gab mir den Mut, es durchzustehen. Sie war nicht in der einen Minute freundlich, um mir dann in der nächsten die Tür vor der Nase zuzuschlagen. Sie war immer für mich da. Sie glaubte an mich und half mir, an mich selbst zu glauben.

Als ich ein junges Mädchen war, erzählte sie mir Geschichten aus ihrer Jugend. Sie erzählte mir, was richtig und was falsch sei und von ihren Erfahrungen. Sie erzählte mir von Dingen, die sie durchgemacht hatte, und half mir dadurch, zu einem besseren Menschen heranzuwachsen.

Zu der Zeit, als meine Tochter Vivia starb, hatte meine Oma ihr Erinnerungsvermögen fast völlig verloren. Ich ging in die Privatklinik, um ihr zu erzählen, was passiert war, und sagte weinend: »Oma, Vivia ist gestorben. Mein Kind ist gestorben.« Sie guckte mich einfach nur an. Ihre Augen waren matt und ausdruckslos. Sie konnte nicht verstehen, was ich erzählte. Es war schrecklich, weil sie mein einziger Freund war. Mein einziger Freund in all den Jahren meiner Kindheit. Trotzdem, so seltsam sich das auch anhört, habe ich mehr um meine Adoptivmutter getrauert als um meine Oma. Vielleicht weil ich immer noch darauf wartete, sie sagen zu hören: »Ich hab dich lieb.« Sie hat es nie gesagt.

9. KAPITEL

Eine richtige Familie

Wenn es mal keinen Streit gab, zeigte sich Bob von seiner besten Seite. Er bemühte sich sehr, nett zu Cindy zu sein, nicht nur im Bett, sondern auch bei alltäglichen Dingen. Ein paar Monate, ziemlich am Anfang ihrer Ehe, war er arbeitslos, da die Verkaufszahlen zurückgegangen waren. Das bedeutete, daß er zwei-, dreimal die Woche im Krankenhaus vorbeikommen konnte, einfach nur, um Cindy zum Essen auszuführen.

Wenn sie so durch die Straßen fuhren, sagte er manchmal aus heiterem Himmel so etwas wie »He, Schatz, liegt meine Brieftasche dort unten?« oder »Mist, ich hab meine Ersatzschlüssel verloren«. Und wenn sie dann unter den Sitz griff, fand sie ein Fläschchen Parfüm oder ein kleines sexy Nachthemd. Nach einiger Zeit genügte es schon, wenn sie zu ihm hinsah, wie er am Steuer saß – mit strahlenden Augen und unruhig wanderndem Blick, und dann wußte sie, ohne daß er etwas gesagt hatte, daß es eine Überraschung gab.

Bob liebte Überraschungen. Manchmal kam ihm eine neue Idee so schlagartig, daß er selbst überrascht schien: wie der Ausflug nach Vail.

Eines Montagmorgens rief er Cindy im Krankenhaus an. »Du mußt mal ein bißchen aus dem Arbeitstrott rauskommen«, sagte er. »Wir fliegen nach Vail in Colorado.«

Cindy erfuhr, daß sie fünfzehnhundert Dollar mehr ausgegeben hatten, als wenn sie den Ausflug geplant hätten. Sie war immer zum Sparen erzogen worden, aber so war Bob eben. Gleichgültig, wie hoch die Ausgaben waren, es kam alles jedesmal so unerwartet, daß ihr fast schwindlig wurde. Cindy beklagte sich nicht, ihr gefiel der Ausflug nach Vail sehr. Er gehörte zu ihren schönsten Erinnerungen und sicherlich auch zu ihren glücklichsten Zeiten. Sie blieben vier Tage dort. Die Kinder waren ungefähr fünf und sieben Jahre alt. Cindy erinnerte sich genau, was für ein schönes Gefühl es war, Arm in Arm mit Bob den Skilift hochzufahren.

»Du siehst wirklich gut aus«, sagte sie und kitzelte ihn durch die Skijacke. »Sonnenbrille und Windjacke und das ganze Drumherum, das steht dir wirklich toll.«

Bob hatte das Skifahren beim Militär gelernt, in Europa, aber Cindy war noch nie in ihrem Leben Ski gefahren. Die Kinder gingen in Vail jeden Tag zur Skischule, und Cindy fand sie einfach bewundernswert, wie sie mit all den anderen Kindern in ihrer Gruppe den Berg herunterkamen. Nachts schliefen sie wie Murmeltiere; den ganzen Tag Ski fahren, das hatte sie müde gemacht.

Kimberly konnte es besonders gut. Sie war schlank und sportlich. Genauso war es beim Schwimmen. Sie liebte das Wasser und hatte keine Angst davor. Sie hatte immer gleich den richtigen Dreh heraus. Genau wie beim Radschlagen. Cindy dachte manchmal: Irgend etwas mit Sport, das müßte der richtige Beruf für sie sein.

Einmal fragte Cindy sie, was sie werden wolle, wenn sie groß sei. Sie war überrascht, als Kimberly antwortete: »Hausfrau, so wie du.«

»Tja, Hausfrau . . .«, sagte Cindy, »aber ich bin gar keine Hausfrau.« Sie dachte, daß Kimberly sie wahrscheinlich immer nur putzen, kochen und aufräumen sah.

Immer wenn Cindy vor sich hinträumte, schien sie sich nur an die Ferien, die kleinen Geschenke und die schönen Tage mit den Kindern zu erinnern. Und an die romantischen Stunden allein mit Bob. Wenn sie nicht zu Hause waren, war alles in Ordnung. Sie dachte noch oft an die Abendessen bei Kerzenschein in Vail, an die Einkaufsbummel und an das Fläschchen mit dem teuren Parfüm, das er ihr gekauft hatte.

Immer wenn Bob unterwegs war oder zu einem Treffen mußte, brachte er ihr etwas mit. Wenn er weg war, rief er sie häufig an und sagte ihr, wie sehr er sie liebe und vermisse.

Dann waren da noch diese verrückten, wundervollen kleinen Dinge zwischen ihnen. Manchmal ging er abends ins Bett, zog sie zu sich herüber, streichelte ihr Haar und flüsterte: »Ich brauche dich mehr als die Luft zum Atmen«, oder »Du bist für mich so wichtig wie das Wasser für die Erde«, oder »Ich liebe dich mehr als die Sonne und das Meer.«

Immer wenn sie daran zurückdachte, wurde ihr klar, daß ein Teil ihres Herzens ihn vielleicht immer noch liebte, auch jetzt noch.

Sie hatte am 24. Dezember Geburtstag, und er schickte ihr immer einen Weichnachtskorb ins Büro. Sie war jedesmal stolz, wenn er eintraf und die anderen Frauen darum herumstanden und ihn bewunderten. Am nächsten Tag stellte sie ihn beim Abendessen auf den Tisch. Er war immer mit Stechpalmen und Weihnachtsornamenten geschmückt und roch wunderbar. Obwohl sie nach einiger Zeit wußte, daß er kam, war es am 24. Dezember jedesmal wieder eine Freude und Überraschung.

Genauso überraschte Bob sie mit einem Autokauf. Er hatte irgendwann beschlossen, daß er einen Camaro-Z-28-Hardtop wollte, ein Auto mit einem richtig starken Motor. Er suchte es beim Autohändler aus und machte den Kauf mit dem Händler perfekt. Danach rief er Cindy an. »He, Schatz, laß uns heute mal rausfahren und nach Autos gucken«, sagte er. »Vorher geh bitte noch zur Bank und sieh nach, ob wir genug Geld haben, falls wir das richtige Auto finden. Dann können wir nämlich gleich bezahlen und sagen: Das ist unser Angebot. Akzeptieren Sie's oder lassen Sie's bleiben.«

Cindy ging erst zur Bank und dann zum Autohändler. Sie guckten sich alle Autos an, und plötzlich sagte Bob zum Händler: »Ich will das. Ich mache ihnen ein Angebot. Ich gebe ihn auf der Stelle einen Scheck über zwölftausend Dollar für dieses Auto.«

Der Händler lächelte, blinzelte ihm zu und sagte: »Das nehme ich an.« Cindy stand verdutzt dabei. Erst später stellte sich heraus, daß der Handel längst abgemachte Sache gewesen war. Bob hatte aber erzählt, es sei eine Überraschung.

Es war ein schnelles, sehr schickes Auto, aber bestimmt nicht das, was sie sich unter einem Familienwagen vorgestellt hatte. Das war typisch für ihn, so war er eben. Er wollte ein Auto haben, und dann drehte er den Spieß um und sagte: »Guck mal, was ich Tolles für dich habe.«

Nicht mal zwei Jahre später tat er noch mal etwas Ähnliches. Aber diesmal gab er sich nicht einmal Mühe, sich zu verstellen. Er hatte sich ein Boot gekauft, aber er konnte mit dem Camaro den Bootsanhänger nicht ziehen. Also ging er zum Autohändler und suchte sich einen Blazer aus. Dann rief er sie an und sagte: »Wir geben den Camaro in Zahlung. Ich hab das schon vereinbart. Komm zum Chevrolet-Händler und unterschreib die Papiere, wenn du mit der Arbeit fertig bist. Ich brauche einen Wagen, mit dem ich das Boot transportieren kann.« Er hatte ihr erst dann von dem Kauf erzählt, als alles fest vereinbart war. Die Rechnung und alles. Sie gaben den Camaro in Zahlung, nur damit er etwas hatte, womit er sein Boot ziehen konnte. Manchmal wünschte sie sich, er würde sie vorher fragen, aber so war er eben, wenn er sich, wie sie das nannte, »von seiner besten Seite zeigte«. Natürlich hatte die »beste Seite« auch bei ihm ihre kleinen Schönheitsfehler.

CINDY MAYS ERZÄHLT:

Ich sagte ihm immer wieder, daß er sie zu fest schlug. Kimberly hatte von seinen Schlägen Blutergüsse am Hinterteil. Bob merkte gar nicht mehr, wie fest er schlug, wenn er wütend war. Kimberly war zierlich und zerbrechlich. Sie war noch ein kleines Kind, und er merkte schon nicht, wie fest er schlug, wenn er nüchtern war, geschweige denn, wenn er getrunken hatte.

Ich versuchte, ihn davon abzuhalten. Ich weiß, das hört sich vielleicht widersprüchlich an, weil ich doch erzählt habe, wie ich mir eine glückliche kleine Familie vorgestellt hatte. Wenn die Sprache darauf kam, sagte er immer: »Kimberly ist mein Kind, und ich mache, verdammt noch mal, was mir gefällt.«

Schon Kleinigkeiten konnten ihn aus der Fassung bringen. Zum Beispiel erwarteten wir von den Kindern, daß sie ihre Kleider aufhängten, wenn sie von der Schule kamen, oder sie in den Wäschekorb legten. Aber Kimberly stopfte einfach alles unter das Bett. Sie wollte partout nichts aufhängen oder zusammenlegen, sie schob es lieber unters Bett. Dazu muß man wissen, daß ich den Mädchen teure Kleider gekauft hatte. Ich sagte: »Kimberly, häng die Kleider auf. Wie oft muß ich das denn noch sagen?«

Bob hörte das und sagte: »Du mußt das nur einmal sagen.« Und dann schlug er sie. Er hielt sie für faul, und das mit der Wäsche war seiner Meinung nach ein typisches Zeichen für ihre Faulheit.

Als Kimberly ungefähr vier Jahre alt war, noch bevor sie die Mandeln rausbekommen hatte, saßen wir jedesmal, wenn es bei uns Steaks, Hähnchen oder so etwas gab, endlos lang am Tisch, während sie kaute, kaute und nochmals kaute. Es war ungefähr so, als würde das Fleischstück größer und größer, und ihn machte es jedesmal schrecklich wütend.

»Kimberly, kannst du das verdammte Essen nicht mal runterschlucken?« schrie er. Er brüllte sie einfach an, gleich am Tisch. Unsere Mahlzeiten waren nur noch Alpträume, weil er sie ständig anbrüllte. Mich machte er damit zum Nervenbündel.

Außerdem lief Kimberlys Nase ständig, und wir machten uns immer ein bißchen darüber lustig und sagten, bei ihr laufe die Nase nach Fahrplan. Sie saß am Tisch und weinte, wie man sich denken kann. Dann lief die Nase, das Essen stand vor ihr, und Bob schrie herum, und ich wußte einfach nicht mehr, was ich diesem Mann noch sagen sollte.

Es ging so weiter, daß sie öfter Mandelentzündungen bekam, und ich war nicht mehr so richtig zufrieden mit unserem Kinderarzt. Schließlich fragte ich, ob er mich zu einem Spezialisten überweisen könne, und er schickte mich zu einem Hals-, Nasen-, Ohrenarzt. In der Sprechstunde sagte ich zu ihm: »Kimberly hat immer eine laufende Nase, solange ich sie kenne, also seit sie zwei Jahre alt ist.«

Er schaute ihr in den Mund, drehte ihren Kopf von einer Seite zur andern und sagte: »Kaut sie ein Stück Fleisch dreißig oder vierzig Minuten?«

»Ja«, sagte ich.

Und er sagte: »Hat man das Gefühl, sie würde niemals aufhören, darauf herumzukauen?«

Und ich sagte: »Ja.«

»Das liegt daran, daß sie dringend die Mandeln und Polypen entfernt haben muß. Das ist die schlimmste Mandelentzündung, die ich seit langem gesehen habe«, sagte er.

Die ganze Zeit hatte Bob sie angeschrien für etwas, was krankheitsbedingt war. Ich fuhr nach Hause und erzählte es ihm, aber ihn schien das kaltzulassen. Es tat ihm anscheinend überhaupt nicht leid, daß er sie so lange Zeit für etwas bestraft hatte, wofür sie gar nichts konnte. Keine Gewissensbisse, weil er sie mit einem Buch verprügelt hatte, bis sie grün und blau war, oder weil er immer gesagt hatte, sie sei faul, und sie gestoßen und gehänselt hatte.

(Nach Bob Mays' Aussagen waren seine Erziehungsmaßnahmen »ein Klaps auf den Po, ein ›Geh auf dein Zimmer‹ oder aber Fernsehverbot, kein Nachtisch oder irgend so etwas in der Art«.)

Als ihr schließlich die Mandeln herausgenommen wurden, war er nicht da. Ich nahm mir frei. Ich war allein im Warteraum und fand es furchtbar. Er hatte gesagt, er habe viel Zeit mit Barbara in Krankenhäusern zugebracht und viele Stunden in solchen Warteräumen gesessen, und deshalb wolle er das nicht mehr.

Als Kimberly in der ersten Klasse war, fing sie an, die Ziffer Zwei falschherum zu schreiben. Ich glaube nicht, daß das so ungewöhnlich für ein Kind ist. Viele Kinder machen so was, denke ich, aber Bob regte sich furchtbar darüber auf.

An einem Abend versuchte er ihr zu helfen, die Ziffer richtig zu schreiben. Er saß im Wohnzimmer, direkt neben der Tür, und ich habe in der Küche das Abendessen gemacht. Er schrie und brüllte und beschimpfte sie, was mich nicht wunderte, weil er das immer so machte. Er redete mit den Kindern und mir, als wären wir ein bißchen dumm. Also schrie er: »Du kannst gar nicht so verdammt blöde sein, das weißt du selber. Du bist einfach nur faul und willst es nicht richtig machen.«

Plötzlich hörte ich Ashlee schreien. Es war ein furchtbarer Schrei. Ich rannte ins Zimmer und sah Kimberly wie ein Häufchen Elend auf der anderen Seite des Zimmers liegen und weinen, und Ashlee saß unter Schock da. Bob hatte Kimberly genommen, hochgehoben und einfach durchs Zimmer geschleudert und geschrien: »Geh in dein Zimmer, bis du dich endlich dazu bequemst, es richtig zu machen.«

Ashlee war völlig hysterisch, und ich versuchte nur, Bob von Kimberly fernzuhalten. Ich sagte: »Laß sie in Ruhe. Ich kümmere mich schon darum.«

Die arme Kleine konnte einfach nur diese Ziffer nicht richtig schreiben, aber für ihn war es viel mehr. Für ihn war es, als ginge die Welt unter, als ob sie es absichtlich tat. Es machte ihn verrückt.

Sie weinte und schrie, und Ashlee schrie auch. Das Ganze war, wie man sich denken kann, ein Alptraum. Schließlich beruhigte ich ihn.

Ich sagte: »Ich kümmere mich darum. Geh einfach raus, mach irgendwas. Fahr ein bißchen spazieren, mach einfach, was du willst.«

Ich glaube nicht, daß er getrunken hatte. So benahm er sich auch, wenn er nüchtern war. Dann beruhigte ich Kimberly. Ich hielt sie einfach im Arm, drückte und streichelte sie und sagte ihr, sie müsse Bob aus dem Weg gehen und warten, bis er sich beruhigt habe. Sie zitterte so schrecklich, daß es auch im Bett noch nicht aufhörte.

10. KAPITEL

Ein Rätsel

Regina war sich darüber im klaren, daß, falls es zu einem neuen Notfall kommen würde, Blutkonserven und Arlenas Krankheitsgeschichte greifbar sein müßten. Also forderte sie 1985, als Arlena sieben war, die medizinischen Aufzeichnungen vom Hardee Memorial Hospital an. Außerdem ließ sie im West Volusia Memorial Hospital einen Bluttest mit Arlena machen. Das Krankenhaus teilte ihr mit, Arlena habe die Blutgruppe B. Sie wußte, daß ihre eigene Blutgruppe Null negativ war und Ernests Blutgruppe Null positiv.

»Das muß ein Irrtum sein. Das ist unmöglich. Testen Sie noch mal«, bat Regina.

Das Ergebnis blieb das gleiche, aber der Laborant erklärte ihr, daß möglicherweise die Medikamente, die Arlena nehmen mußte, um ihren Herzrhythmus zu regulieren, das Erscheinungsbild ihrer Blutgruppe verändert hätten.

Regina verdrehte die Augen. »Was soll denn mein Mann denken?« sagte sie. »Ich weiß nicht, ob er das so hinnehmen wird. Er ist nur ein ganz normaler Kerl. Einer von der altmodischen Sorte, für die die Welt noch schwarzweiß ist. Und zweimal Null kann nicht B sein.«

Der Laborant zuckte die Schultern. »Tja, da kann ich Ihnen auch nicht helfen«, sagte er, aber etwas in seiner Stimme und seinem Blick gab Regina das Gefühl, als käme ihm das alles auch seltsam vor.

Regina erzählte Ernest nichts davon. Sie hatte Angst davor, besonders am Telefon, weil sie nicht wußte, was ihm durch den Kopf gehen würde, wenn sie aufgelegt hatten. Statt dessen fragte sie andere Leute.

Zuerst ging sie zu Dr. William Bell, dem Kinderarzt in De Land, einer Stadt ganz in der Nähe von Orange City. Dann fragte sie Dr. Arthur Raptoulas, Arlenas Herzspezialisten in Orlando in Florida. Außerdem sprach sie noch mit Professor Richard Green vom Daytona Beach Community College, wo sie einen Kurs über die menschliche Entwicklung besuchte, um ihre Zulassung als Lehrerin wiederzuerlangen. Das Thema in der Klasse war der Embryo, also meldete sie sich und fragte, wie es zu dieser Abweichung kommen könne. Dr. Greene konnte ihr darauf nichts antworten. Dr. Bell wußte nichts. Dr. Raptoulas wußte nichts. Niemand kam auch nur der Gedanke, daß das Baby vertauscht worden sei. Jedesmal, wenn Regina fragte, hatte sie das Gefühl, so etwas wie Zweifel an ihrer Unbescholtenheit in den Augen der anderen zu erkennen. Irgendwas in deren Augen fragte: »Na, komm schon, gute Frau, mit wem hast du noch geschlafen?« Sie konnte es ihnen noch nicht mal übelnehmen. Sie sagten, sie wüßten einfach nicht, was sie ihr antworten sollten. Sie spielten nie darauf an, daß sie vielleicht mit der Wahrheit hinter dem Berg hielt, aber sie schlugen auch nicht vor, einen Gentest zu machen.

Sie fühlte sich entwürdigt. Sie glaubte, diese Leute hielten sie für unehrlich, und deshalb sträubte sie sich noch ängstlicher dagegen, Ernest davon zu erzählen. Sie wußte, daß er keine Erklärungen dafür haben würde, und sie selbst hatte auch keine. Sogar die Experten hatten keine Erklärung.

Sie versuchte, es zu verdrängen, und dachte: »Mein Gott – unglaublich. Ich kann auf keinen Fall jemandem etwas davon erzählen. Es muß an der Medizin liegen, daß die Blutgruppe anders ist. Es muß so sein. Es gibt keine andere Erklärung.« Die Zweifel, die sie vor Jahren im Krankenhaus durchlebt hatte, waren ihr vollkommen entfallen, sie hatte diese Erinnerungen verdrängt. Ihre Bindung zu Arlena war so intensiv, daß sie nie daran gedacht hätte, eine Vertauschung der Babys in Betracht zu ziehen. Jedenfalls nicht bewußt – noch nicht.

Ich erzähle Ernest davon, wenn ich ihn sehe, sobald wir wieder zusammen sind, überlegte sie, während sie an einem schrecklich heißen Tag die Wiese des Nachbarn mähte. Sie versuchte, genug zu verdienen, um Lebensmittel fürs Abendessen kaufen zu können.

Als sie mit der Wiese fertig war, ging sie nach Hause, machte die Wäsche und hängte sie auf, solange die Sonne noch hoch genug stand. Seit gut einem Jahr hatte sie kein Geld, den Trockner reparieren zu lassen. Und genauso endlos lange war sie nun schon von Ernest getrennt.

Während sie die Kinderwäsche auf die Leine hängte, so wie sie es seit über dreihundert Tagen täglich machte, faßte sie einen Entschluß. »Niemand will das Haus kaufen. Es ist ein goldener Käfig, es trennt uns und macht uns unglücklich. Lieber vermiete ich es«, dachte sie. »Lieber verschenke ich es oder verzichte darauf, als so weiterzuleben.« Es war Donnerstag. Umständlich hängte sie die letzten Shorts über die Wäschestange, ging ins Haus und griff zum Telefonhörer.

Sie wischte sich den Schweiß von der Stirn und wählte. »Hallo, Ernest? Ich habe einen Entschluß gefaßt«, übte sie, während es noch klingelte. Ihre Stimme zitterte, aber nicht aus Schwäche. »Ernest«, sagte sie, als er sich meldete, »such ein Haus für uns. Wir kommen am Montag.«

11. KAPITEL

Ein Traum zerbricht

Cindy hatte sich immer vorgenommen, nach dreißig kein Kind mehr zu bekommen. Das war eine von den Abmachungen, die sie mit sich selbst geschlossen hatte. Sie hatten nie darüber gesprochen, ob sie noch mehr Kinder wollten. Sie nahm einfach in den ersten Ehejahren die Pille.

Nach einiger Zeit ertappte sie sich dabei, wie sie sich über diese Sache Gedanken machte und sich mit ihren siebenundzwanzig Jahren fragte, ob sie wohl noch mal ein Kind bekommen sollte. Und wenn nicht, was sie denn nun mit ihrem Leben anfangen sollte. In einer Nacht, es war 1986, kuschelte sie sich besonders eng an Bob, als sie zusammen im Bett lagen. Eine Zeitlang war es ruhig bei ihnen gewesen, und sie glaubte, es sei der richtige Moment. Er zog sie an sich.

»Bob«, sagte sie, »ich überlege mir, ob wir nicht noch ein Kind bekommen sollten.«

»Nein«, gab er barsch zurück. Dann besann er sich aber doch, etwas freundlicher zu sein, sah sie mit filmreifem Lächeln an und sagte: »Cindy, wir haben schon zwei Kinder, und das reicht. Wir müssen zwei Töchter durchs College bringen. Aber wir können was anderes tun.« Sie einigten sich schließlich darauf, daß sie kein Kind mehr bekommen wollten, sondern daß Cindy Kimberly adoptieren sollte.

Als sie zum Anwalt gingen, um die Papiere zu unterschreiben, erklärte er ihnen, daß Cindy die legale, natürliche Mutter von Kimberly sein würde, wenn irgend etwas passieren sollte, wie etwa eine Scheidung, wovon ja im Moment keine Rede sein konnte. Als Bob bewußt wurde, daß das monatliche Unterhaltszahlungen und Besuchsrecht an jedem zweiten Wochenende bedeutete, änderte er plötzlich seine Meinung.

»Du adoptierst Kimberly doch nicht«, entschied er. »Du brauchst sie gar nicht zu adoptieren, sie ist sowieso dein Kind. Dafür brauchst du kein Stück Papier als Beweis.«

Cindy liebte ihn trotz allem immer noch sehr, und da ihr daran gelegen war, jeden Streit zu vermeiden, willigte sie ein. Um es ihm recht zu machen, ließ sie sich sogar sterilisieren.

Nachdem sicher war, daß sie keine Kinder mehr bekam, orientierte sie sich in andere Richtungen. Sie sagte Bob, sie wolle einen Abendkurs im Junior College am Ort besuchen. Er schien beinahe zu explodieren, als sie ihm das erzählte. Er starrte sie wortlos an, baute einfach eine Mauer des Schweigens zwischen ihnen auf.

»Nur einen Kurs«, sagte sie und hoffte inständig, ihn nicht wütend zu machen.

»Ich finde es gut, wenn du den Kurs machen willst«, sagte er schließlich. »Aber du mußt verstehen, daß ich mich nicht nach Hause abhetzen werde, um die Mädchen abzuholen, und ich möchte was zu essen auf dem Tisch haben, eine richtige Mahlzeit. Wir essen nicht aus der Mikrowelle oder Fertigpizza. So«, sagte er mit einer Pause zur Betonung, »wenn du die Kinder abholen und sie fertig machen und außerdem dafür sorgen kannst, daß das Essen fertig ist, dann kannst du den Kurs besuchen.«

»Einverstanden«, sagte sie, »ich mach es.«

»Und noch etwas«, fügte er hinzu. »Ich will nicht, daß du das ganze Wochenende die Nase in die Bücher steckst. Ich will, daß du Zeit für eine Segelpartie hast.«

Cindy wollte einen Kurs in Psychopathologie besuchen, obwohl sie nicht wußte, wie sie darauf kam. Sie schrieb sich ein und schaffte es irgendwie, daß sie von der Arbeit nach Hause eilte, die Kinder abholte, das Essen vorbereitete und bis sieben Uhr einmal quer durch die Stadt fuhr. Nachdem sie das zwei Wochen so gemacht hatte, landete sie für vier Tage im Krankenhaus. Zuerst hatte sie mitten in der Nacht schwere Schmerzen in der Bauchgegend bekommen. Bob mußte sie zur Notaufnahme bringen, wo sie sie gründlich untersuchten und nichts finden konnten. Sie gaben ihr Schmerztabletten und schickten sie mit der Versicherung nach Hause, es werde ihr morgen bestimmt bessergehen. Aber sobald sie sich am nächsten Abend ins Bett legte und einzuschlafen versuchte, fing es wieder an. Ein paar Mal schlief sie ein, wachte aber vor Schmerzen wieder auf.

Am nächsten Tag ging sie wieder zum Arzt. Der sagte ihr: »Wenn die Schmerzen noch mal auftreten, müssen wir sie einliefern.« Trotzdem hetzte sie hin und her durch die Stadt, um die Kinder zu holen, kochte ein Essen mit drei Gängen und versuchte am Wochenende zu lernen, wenn Bob gerade nicht hinguckte. Sie lernte genug in dem Psychologiekurs, um zu begreifen, daß ihre Situation die Hölle für sie war.

Als die Schmerzen wiederkamen, wurde sie eingeliefert. Sie machten jeden nur erdenklichen Test mit ihr: eine gründliche, allgemeine Untersuchung, einen Einlauf, eine Darmspiegelung. Nachdem sie mit allen Tests fertig waren, sagten sie ihr, es seien Darmkrämpfe, nervlich bedingt, durch zuviel Streß. Bevor sie die Darmspiegelung machten, gaben sie ihr ein starkes Beruhigungsmittel, damit sie sich entspannte. Sie war kaum bei Sinnen und wußte nicht, was sie redete. Der Doktor bat sie, den Ehering abzunehmen. Er murmelte irgend etwas davon, daß man während der Spiegelung keinen Schmuck tragen dürfe.

Sie streckte ihm die Hand hin, öffnete einen Moment lang die Augen und sagte: »Sie können ihn behalten – und den Mistkerl, der ihn mir gegeben hat, auch.«

Danach brach sie den Kurs ab. Cindy war nicht die einzige, die Ärger mit dem Lernen hatte: Kimberly schaffte die erste Klasse beinahe nicht. Zuerst sagte die Lehrerin, Nora Scott Chadwick, Kimberly könne sich nicht lange genug konzentrieren, aber dann kam sie zu dem Schluß, daß mehr dahinterstecken müsse. Egal, wo sie Kimberly hinsetzte, es konnte das ruhigste Kind sein, Kimberly brachte die Kinder ringsum sofort dazu, ständig zu schwatzen. Damals fing es an, daß Cindy und Bob dauernd zu Besprechungen gerufen wurden, und zwar sowohl wegen Kimberlys Noten als auch, weil sie in der Klasse ständig störte. Mrs. Chadwick sagte ihnen, Cindy müsse zur psychologischen Behandlung.

Bob lehnte das ab. Er erklärte Cindy, er sei der Meinung, sie brauche einfach nur eine Tracht Prügel. Trotzdem gingen sie zu einer Beratungsstelle, wo man ihnen erklärte, man hielte Kimberly für hyperaktiv.

Der Psychologe Dr. Gerald Mussenden schrieb über Kimberly, nachdem er oft mir ihr gesprochen hatte und viele Stunden mit der Durchführung von Tests verbracht hatte: »Die Lehrerin bemerkte, daß Kimberly sich oft ungewöhnlich verhielt und gelegentlich zur Wand oder leise vor sich hin sprach, wobei sie auch mal fluchte oder sich über etwas lustig machte. Sie hat das Gefühl, daß andere Kinder sie für dumm halten. Darüber hinaus glaubte sie, die anderen machten sich dauernd über sie lustig. Allem Anschein nach muß es familiäre Probleme geben, die ursächlich sind für diese typischen Schwierigkeiten in der Schule. Die ursächlichen Probleme sollten unverzüglich angegangen werden. Dies ist nur durch eine Familienberatung möglich.«

Bob sagte: »Auf gar keinen Fall. So 'ne Beratung mach ich bestimmt nicht.«

Die Probleme nahmen kein Ende. Kimberly schaffte die erste Klasse nicht und durfte nicht mit zum Schulausflug im Sommer. Schließlich ging Cindy mit ihr zu einem anderen Psychologen. Sie war nicht überrascht, daß er ebenfalls eine Familienberatung vorschlug. Sie erzählte ihm, daß sie aus eigener Erfahrung wisse, wie schwer es sei, sich in der Schule zu konzentrieren, wenn Bob zu Hause herumschrie und dauernd Theater machte. Bob weigerte sich immer noch, daran teilzunehmen, aber Cindy schickte Kimberly zu einigen Einzelsitzungen.

Manchmal holte der Psychologe Cindy am Schluß der Sitzung für ein paar Minuten dazu, um ihr zu erzählen, was Kimberly und er während der Sitzung besprochen hatten, oder weil er noch das eine oder andere über das Familienleben in Erfahrung bringen wollte. Dabei kam auch das Thema »Solo« auf.

Als Kimberly drei war, tauchte Solo in ihren Bildern auf. Er war ihr erdachter Freund: Einer, der für sie da war, wenn sie wieder mal einen grün und blau geschlagenen Po hatte, als ihre Mandeln rauskamen, als Bob sie durchs Zimmer schleuderte, wenn er sie beschimpfte, oder als er sie nach Orlando brachte. Sie redete mit Solo im Kinderzimmer, machte ein Nickerchen mit Solo, und wenn sie aufwachte, spielten sie zusammen. Soweit Cindy wußte, war Solo ein kleiner Junge. Als die Lehrerin anfing, Kimberly zu ermahnen und sagte, sie rede mit der Wand oder mit sich selbst, dachte Cindy zuerst, Kimberly habe Solo mit in die Schule genommen. Aber nachdem sie mit der Lehrerin gesprochen und erfahren hatte, daß Kimberly sich selbst beschimpfte und dumm und faul nannte, wurde ihr klar, daß ihr erdachter Freund ihr fehlte, um ihr Selbstbewußtsein zu stärken. Cindy begriff sofort, weshalb Kimberly solche Gefühle hatte.

CINDY MAYS ERZÄHLT:

Er schlug sie oft, immer wenn er glaubte, sie habe etwas Falsches getan. Deshalb hatte ich irgendwann das Gefühl, ich müsse mit jemandem darüber reden. Ich ging noch mal zu dem ersten Therapeuten, zu dem ich Kimberly gebracht hatte. Ich wußte nicht, wie ich damit fertig werden sollte, zumal es ja noch mehr Unstimmigkeiten zwischen mir und Bob gab.

Ich ging also zu dem Therapeuten, und schließlich überredete ich Bob dazu, auch hinzugehen. Ich war doch sehr betroffen von dem, was mit Kimberly passierte. Nach ein paar Sitzungen, als wir zusammen im Therapieraum waren und Bob sich gerade ruhig verhielt, brachte ich das Gespräch auf Bobs körperliche Züchtigungen und darauf, daß er nicht merkte, wie fest er Kimberly schlug.

In dem Zimmer stand ein kleiner Tisch, und der Arzt sagte: »Also gut, Bob, schlagen Sie mal so fest zu, wie sie Kimberly schlagen.«

Der Tisch stand zwischen uns. Bob hob die Hand und schlug so auf den Tisch, wie er Kimberly immer schlug. Nachdem er das getan hatte, schaute ihn der Psychologe nur an und sagte: »Bob, ich sollte den Hörer nehmen und Sie wegen Kindesmißhandlung anzeigen, wenn Sie so das kleine Mädchen schlagen. Ganz offensichtlich können Sie ihre körperliche Stärke nicht einschätzen. Sie sehen nicht, wie zerbrechlich Kimberlys Psyche und ihr kleiner Körper sind. Sie ist sehr dünn, klein und zierlich.«

In diesem Moment sprang Bob einfach vom Stuhl auf, warf mir einen Blick zu und sagte: »Fahr zur Hölle.« Dann warf er dem Arzt noch einen Blick zu und wiederholte: »Fahr zur Hölle.« Schließlich stürmte er hinaus und schrie, daß er nie wieder herkommen werde und daß er kein Kindesmißhandler sei. So wurde die Sitzung beendet.

(Bob streitet bis heute ab, Kimberly jemals mißhandelt zu haben.)

Bob fuhr zu der Schule, in die die Kinder gingen, holte Kimberly aus der Klasse, rief Mutter, Vater und Bruder an, begann seine Sachen zu packen und brachte Kimberly nach Orlando. Er sagte bei der Schulleitung Bescheid, daß er sie von der Schule nähme und nach Orlando zu seinen Eltern bringen werde. Die Eltern kamen mit dem Auto und einem Transporter aus Orlando herübergefahren und halfen, seine und Kimberlys Sachen zu packen.

All das spielte sich vor den Augen meiner Tochter Ashlee ab, während ich bei der Arbeit war. Ich erinnere mich, daß ich zu Hause angerufen habe. Normalerweise kamen die Kinder gegen drei, halb vier nach Hause. Damals war Bob zu Hause. Das war ungewöhnlich, und ich wurde sofort mißtrauisch. Ich weiß noch, daß ich gesagt habe: »Gib mir doch mal kurz Ashlee.«

Er hat geantwortet: »Das geht nicht, sie spielt gerade draußen.«

Und ich habe gesagt: »Gut. Ich komme ganz normal nach Hause, gegen fünf oder halb sechs.«

Als ich nach Hause kam, war Kimberly weg. Beim Hereinkommen merkte ich, daß einige Dinge fehlten, und Ashlee saß weinend auf der Couch, weil Bob Kimberly nach Orlando gebracht und Ashlee erzählt hatte, daß er sie dort zur Schule schicken werde.

Er selbst zog nicht nach Orlando, weil es zu weit gewesen wäre, von dort aus zur Arbeit zu fahren, also schickte er nur Kimberly hin und ließ sie von seiner Mutter zur Schule bringen. Er nahm sich irgendwo ein Zimmer.

Jedesmal, wenn ich anrief, sagten seine Eltern mir, Kimberly schlafe gerade. Sie ließen mich unter keinen Umständen mit ihr sprechen. Ein paar Tage vergingen, und Bob fing an, mich anzurufen und zu betteln, ob er nach Hause kommen könne. Er sagte, der Streit täte ihm leid und er werde auch zu den Sitzungen gehen, überhaupt wolle er alles tun, um die Ehe in Ordnung zu bringen.

Ich willigte hauptsächlich wegen Kimberly ein. Kurz danach passierte eine neue Geschichte, ich weiß schon nicht mehr, wie es dazu gekommen war. Er nahm Kimberly erneut aus der Schule und ging wieder mit ihr nach Orlando. Es waren nur ein paar Tage, aber er zog die ganze Prozedur durch: Er nahm sie aus der Schule, sagte, er würde umziehen, und meldete sie in einer Schule in Orlando an.

(Bob behauptet, daß sie nie getrennt waren, noch nicht einmal für eine Woche, bevor er sie endgültig verließ.)

Als ich mich das zweite Mal mit ihm versöhnte, sagte ich: »Bob, wenn du noch mal ausziehst und das Kind von seiner Schwester und mir wegnimmst und sein Leben zerstörst, ist es aus. Es gibt keine Versöhnungen mehr, weil ich das nicht mehr aushalten kann. Du darfst das einfach den Kindern und mir nicht mehr antun.«

12. KAPITEL

Wieder als Familie vereint

Als Regina aus dem Zug stieg, auf einem Arm Arlena, auf dem anderen Barry, ihren Jüngsten, grinste Ernest. Hinter ihr kamen noch vier Kinder, die nach vorn drängelten, um einen Blick auf ihren Daddy zu erhaschen. Ernest streckte die Arme aus, schnappte sich Regina und hob sie alle drei von den Stufen auf den Bahnsteig.

»He, Schatz«, sagte er.

Ihn nur zu sehen, seinen Atem zu spüren, machte sie glücklich. »O Ernest, wir haben uns so auf dich gefreut«, sagte sie, und ihr mädchenhaftes Lachen sprudelte aus ihr heraus, ein Lachen, das tief aus ihrem Innersten kam. Seine dunklen, mandelförmigen Augen ruhten einen Moment lang auf ihr. Dann begrüßte er die Kinder.

Er breitete die Arme aus, und alle miteinander drängelten sich in seine Umarmung. Das war der Ernest, den sie immer geliebt hatte. Und auch jetzt liebte sie ihn, weil er zum Zug gekommen war, auf sie gewartet und sie die letzte Stufe heruntergehoben hatte.

»Was stehen wir hier so herum?« fragte er lachend. »Laßt uns das neue Haus ansehen.«

Das heruntergekommene weiße Farmhaus mit der blauen Fassadenverkleidung lag direkt an der Route 420. »Alle reinkommen«, forderte Ernest sie auf und lächelte. »Im Moment ist es noch ein bißchen runtergekommen, aber es hat zwei große Schlafzimmer im ersten Stock und ein großes Dachgeschoß.«

Als erstes bemerkte Regina die demolierte Treppe, die nach oben führte, und den einsackenden Fußboden im ersten Stock.

Dann sah sie, daß sich die Tapeten ablösten und der Putz bröckelte.

»Mit ein bißchen Arbeit kommt alles in Ordnung«, beruhigte Ernest.

Regina warf einen Blick in das lange, schmale Wohnzimmer und ging ins Eßzimmer. Sie betrachtete die schmutzige Küche mit der Doppelspüle und konnte das Badezimmer dahinter erkennen. »Ein Badezimmer im ersten Stock, das ist toll«, sagte sie erfreut und tat so, als bemerke sie die kaputten Kacheln über der Spüle nicht.

»Ich weiß, daß es eine Menge Arbeit wird«, sagte Ernest, der die Kacheln auch sah. »Und es ist auch viel Verkehr hier. Aber ich hatte Glück und habe es für 625 Dollar im Monat bekommen. Ich habe gestern unterschrieben. Es gehört jemandem von Amtrak. Die Mieten sind hier ziemlich hoch.«

Sie nickte. »Ich weiß, Liebling«, sagte sie, »es ist wirklich okay.« In Wahrheit hätte er sie aber auch in eine Einzimmerhütte mit undichtem Dach führen können. Sie hätte lieber überall Töpfe auf dem Boden aufgestellt, als weiterhin getrennt von ihm zu leben. Ernest fühlte einen Stich vor Freude. Er sah Reginas Augen und wußte, daß sie zufrieden war.

13. KAPITEL

Familienleben

Bob und Cindy lasen täglich die Zeitung. Als sie entdeckten, daß nach einem neuen Gesetz Großeltern Besuchsrechte hatten, war ihnen sofort klar: Es konnte nur eine Frage der Zeit sein, bis die Cokers sie fanden und bekamen, was sie wollten.

Ein paar Monate später traf dann auch das Schreiben ein. Zuerst wollte Bob es anfechten, aber der Anwalt erklärte ihm, er werde verlieren, und so besann er sich eines Besseren. Es hatte keinen Sinn, sinnlos Geld auszugeben. Also holte Cindy und er aus dem Karton im Schuppen ein altes Foto von Barbara und ließen Kimberly auf dem Sofa Platz nehmen. Bob lächelte sie breit an und gab ihr einen Kuß auf die Wange. »Kommt dir diese Frau irgendwie bekannt vor?« fragte er. Natürlich antwortete Kimberly mit »Nein«. »Also, es gibt da etwas, was wir dir erzählen müssen«, fuhr er fort. »Diese Frau ist gestorben, als du zwei warst.«

Cindy unterbrach ihn: »Ich hab dich sehr lieb, Kimberly, daran wird sich nie etwas ändern. Aber diese Frau hat dich eigentlich zur Welt gebracht.« Mit ihren sechs Jahren war Kimberly schon alt genug, um zu verstehen, daß jemand, der schwanger ist, ein Kind zur Welt bringt.

»Als du noch klein warst«, fuhr Cindy fort, »ist diese Frau – sie heißt Barbara – sehr krank geworden und gestorben. Aber sie hat eine Mom und einen Dad, die noch leben und sich sehr gerne mit dir treffen wollen.«

Kimberly schien das in Ordnung zu finden. Sie hatte in ihrem Leben schon viel einstecken müssen und zeigte kaum eine Reaktion. »Willst du noch etwas wissen?« fragten Bob und Cindy.

»Warum soll ich mich denn mit diesen Leuten treffen?«
wollte sie wissen.

Bei der gerichtlichen Anhörung vor einer Woche hatten Cindy und Bob dem Gericht und den Cokers bereits die Geschichte von der glücklichen kleinen Familie aufgetischt. »Kimberly und Ashlee waren noch so klein«, erklärte Bob, »sie sind wie Geschwister aufgewachsen.« Dann fragten sie die Cokers noch während der Verhandlung, was sie denn davon hielten, wenn die Kinder sie zusammen besuchen würden. »Sie müssen verstehen«, erklärte Bob dem überraschten Gericht, »wir wollen einfach nicht, daß diese Kinder getrennt werden.«

Die Cokers erklärten sich damit einverstanden, aber Cindy hatte immer noch Befürchtungen, sie könnten die Mädchen unterschiedlich behandeln, sobald sie allein mit ihnen waren. Vielleicht schoben sie Ashlee beiseite und verwöhnten Kimberly.

Das haben die Cokers allerdings nie getan. Sie haben immer dafür gesorgt, daß nicht nur ein Kind eine Barbiepuppe oder ein Paar Socken bekam, sondern immer beide. Alle kamen gut mit dieser Regelung zurecht.

Kimberly und Ashlee besuchten die Cokers gemeinsam, und sie redeten Merle und Velma mit Grandpa und Grandma an. Und an Ashlees Geburtstag dachten die Cokers immer daran, ihr eine Kleinigkeit zu schicken. Einmal bedankte sich Velma bei Cindy am Telefon sogar – nicht nur dafür, daß sie Kimberly großgezogen hatte, sondern auch für alles andere, was sie für Kimberly getan hatte. Sie sagte, man könne die Kinder überall mit hinnehmen. Sie würden sich stets wie kleine Damen benehmen, nicht wie Straßengören.

Bob ließ nie wieder ein Wort über die Beziehung der Cokers zu den Mädchen fallen. Er hatte andere Dinge im Kopf – etwa das acht Meter lange Motorboot, das er vor kurzem gekauft hatte. Er wollte jedes Wochenende damit hinausfahren. Für Cindy war das unglücklicherweise gerade die Zeit, in der sie eigentlich ein wenig zur Ruhe kommen, die Wäsche machen, kochen und sich um die Kinder und das Haus kümmern wollte. Sie arbeitete während der ganzen Woche, aber Bob kam nicht mal im Traum auf die Idee, ihr am Wochenende etwas Ruhe zu gönnen und ohne sie mit dem Boot loszufahren.

An sich wäre das nicht so schlimm gewesen, wenn er nicht dauernd so launisch gewesen wäre. Aber das lag vielleicht daran, daß im Hafen immer so ein Gedränge herrschte. Man hätte denken können, alle wollten unbedingt zur selben Zeit angeln, Boot fahren oder Wasserski laufen. Bob fing jedesmal zu fluchen und lauthals zu brüllen an: »Hier muß, verdammt noch mal, ein größerer Steg hin« – als wäre es Cindys Schuld.

Wenn der Hafen voll war oder der Motor stotterte, wurde es für Cindy nervenaufreibend. Sie wußte, daß sie das alles ausbaden mußte, und fand die Situation unerträglich. Jedesmal betete sie, es möge nur ja nichts schiefgehen, damit der Tag mit Bob wenigstens einigermaßen erträglich wurde.

Ihrer Meinung nach war es inzwischen soweit gekommen, daß jede ganz normale, alltägliche Kleinigkeit ihn in Wut bringen konnte. Es schien so, als fühlte er sich vom Pech verfolgt und glaubte, nur bei ihm ginge alles schief. Kleinigkeiten brachten ihn aus der Fassung, Kleinigkeiten, die sie nicht verhindern konnte und die sie deshalb geradezu in Angst und Schrecken versetzten.

Ein Wochenende gingen sie mit Cindys Cousine und ihrem Mann am Lake Kissimmee angeln. Bob hatte eine nagelneue, sehr teure Angel mit Spule, die ihm Cindy zum Geburtstag geschenkt hatte. Sie verhedderte sich ein paarmal, als er sie auswerfen wollte. Er regte sich so sehr darüber auf, daß er das Ding über Bord warf.

Es gab aber auch gute Zeiten. Sie kochten immer noch manchmal zusammen, gingen zusammen einkaufen oder grillten an einem Freitagabend im Freien und tranken dabei gemeinsam eine Flasche Wein. Bob konnte immer noch faszinierend sein. Jeder, der ihn kennenlernte, sagte, er sei der netteste Kerl, der ihm jemals über den Weg gelaufen sei, so aufgeschlossen und lebensfroh, so liebevoll zu Cindy und den Kinder. Immer sehr fürsorglich.

Außer ein paar Leuten, die unmittelbar Zeugen seiner Wutausbrüche gewesen waren, wußte keiner von seinen Launen. Sogar Ashlee fand, er sei ein toller Vater – wenn er nicht gerade ausrastete. Er ging mit ihr einkaufen, sagte ihr, wie hübsch sie sei und daß er sie liebhabe. Aber wenn er durchdrehte, machte sie, daß sie wegkam.

»Er war wie eine gespaltene Persönlichkeit, ein Psychopath. Man konnte sich nicht vorstellen, daß das ein und derselbe Mensch war«, erinnerte sich Ashlee Jahre später, als das Gerichtsverfahren an die Öffentlichkeit kam.

Am Anfang des zweiten Schuljahrs rief Miss Chadwick, ihre Lehrerin während der ersten beiden Schuljahre an der Harvest Time Christian School, wieder bei Cindy an. Diesmal sagte sie, sie sei besorgt, weil Kimberly eine starke sexuelle Phantasie zu entwickeln schien und sich anscheinend gedanklich hauptsächlich mit Sexualität beschäftige.

Einige von Kimberlys Klassenkameradinnen erzählten Miss Chadwick, daß Kimberly von Sex, Penissen und sexuellen Handlungen mit einem Hund gesprochen habe. Miss Chadwick wußte nicht genau, was sie gesagt hatte, aber doch genug, um sich deswegen Sorgen zu machen. Sie traf sich mit Cindy und besprach die Sache mit ihr. So wie sie das Familienleben einschätzte, konnte sie sich nicht erklären, woher diese Phantasien kamen.

CINDY MAYS ERZÄHLT:

Eine andere Sache, die ich beim Psychiater zur Sprache brachte, war, daß Bob mit der Einstellung lebte, das Haus gehöre ihm und er könne darin machen, was er wolle. Manchmal hatte er beim Duschen oder wenn er auf die Toilette mußte keine Lust, die Türe zuzuschließen. Auch dann nicht, wenn die Kinder in der Nähe waren. Als müßten sie froh und dankbar sein, mit ihm unter einem Dach wohnen zu dürfen.

Wir hatten zwei Badezimmer, aber das Haus war eben schon etwas älter, an allen Ecken und Enden gab es was zu reparieren. Die Dusche im unteren Badezimmer funktionierte nicht. Also mußte Bob die Dusche im Badezimmer der Mädchen benutzen.

Ich weiß noch, wie er die Situation einschätzte: »Wenn die Tür offen ist und sie wissen, daß ich drin bin, müssen sie ja nicht rein und raus laufen.« Oder: »Wenn es dir nicht paßt, kannst du ja dafür sorgen, daß sie draußen bleiben.« Also ging er nach dem Duschen einfach, ohne sich etwas anzuziehen, vom Badezimmer ins Schlafzimmer, nicht mal ein Handtuch band er sich um. Das Badezimmer lag genau zwischen den Zimmern der Mädchen.

Egal, was ich sagte, er kam weiterhin nackt vom Duschen und ging so, wie er war, ins Schlafzimmer. Das widerte mich jedesmal an. Ich konnte mir einfach nicht verkneifen, meinen Kommentar dazu zu geben, aber seine Antwort war sinngemäß jedesmal: »Man muß seinen Körper doch nicht verstekken. Er ist etwas ganz Natürliches. Wenn man ihn versteckt, werden sie erst recht neugierig. Was ist schon dabei, wenn sie einen Mann sehen?«

Natürlich versuchte ich, die Mädchen vom Badezimmer fernzuhalten, aber das half nicht viel, weil er nämlich nach dem Abtrocknen sowieso nackt herauskam, direkt vor ihrer Nase.

Er sagte dann jedesmal: »Schaff sie hier weg, wenn's dir nicht paßt.«

Aber natürlich waren sie eben doch manchmal im Flur und manchmal in ihrem Zimmer, und es kam auch vor, daß ich nicht zu Hause war.

So ging es die ganze Zeit, bis er auszog. Das heißt also, bis Kimberly ungefähr achteinhalb oder neun war und Ashlee zehn oder elf.

Ich mußte bei ihm jedes Wort auf die Goldwaage legen, denn es war in der Phase, wo ihn alles in Rage brachte. Eine ganz normale, gute Stimmung konnte in blinde Raserei umschlagen, wenn ihm etwas nicht in den Kram paßte. Es mußte gar nichts Besonderes oder Wichtiges sein.

Da war zum Beispiel diese Sache mit den Rindern, die wir hatten. Eine der Kühe brach ständig aus der Koppel aus. Eines Tages, als die Kuh mal wieder ausgebrochen war, entdeckte ich ihn, wie er die Kuh gerade mit dem Lastwagen – dem Firmenwagen – jagte, als ob er sie rammen wollte. Er schaltete vor und zurück und jagte die Kuh quer durch den Pferch, in dem sie nun wieder eingefangen war – tatsächlich genauso, als wollte er sie anfahren.

Ich schrie: »Hör auf!« Die Mädchen konnten es nicht fassen. Sie schrien und versuchten, ihn aufzuhalten. Schließlich blieb er stehen. Wir waren wirklich die ganze Zeit davon überzeugt gewesen, daß er die Kuh anfahren wollte. Seiner Meinung nach hatte er der Kuh nur eine Lektion erteilt.

Ein anderes Mal baute er eine Drahtrolle von einem Baum zum anderen, an der dann eine Kette für die Hunde eingehakt wurde. Wenn ich mich recht erinnere, war es so, daß das Ding nicht funktionierte und die Hunde sich losmachten. Er regte sich furchtbar darüber auf, herrschte uns an, wir sollten uns nicht vom Fleck rühren, und holte aus dem Schlafzimmer die Pistole.

Wir weinten und bettelten: »Bitte erschieß sie nicht, nicht

erschießen.« Er prüfte, ob die Waffe geladen war, und ich dachte nur: »O Gott, der Kerl erschießt wirklich die Hunde. Ich kann es einfach nicht glauben.« Die Kinder hielten sich die Ohren zu. Ich glaube, er hat sich dann wieder beruhigt, er hat sie jedenfalls nicht erschossen, aber uns hat er zu Tode erschreckt.

Dann war da die Sache mit Ashlee. Bob hatte die Regel aufgestellt, die Kinder dürften nicht ans Telefon gehen, wenn wir nicht zu Hause waren, es sei denn, einer von uns beiden rief an. Er hatte ein geheimes Signal vereinbart und den Kindern befohlen, niemals abzuheben, wenn es nicht zweimal klingelte, dann wieder aufhörte und dann erneut klingelte – das war dann einer von uns.

Aber einmal hörte das Telefon nicht auf zu klingeln, und Ashlee nahm schließlich ab. Es waren die Cokers. Als Bob nach Hause kam, fragte er, ob jemand angerufen habe. Sie sagte ja, sie habe abgenommen und es seien die Cokers gewesen. Als sie seine Miene sah, rutschte ihr heraus: »O je, jetzt gibt's Ärger!«

Er flippte vollkommen aus. Er drosch und prügelte sie durchs halbe Kinderzimmer. Sie schlug mit dem Kopf auf, schrie und weinte. Er brüllte: »Warum hast du das getan? Warum bist du ans verdammte Telefon gegangen?« Er drehte völlig durch.

Schließlich zog ich ihn von ihr weg und schrie: »Schlag nie wieder meine Tochter!« Danach weinte ich stundenlang, weil ich eine Grenze zwischen meinem und seinem Kind gezogen hatte. Mein Traum war zerbrochen. Ich konnte es einfach nicht mehr ertragen. Bob konnte andere Menschen nur erniedrigen. Ich glaube, es war einfach so: Wenn ich ihn schon nicht davon abhalten konnte, Kimberly zu schlagen, wollte ich wenigstens bei Ashlee einen Riegel vorschieben.

(Bob streitet ab, daß er sich je brutal verhalten habe.)

Ungefähr zu dieser Zeit sagte er mir immer wieder, nur ich könne unsere Ehe zerstören, und ich hätte es mir selbst zuzuschreiben, wenn ich Kimberly verlieren würde. Niemand sonst könne das erreichen, die Cokers nicht, seine Mutter nicht, Ashlee nicht. Aber ich – ich würde es noch soweit bringen, wenn ich mich nicht zusammennähme.

Mit anderen Worten: Wenn ich nicht kusche, den Mund halte und alles hinnehme, was er tut, nimmt er mir Kimberly weg. Er benutzte sie als Mittel, um mich zu bändigen, weil er wußte, wie groß meine Angst war, sie zu verlieren. Er spielte immer wieder darauf an. Diese dauernden Anspielungen, niemand außer mir selbst könne mir Kimberly wegnehmen, konnte ich mir nicht anders erklären, als daß er in Wirklichkeit meinte: Er sei in der Lage, mir Kimberly wegzunehmen. Eigentlich wollte er sagen: Wenn ich nicht den Mund hielte und alles schlucke, könne er jederzeit seine Sachen packen, Kimberly mitnehmen und weggehen.

Mir war das nie ganz klargeworden, bis es wirklich soweit kam.

(Nach Bobs Aussage: »An sich gab es nicht viele schlimme Auseinandersetzungen . . . ich meine so etwas wie Schreien oder Herumbrüllen. Es war eher so, daß wir uns darin einig waren, uns nicht mehr einig zu sein.«)

14. KAPITEL

Die Enthüllung

Arlena war sich bewußt, daß sie ernsthaft krank war, und sie hängte sich an Regina wie an ihr Leben. Sie hatte das Gefühl, daß sie die Kraft ihrer Mutter auf sich übertragen könne, daß sie geborgen wäre, solange sie die Hand ihrer Mutter hielt oder sich an ihre Beine schmiegte, die für sie wie die Stämme zweier riesiger, sie umschlingender Bäume waren. Der Zauber wirkte. Nur Gott konnte sie von hier fortreißen, solange ihre Mutter da war.

Dieser Glaube gab Arlena die Kraft, kurze Strecken zurückzulegen. Er gab ihr Mut und gute Laune. Regina hing ebenfalls an dem Kind, dem verletzlichsten Kind von allen. Sie waren wirklich wie miteinander verknüpft, einer gab sich für den anderen Mühe, als spürten sie, daß der Blutkreislauf ihrer innigen Zuneigung nie unterbrochen werden dürfe, schon wegen Arlenas krankem Herzen nicht.

Ihre Bindung war so intensiv, daß Regina manchmal das Gefühl hatte, sie habe keine eigene Seele mehr, sie habe sie durch die Liebe zu Arlena weggegeben. Irgendwie schien Regina durch ihren bloßen Willen ihre eigene Lebenskraft auf den zerbrechlichen Körper des Kindes zu übertragen. Wenn andere das kleine Mädchen beobachteten, wie es lebte, atmete, sprach, lachte und strahlte, konnten sie nur vor Erstaunen den Kopf schütteln. Sie hatte so viel Lebenskraft, Schönheit, Lieblichkeit, daß es fast überirdisch erschien.

Lange Zeit sah es so aus, als ob ihr Herz und ihr ganzer Organismus mit ihrem Zustand auf ganz ungewöhnliche Weise klarkäme. Viele Kinder im vergleichbaren Zustand waren ihr Leben lang an den Rollstuhl gefesselt. Arlena ging nicht nur, nein, sie tanzte durchs Leben. Sie konnte hüpfen, springen, ein paar Stufen auf einmal nehmen, sich bis ganz nach oben aufs Klettergerüst schwingen und spielen, spielen, spielen.

»Guck mal, Mommy, ich bin fast im Himmel«, sagte sie dann, bog ihren Kopf in den Nacken, schaute zum Himmel und hob die Hand schützend gegen die blendende Helligkeit der Sonne.

Als sie sieben oder acht war, mußte Regina feststellen, daß sie nicht mehr soviel Kraft hatte. »Mommy, mir geht's nicht gut«, flüsterte sie und bewegte mühsam die Beine, wenn sie sich hinter den anderen herschleppte. Regina nahm sie auf den Arm und fühlte das warme, weiche Gesicht und den kleinen Kopf auf ihrer Schulter liegen. Sie sah zu ihr hin, bemerkte die langen Schatten, die Arlenas wunderschöne Wimpern auf die Wangen warfen. Regina sagte nichts, streichelte ihr einfach über das Haar, schmerzhaft berührt davon, daß sich der Zustand verschlechterte und nur eine Hoffnung blieb: die Wahl zwischen einer Herztransplantation oder einer Operation an Arlenas Herz.

Als Arlena zu schwach wurde, um zur Schule zu gehen, wurde Regina klar, daß ihre Liebe, ihr Wille und alle Medikamente der Welt Arlena nicht mehr helfen konnten. Sie mußte schnell operiert werden. Nachdem dies für Regina feststand, gingen sie in die Deborah Herz- und Lungenklinik, um Rat einzuholen. Auf Empfehlung des Chirurgen beschlossen sie, Arlena einer Herzoperation zu unterziehen. Es wurde ihr noch einmal Blut abgenommen, um die Blutgruppe zu bestimmen. Diesmal bekamen sie das Ergebnis per Post.

Ernest las den Brief immer wieder. Er war wie vor den Kopf gestoßen und traute sich nicht, intensiver darüber nachzudenken. »Wie kann so etwas passieren?« Sein Auge zuckte nervös. Seine Haltung war unnatürlich steif. Er gab Regina den Brief. Sie las ihn und wurde rot. »Ich hätte ihm doch lieber etwas davon sagen sollen«, dachte sie. Sie hatte den Bluttest die ganze Zeit über nie erwähnt. Trotzdem kam es Ernest nie in den

Sinn, nachzufragen, ob sie davon gewußt habe, oder ihr sogar Vorwürfe zu machen. Nicht einmal insgeheim fragte er sich, ob sie ihn vielleicht betrogen hätte. Der Gedanke an sich war unvorstellbar, einfach undenkbar. Er war viel zu verwirrt und besorgt wegen Arlena, um so etwas in Erwägung zu ziehen.

Seine Reaktion beruhigte Regina, endlich wußte sie, daß diese Sache kein Grund für ihn war, sie im Stich zu lassen. Aber trotzdem machte es ihr angst, denn irgendwie mußten sie mit dieser Unstimmigkeit klarkommen.

Regina rief bei einer befreundeten Krankenschwester an. »Schwing dich ins Auto und fahr zu John Hopkins. Der soll einen Gentest machen«, sagte die Freundin. »Mein Gott, du kannst doch nicht nur rumgrübeln, ob du wohl besser eine Null-positiv-Transfusion oder eine B-Transfusion nimmst und welche von beiden sie wohl umbringen wird. Du mußt Gewißheit haben.«

Regina wickelte nervös die Telefonleitung um den Finger. Sie atmete stoßweise, als wüßte irgend etwas in ihrem tiefsten Inneren bereits, daß nun eine dunkle, lang verschüttete, schreckliche Wahrheit ans Licht kommen werde. Sie ahnte, daß es irgend etwas mit dem Hardee Memorial Hospital zu tun hatte, aber sie wußte wahrhaftig nicht, was. Sie konnte sich immer noch nicht an die ersten Tage nach Arlenas Geburt erinnern.

»Okay«, sagte sie mit heiserer, gebrochener Stimme. »Du hast recht, ich muß Gewißheit haben. Ich fahr sie dahin.«

Fünf Wochen später bekam Regina einen Anruf von der leitenden Genetikerin bei John Hopkins. »Mrs. Twigg«, sagte sie, »wir müssen mit Ihnen reden.« Regina lehnte sich an die Wand. »Es geht nicht am Telefon. Sie müßten nach Baltimore kommen, und zwar beide, Sie und Ihr Mann. Es ist dringend, sehr dringend.«

Sie trafen sich in einem kleinen Zimmer im ersten Stock. »Es ist nicht einfach für uns«, sagte die herzliche, grauhaarige Genetikerin sanft und sah sie mit traurigem Blick an.

Sie stellte den Mann neben sich vor, einen Mann im mittleren Alter mit schütterem Haar. Er sei Psychiater, erklärte sie. Und noch während sie das alles sagte, händigte sie ihnen die Papiere mit dem Gutachten aus. »Wir haben ohne jeden Zweifel bewiesen, daß Arlena genetisch von keinem von ihnen beiden abstammt«, sagte sie.

Dann wandte sie sich der Tafel zu und nahm ein Stück Kreide. Ihre Stimme war monoton und sachlich, aber diese Worte »genetisch von keinem von ihnen beiden« dröhnten in Reginas Kopf. Sie versuchte, nach Ernests Hand zu greifen, aber es stand ein Stuhl zwischen ihnen, er war zu weit weg. Ernest war blaß geworden und hielt die Hände, nach deren Berührung sie sich sehnte, vor der Brust verkrampft. Regina japste nach Luft – ein wildes, schreckliches Keuchen wie von einem verwundeten Tier. Dann ergab sie sich in ihr Schicksal, sackte in sich zusammen. Es gab sowieso kein Entrinnen. Fünfundvierzig Minuten lang leierte die Genetikerin herunter, was der Test bewiesen hatte und wie sie zu einer genetisch gesicherten Feststellung kommen konnten.

Schließlich riß sich Regina aus ihrer Erstarrung, schaute auf und fragte: »Wo ist sie? Wo ist unser eigenes Baby? Lebt es noch?«

Die Genetikerin schwieg, der Psychiater rutschte unruhig auf seinem Stuhl herum. Sie sahen sich an und warteten den rechten Moment ab.

»Glauben Sie . . .«, begann der Psychiater zaghaft und machte eine Pause, um sich zu räuspern. »Mr. und Mrs. Twigg, falls sich herausstellen sollte, daß Ihr Kind in guten Händen ist – glauben Sie, Sie werden es fertigbringen, es völlig in Ruhe und sich nicht bei ihm blicken zu lassen?« Es lag keine Gehässigkeit in seiner Stimme, sie war einfach nur unsicher, gefühllos und eintönig.

Regina wurde es ein bißchen schwindelig. Hatte sie das richtig verstanden? Hatte er gemeint, sie sollten einfach nur die Wahrheit zur Kenntnis nehmen und damit weiterleben? Rasch, ohne lange Umschweife, fragte sie: »Heißt das, Sie wollen uns vorschlagen, wir dürften dieses Kind nicht einmal wissen lassen, daß es uns gibt?« Ihre Nackenmuskeln schmerzten. »Wie sollen wir dann herausfinden, ob es ihm gutgeht? Oder ob es womöglich schlecht behandelt wird? Woher sollen wir wissen, was aus unserer Tochter geworden ist, wenn wir sie nicht identifizieren? Wenn sie keinen Gentest macht? Vielleicht können die Mädchen einander wie Geschwister werden?« fügte sie mit sanfterer Stimme hinzu. »Vielleicht können sie am Leben des anderen teilnehmen und einander besuchen. Vielleicht kann ich mich mit der anderen Mutter anfreunden.« In dem Moment, als sie das aussprach, tauchte ein lange vergessenes Bild langsam wieder aus ihrem Inneren auf und formte sich vor ihrem geistigen Auge. Das Bild einer großen, jungen Frau, die in einem Krankenzimmer weinte und ein winziges Baby hielt, das nur eine Windel und ein Unterhemd anhatte.

»Mein Gott«, raunte sie.« Sie hat Arlena in den Armen gehalten. Das war Arlena, bevor sie vertauscht wurde. Arlena war ihr Baby.«

3. TEIL

Geheimnisvolle Bindung

Auch die Mutter entdeckt ihre eigene Existenz neu.
Sie ist mit dem anderen Leben verbunden,
durch das irdischste und unfaßlichste Band, in einer Weise,
wie sie mit niemand anderem verbunden sein kann,
so wie sie nur in ihrer frühesten Vergangenheit,
in ihrer eigenen kindlichen Bindung,
mit der eigenen Mutter
verbunden sein konnte.

Adrienne Rich

15. KAPITEL

Arlena

Auf dem Rückweg von Baltimore schlug ein Stein ein Leck in den Kühler des alten, heruntergekommenen 1977er Comet, und Ernest mußte eine halbe Meile zurücklaufen, nur um einen Kanister Wasser aus einem Tante-Emma-Laden zu holen. Danach mußten sie alle fünf Meilen anhalten und Wasser in den Kühler nachfüllen.

»Mist«, fluchte Ernest, hämmerte ein-, zweimal auf das Lenkrad – und fand sich damit ab.

Sie schaffte das einfach nicht: immer ruhig, immer gefaßt zu bleiben, immer bereit, es auch mit dem nächsten Problem aufzunehmen. Sie wollte aufgeben, genau wie der klapprige Wagen. Sich dem Leben zu stellen – das kam ihr viel zu schwierig vor. Einen Weg zurück gab es nicht, und der Weg in die Zukunft war zu unsicher. Die Angst nagte an ihr, wühlte in ihrem Innern.

»Ist alles in Ordnung, Regina?« fragte Ernest in seiner ruhigen, beständigen Art.

»Ja«, log sie. »Nur eine Sache, Ernest. Versprich mir, daß sich deine Gefühle für Arlena nicht ändern werden, egal, was passiert.«

»Niemals«, antwortete er. »Sie ist unser Kind.«

»Egal, was passiert?« hakte sie nach.

»Natürlich«, sagte er. »Egal, was passiert.«

Regina schloß die Augen und fiel in einen unruhigen Schlaf. Im Traum kam sie mit dem Baby aus dem Krankenhaus. Das Weinen des Babys konnte sie nicht hören. Irgend etwas erinnerte sie daran, daß sie bei dem Baby vergessen hatte, den Test mit dem Nadelstich in die Ferse registrieren zu lassen. Sie ging durch die Schwingtür zurück in die Geburtsstation. Das Babygeschrei war verklungen, auf einmal hörte sie Stimmengewirr und Geräusche wie von einem Fest. Als sie am Fenster des Babyschlafraums ankam, sah sie einen Mann neben der Schwester stehen. Die Schwester hielt ein Baby hoch, und der Mann und die Schwester lachten. Regina riß die Augen auf und wischte sich die heißen Tränen weg. Eine Minute lang schaute sie hinüber zu Ernests markantem, dunklem Gesicht, das der Straße zugewandt war, dann schloß sie erneut die Augen und ließ ihren Träumen freien Lauf.

Als sie schließlich nach Hause kamen, riß Regina Arlena in die Arme und bedeckte sie mit Küssen. Trotz allem blieb ihre starke Bindung bestehen. Regina liebte Arlena und war glücklich, ihre Mutter zu sein.

Ungeachtet der Mühsal war Regina glücklich, für diesen Engel verantwortlich zu sein, und daran konnte sich nichts ändern. Sie betrachtete Arlena genau und fragte sich, ob ihr das kranke Baby wohl vorsätzlich gegeben worden war. Immerhin war man davon ausgegangen, daß Arlena die Woche nicht überleben würde. Regina versuchte, sich die neue Situation immer wieder bewußtzumachen. Biologisch gesehen ist es nicht mein Kind, und doch ist es mein Kind. Arlena ist und bleibt mein Kind.

Regina hatte Ernest geheiratet und Kinder bekommen, um der Unsicherheit ihres Lebens, der Verwirrung, dem Verzicht und den langen, schmerzhaften Sehnsüchten, die ihre Kindheit so schrecklich einsam gemacht hatten, ein Ende zu setzen. Jetzt erschreckte es sie, daß sich eigentlich nichts geändert zu haben schien. Bis hierher war sie nach all den Jahren gekommen: Sie begann erneut, ihr eigenes Fleisch und Blut zu suchen, und mußte all das noch mal durchleben.

Sie wollte mit der Faust gegen die Wand schlagen und lauthals in die Dunkelheit schreien. Dann wieder weinte sie und bedeckte das Kind mit schmerzerfüllten, feuchten Küssen.

»Mommy«, sagte Arlena und drückte den Kopf ihrer Mutter an ihre zarte Schulter. »Mommy, was ist denn los?«

»Ich brauch das manchmal, um mich ein bißchen besser zu fühlen«, schwindelte sie.

»Mommy«, sagte Arlena, als hätte ihr die liebevolle Nähe, die enge Verbundenheit, ein wundersames, übersinnliches Gespür verliehen. »Mommy«, wiederholte sie, ohne daß ihr jemals etwas davon erzählt worden wäre, außer daß es Verwirrung wegen ihrer Blutgruppe gegeben habe und sie vor der Operation noch mal getestet werden müsse, »es macht mir nichts aus, wenn ich adoptiert bin.« Sie wiederholte es. »Es ist wirklich so. Es macht mir ganz ehrlich nichts aus, wenn ich adoptiert bin, ich weiß doch, daß meine Mommy mich lieb hat.«

Dann ging sie mit Regina ins Badezimmer und hielt ihre Hand, während das Wasser aus den vollaufgedrehten Hähnen in die Wanne floß und das Bad mit heißem Dampf füllte, der sich wie eine weiche Decke auf sie niedersenkte und sie einhüllte und beschützte.

Regina half Arlena dabei, sich auszuziehen, und hob ihren zerbrechlichen, kleinen Körper ins Wasser. Der Schock mußte sich erst einmal setzen. Sie mußte es innerlich verarbeiten und sich richtig bewußtmachen. Regina sah zu Arlena hinunter. Ihre Haut war von der Hitze des Wassers rosig geworden.

Niemand konnte schöner sein als diese kleine Heilige. Das Kind bedeutete ihr mehr als ihr Leben. Und trotzdem ertappte sie sich dabei, wie sie sich Gedanken um das andere Kind machte.

»Lebt sie noch? Wie sieht sie aus? Wo ist sie?« Regina versuchte sich das kleine Mädchen vorzustellen: erst als Baby, dann als Kleinkind, das stapfend die ersten Schritte wagt, dann als kleines Schulmädchen. Ihre Gedanken machten einen Sprung – zurück zum Bild eines Babys, das in einem Rüschenkleid Geburtstag feiert. Mein Gott, dachte sie, sie ist neuneinhalb Jahre alt, kein Erst- oder Zweitkläßler, und ich stell sie mir in einem winzigen Kleidchen vor. Neuneinhalb. O Gott, neun Jahre und ein halbes. Genau das Alter, in dem ich adoptiert worden bin.

Sie schloß die Augen und beugte sich vor, den Ellbogen auf den Wannenrand gestützt. Sie spreizte die Finger vor den Augen und spürte, wie ihre Gedanken sie wegtrugen zu einem anderen kleinen Mädchen, zu einer ihrer Zwillingsschwestern, die vor ihren Augen auf dem Spielplatz des Waisenhauses tanzte. »Rosemary«, rief sie laut, »meine kleine Schwester, ich hab dich verloren. Wo bist du?« In ihrer Stimme hallten Sehnsucht und innige Zuneigung wieder. »Rosemary«, wiederholte sie klagend, »wo ist mein Baby jetzt?«

REGINA TWIGG ERZÄHLT:

Dreizehn Jahre lang lebte ich in dem Glauben, meine Schwester hieße Rosemary. Eines Tages klingelte das Telefon. Ich stand gerade, als ich den Hörer abhob und eine Stimme hörte: »Mary Lee, hier ist Rosemarie.« Und meine Knie – meine Knie gaben nach. Ich konnte nicht fassen, daß meine Schwester am Telefon war.

»Oh, mein Gott«, sagte ich. »Oh, mein Gott.« Sie erklärte mir, wer sie ist, und fragte mich, ob ich mich an sie erinnern könne. »Ob ich mich an dich erinnere?« Ich weinte. »Ob ich mich an dich erinnere? Oh, mein Gott, mein Gott. Ja, ja, ich erinnere mich.« Sie und ihre Zwillingsschwester wohnten zusammen, erzählte sie mir dann, sie hatten nach mir gesucht und wollten mich besuchen.

Ich ging damals gerade ins College, rannte gleich zu meinem Professor und verkündete: »Meine Schwestern kommen. Meine Schwestern kommen.« Wahrscheinlich konnte keiner verstehen, warum ich mich so unbändig freute. Es kam mir vor, als schiene die Sonne viel heller. Ich verwechselte immer noch ihre Namen. Und dieses verrückte Lied »Rose Marie, ich liebe dich« ging mir die ganze Zeit nicht aus dem Kopf. Es kam mir immer wieder in den Sinn. Tagelang sang ich es vor mich hin. Ich war vollkommen berauscht vor Glück. Jedem, der in meine Nähe kam, erzählte ich: »Meine Schwestern haben mich gefunden. Meine Schwestern haben mich gefunden. Sie haben mich wirklich gefunden, wirklich.«

Später erfuhr ich dann, daß meine Schwestern sofort nach der High-School eine langwierige und schwierige Suche nach mir betrieben hatten. Sie hatten viele verschiedene Berichte durchgesehen und herausbekommen, wer mich adoptiert hatte. Im Staate Ohio war das System so, daß sie zwar die entsprechende Information gaben, aber im Gegenzug ein Formular unterschreiben ließen. Wenn man sich nicht bewußt war, was man dort unterschrieb und das Kleingedruckte auf der Rückseite des gelben Bogens nicht aufmerksam las, hatte man die Tür zu Informationen über den Rest der Familie für immer versiegelt. Unglücklicherweise unterschrieben meine Schwestern bei der Suche nach mir die Erklärung, die uns für alle Zeiten den Zugang zu Informationen über unsere kleine Schwester Sophie versperrte.

Ich wußte es bis zu diesem Zeitpunkt nicht, aber meine Mutter lebte noch, und bevor meine Schwestern nach mir suchten, hatten sie unsere Mutter bereits gefunden.

Als sie die Schubladen ihrer Adoptiveltern durchsucht hatten, stießen sie auf eine Weihnachtskarte, die von meiner Mutter unterschrieben und aus einer Nervenheilanstalt in Pittsburgh abgeschickt worden war. Es war eine alte Karte, aber immerhin wußten sie nun, daß sie noch am Leben sein könnte. Sie waren fest entschlossen, der Sache nachzugehen.

Sie zogen von Steubenville in Ohio nach Pittsburgh und versuchten, sie aufzuspüren. Schließlich fanden sie sie in der Nervenheilanstalt. Weil sie älter als achtzehn waren, durften sie für sie unterschreiben, sie mit nach Hause nehmen und sich das Sorgerecht für sie zusprechen lassen. Sie mieteten eine Wohnung und nahmen sie zu sich, damit sie bei ihnen leben konnte.

Als ich bei der Wohnung meiner Schwestern in Steubenville in Ohio ankam, stand meine Mutter, meine lange verlorene Mutter, am Eingang und wartete auf mich.

Sie streckte mir zur Begrüßung die Arme entgegen, drückte mich an sich und küßte mich. Wir weinten beide. Einen Moment lang lief die Zeit rückwärts, und ich war wieder drei Jahre alt. Es war egal, daß ich gut einen Kopf größer war als sie. Ich war immer noch ihr Baby.

»Mary Lee, meine Kleine«, sagte sie, »wie schön, dich zu sehen und dich wieder kennenzulernen.« Ich starrte sie einfach nur ungläubig an. Ich dachte: »Das ist meine Mutter, meine Mutter.« Das ist die Frau, die mich im Krankenhaus geboren hat, die mich zur Welt gebracht hat. Das ist meine *wirkliche* Mutter. Das ist meine Mutter, nach der ich mich viele Jahre lang gesehnt, um die ich viele Jahre lang geweint und von der ich geglaubt hatte, sie sei tot.

Ich erinnerte mich daran, wieviel Liebe sie uns gegeben hatte, und überlegte mir, wie sehr die Zeit sie wohl verändert haben mochte. Sie schien nach all den Jahren in der Nerven-heilanstalt sehr, sehr ruhig und zurückhaltend zu sein. Es gab so vieles nachzuholen: Über unsere Gefühle und Verluste zu sprechen, etwas über ihr Leben zu erfahren – all das brauchte viel Zeit.

In den folgenden Wochen erfuhr ich, daß meine Mutter auf einer großen Farm am Ohio River geboren worden war, ge-genüber der Flußseite von Wheeling in West Virginia. Sie hieß Mary Agnes Gura. Sie lebte sehr abgeschieden und rackerte sich auf der Farm ihrer Eltern ab. Als sie eines Tages an der Bushaltestelle wartete, kam Leo Almon Madrid vorbei und lud sie ein, mit ihm zu fahren. Er war groß und ein netter Kerl. Sie stieg zu ihm ins Auto, verliebte sich in ihn und hei-ratete ihn schließlich.

Er war der erste Mann, mit dem sie ins Bett ging. Sie war auf der Farm immer das vorbildliche, kleine Mädchen gewe-sen. Er bestimmte ihr ganzes Leben, auch ihr sexuelles Le-ben.

Zuerst bekamen sie Zwillinge. Kurz darauf noch ein kleines Mädchen, das Anna Marie hieß. Anna Marie starb mit acht-zehn Monaten an Lungenentzündung. Dann wurde ich gebo-ren.

Außer seiner Zwillingsschwester hatte mein Vater nie je-mandem erzählt, daß es uns gab. Die anderen erfuhren von Anna Marie, als ihre Todesanzeige mit dem Namen ihres Va-ters in der Zeitung erschien. Er war schon einmal verheiratet gewesen. Seine erste Frau hatte ein kleines Mädchen bekom-men, das Elisabeth hieß, aber »Dootie Bug« genannt wurde. Ich habe nie erfahren, was aus ihr geworden ist.

Als mein Vater die Familie im Stich ließ und nach New Orleans ging, ermahnte er seine Zwillingsschwester Leona, keinem ihrer Geschwister zu erzählen, daß es uns gab. Sie hatte es nie jemandem erzählt, und wir haben ihn nie wiedergesehen.

Von meiner Mutter erfuhr ich, daß ich Verwandte in Wheeling in West Virginia hatte, wo mein Vater herkam. Ich suchte jeden in der Gegend von Wheeling aus dem Telefonbuch heraus, der Madrid hieß, und schrieb ihnen. Drei davon waren Vettern und Cousinen von mir: Gary, Jan und Carolyn Madrid. Mein Vater hatte sich nie bemüht, herauszufinden, was aus uns geworden war. Er war einfach wie vom Erdboden verschwunden. Seine Schwester Leona sagte, er sei nach New Orleans geflogen und habe dort eine Frau namens Vivian geheiratet.

Als ich noch ganz klein war, wohnten wir in einem Haus am Ohio River in Yorkville in Ohio. Zu dieser Zeit heiratete meine Mutter meinen Stiefvater. Ich erinnere mich noch, wie sie im Schaukelstuhl saß, meine kleine Schwester wiegte und ihr etwas vorsang. Das Baby verkleckerte Milch, und ich konnte mir nicht vorstellen, woher diese Milch kam. Meine Mutter stillte sie, aber ich dachte, die Milch käme irgendwo unter der Zunge des Babys heraus.

Dieses Haus in Yorkville ist meine früheste Erinnerung an meine Mutter und unser Zuhause. Sie ist fest in meinem Gedächtnis verankert, für immer eingebrannt in die schattenhaften Bilder meiner Kindheit. Heute weiß ich, daß man Yorkville die Stadt der Flußratten nennt, aber ich kann mich nur daran erinnern, wie schön es war.

Ich erinnere mich auch noch daran, wie meine Mutter sich mal mit einer Freundin unterhielt. Sie machte sich Sorgen, woher sie das Geld für Lebensmittel bekommen sollte, um uns durchzubringen, weil mein Stiefvater – er hieß Homer Joseph Gibbons – Alkoholiker und Epileptiker war. Er arbeitete in einem Stahlwerk in Wheeling in West Virginia. All die Jahre, die sie mit ihm verheiratet war, arbeitete er in diesem

Werk, aber wir hatten nicht genug Geld fürs Essen, weil er alles für Alkohol ausgab. Er bekam das Geld und gab es einfach nicht ab. Ich hatte immer geglaubt, mein Name sei Gibbons, bis ich mit achtzehn meine Adoptionspapiere sah und erfuhr, daß ich Madrid hieß.

Mein Stiefvater war sehr gewalttätig. Ich weiß noch, wie wir zur Farm unserer Großeltern rannten, weil er meine Mutter halb zu Tode schlug. Er prügelte einfach drauflos. An manche seiner Gewaltausbrüche erinnere ich mich noch heute. Ich weiß auch noch, wieviel Angst sie hatte, als sie zur Farm rannte, um der Wut meines Stiefvaters zu entkommen.

Aber mehr als an alles andere erinnere ich mich an die Liebe meiner Mutter. Sie liebte mich und meine Schwestern. Wir hatten eine innige Beziehung. Deshalb weiß ich, daß sie uns nie aufgegeben hätte, wenn sie nicht dazu gezwungen worden wäre.

Damals konnte praktisch jeder jeden in eine Nervenheilanstalt einliefern und sogar Geld dafür bekommen. Mein Vater beschuldigte sie, sie habe versucht, die Kinder zu mißhandeln. Ein Priester, den ich Jahre später, als ich bereits erwachsen und verheiratet war, kennengelernt habe, erzählte mir, meine Mutter sei eine sehr liebenswerte, schöne Frau gewesen, die auf keinen Fall geisteskrank war.

Ich traf diesen Priester bei einer Kirchenfeier, als meine Tochter Irisa noch ein Baby war. Er sagte, er käme aus Steubenville und sei dort in der Kirche lange Zeit Pastor gewesen. Ich kam auf die Idee, ihn zu fragen, ob er jemanden namens Gibbons kenne. Es stellte sich heraus, daß er meine Mutter sehr gut kannte, viele Jahre lang. Er sagte, sie hätte nie in eine Nervenheilanstalt gemußt. »Ihr Stiefvater war eifersüchtig. Er hatte Angst, jemand anderer könne sich in Ihre Mutter verlieben und sie ihm wegnehmen.« Sie verbrachte fünfzehn Jahre in der Nervenheilanstalt, weil er eifersüchtig und jähzornig gewesen war.

Sobald sich unsere Mutter an die Welt draußen gewöhnt hatte, halfen wir ihr, eine Wohnung in Morgantown in West

Virginia zu finden und sich wieder ins Leben einzufügen. Es klappte sehr gut. Man hatte mir gesagt, daß jemand, wenn er bei der Einlieferung in die Nervenheilanstalt noch nicht geisteskrank gewesen sei, es spätestens dort würde. Aber bei meiner Mutter war alles in Ordnung.

Die schöne, junge, rotblonde Frau mit der Engelsstimme war nun eine grauhaarige Lady, klein und ein bißchen übergewichtig. Ihre Hände zitterten, und sie konnte nicht ruhig stehen. Manchmal schaukelte sie auf beiden Füßen vor und zurück. Aber geistig war sie immer noch voll da und half gerne bei den Enkelkindern. Schließlich hatte sie doch noch Gelegenheit bekommen, wieder bei ihrer Familie zu sein, bevor sie starb.

Kurz bevor sie mit zweiundsiebzig Jahren an Lungenentzündung starb, erzählte mir meine Mutter, daß sie meinen Vater immer geliebt habe. Außerdem erzählte sie mir, daß sie sich, sofort nachdem sie aus der Anstalt gekommen war, um das Familiengrab gekümmert habe. Als sie am Grab stand, tippte ihr mein Stiefvater auf die Schulter. Sie drehte sich um und sah ihn an, den Menschen, der sie in die Anstalt gebracht hatte. Seine Augen waren dunkel und traurig, er hatte Hautkrebs bekommen, sein Kinn und eine halbe Wange waren weg. Sein Gesicht wirkte grotesk.

»Es war ein Alptraum«, sagte sie. »Als ob der Teufel in ihm Gestalt angenommen hätte. Aber es war Wirklichkeit.« Er hatte das Aussehen des Monsters, das er in seinem Verhalten ihr gegenüber gewesen war.

16. KAPITEL

Das Scheitern

Bob und Cindys letzte gemeinsame Woche war eine ihrer schönsten. Das war das Seltsame an ihrer Ehe: Gleichgültig, ob sie gerade die Hölle durchlebten mit ständigen Auseinandersetzungen, sobald sie gemeinsam wegfuhren, nach Jamaika oder auf die Bahamas oder zu einer Kreuzfahrt, war Bob wie ausgewechselt. Ein frisch Verliebter, der ihr noch einmal leidenschaftlich den Hof machte.

So war es auch im Juli, kurz bevor sie sich trennten. Die Kinder waren in Phoenix und besuchten Cindys Mutter. Bob und Cindy verbrachten einige Tage am Strand. Er hatte Cindy versprochen, daß sie nicht jeden Tag mit dem Boot hinausfahren müßten, und er hielt sein Versprechen.

Manchmal gingen sie angeln oder fuhren herum, aber manchmal lagen sie auch einfach nur am Strand und lachten, erzählten sich etwas, genossen die Sonne oder schwammen im Swimmingpool des Motels. Danach verbrachten sie ein romantisches Abendessen zu zweit, gingen am Strand spazieren, lagen die ganze Nacht eng aneinandergekuschelt oder liebten sich.

Sobald sie wieder nach Hause kamen, war er wie ausgewechselt. Der Blitz hatte in die Klimaanlage eingeschlagen, während sie weggewesen waren. Als Bob ins Haus ging und die Bescherung sah, wurde er fuchsteufelswild. Es kam ihr fast so vor, als mache er sie dafür verantwortlich.

»Jetzt reicht's mir, ich zieh aus.« schrie er. »Ich halte es in diesem gottverdammten Haus nicht mehr aus. Du kannst hierbleiben oder auch mitkommen. Das ist mir völlig egal. Ich zieh jedenfalls aus.« In der nächsten Minute sagte er: »Wir verkaufen das Haus, ich hasse es. Ich hasse Hillsborough Country. Ich ziehe nach Sarasota. Ich kaufe ein Grundstück. Ich hau hier ab.«

Als die Mädchen ein paar Tage später zurückkamen, hatte Bob schon eine Wohnung in Sarasota gekauft. Zu Cindy sagte er, sie könne die Ehe aufrechterhalten oder es bleiben lassen, das läge ganz in ihrer Hand. Als sie einwandte, sie müsse dann eine Stunde Fahrzeit zur Arbeit auf sich nehmen, zuckte er nur mit den Schultern.

Zu diesem Zeitpunkt war Cindy es bereits so satt, dieses Leben mit Bob zu führen, daß es sie nur noch wütend machte, wenn sie an die romantische Woche am Strand dachte. Es kam ihr vor, als lebte sie mit Jekyll und Hyde persönlich. All die Gemeinsamkeiten, die Liebesnächte oder das zärtliche Geflüster änderten nichts daran. Auch das Gefühl, das sie manchmal hatte, wenn sie sich sehr nah waren, fast als ob sie eins wären, bedeutete eigentlich nichts, denn diese Szenen geschahen ja doch immer wieder.

»Bob«, sagte sie wütend. »Nach dem dritten Schlag ist das Spiel vorbei. Wenn du mich noch mal verläßt, gibt es kein Zurück mehr. Hör doch, Liebling«, sagte sie, weil es ihr sofort leid tat, »es passiert immer wieder, daß die Klimaanlage kaputtgeht oder die Wasserpumpe leckt oder das Dach repariert werden muß. Den Ärger, den wir mit dem Haus haben, haben andere Leute auch. Daran kann man nichts ändern, so was kann immer mal passieren.«

»Mir nicht«, brüllte er. »Mir nicht.«

Ihr war nun so klar wie nie zuvor, daß es immer so sein würde, wenn sie den Rest ihres Lebens mit diesem Mann verbrachte.

Er weigerte sich immer noch, sich einer Therapie zu unterziehen, das Problem liege bei ihr, behauptete er, und bei jeder Gelegenheit drohte er damit, ihr Kimberly wegzunehmen. Sie ging ihm auf die Nerven, die Kinder gingen ihm auf die Nerven, sogar die Luft, die ihn umgab, ging ihm auf die Nerven. Sie hatte das noch unbestimmte Gefühl, froh zu sein, als er schließlich ging. Sie half ihm sogar beim Packen. Die Quälerei war endlich vorbei.

Als die Mädchen nach Hause kamen, forderten Cindy und Bob sie auf, sich auf die Couch zu setzen. Es war Cindys traurigster Tag in ihrem ganzen Leben, auch wenn sie glaubte, sie sei endgültig dazu entschlossen. Sieben Jahre lang hatten sie ihr Leben gemeinsam gelebt. Sie konnte sich kaum an ein Leben ohne Bob erinnern. Dieses Leben gehörte in eine andere Welt. Sie war jetzt zweiunddreißig und sterilisiert. Aber es ging nicht nur um den Mann, die Ehe und den Traum. Sie liebte Kimberly genau wie ihre eigene Tochter, vielleicht sogar mehr, wenn das überhaupt ging, weil sie wußte, was Kimberly alles durchgemacht hatte.

Bob sagte es den Kindern. Auf seinem Gesicht spielte das filmreife Lächeln, das Vertreterlächeln, das sie schon so oft an ihm gesehen hatte. »Ich ziehe nach Sarasota, Liebling«, sagte er zu Ashlee, »und ich nehme Kimberly mit. Mom und ich kommen einfach nicht mehr miteinander aus.«

Beide Mädchen fingen zu weinen an und hielten sich fest an den Händen. Dann fing Cindy zu weinen an. Der entscheidende Schritt, der sie selbst froh gemacht hatte, und all die Argumente, warum es so am besten sei – das zählte auf einmal nicht mehr.

Unter Tränen versprach sie Kimberly, daß sie sich, egal, was passieren werde, immer sehen würden und daß sie immer ihre Mommy bleiben würde.

Bob stimmte dem zu und sagte, er sei immer noch Ashlees Daddy. Alle weinten schließlich, umklammerten und küßten sich und versprachen immer wieder, daß dies ein heiliger Schwur sei und daß es immer dabei bleiben werde.

Cindy kann sich noch genau daran erinnern, wie Kimberly weinte und »Mommy, Mommy, Mommy« schrie, als er sie mitnahm. Sie wollte bei ihrer Mommy bleiben. Der Traum ihres Lebens schien vor Cindys Augen zu zerbrechen. Es hatte etwas Schicksalhaftes, als er sie aus dem Haus brachte, das süße, mutterlose Kind, das sie gerettet und großgezogen hatte. Er setzte sie ins Auto. Sie wollte zu ihrer Mommy, und er setzte sie ins Auto.

Gegen Abend hatte Cindy alles durchdacht. Sie weinte und sagte, als ob sie mit einem Fremden redete, zu sich selbst: »Du kannst das den Mädchen und dir selbst nicht noch mal antun. Das ist für keinen der Beteiligten gut. Das ist keine Art zu leben.« Am nächsten Morgen rief sie ihren Anwalt an und reichte die Scheidung ein.

17. KAPITEL

Unerträgliche Verluste

Bob fuhr mit einem Helfer und einem Umzugswagen vor. Sie fingen an, die Möbel in den Wagen zu tragen. Cindy beobachtete wie betäubt, wie er Kimberlys sämtliche Möbel, ihre Spielsachen und Kleider, den Grill, den sie ihm zum Vatertag geschenkt hatte, und einiges von dem Geschirr und den Küchensachen wegschleppte.

Als er verkündete, er wolle das große Bett mit den vier Pfosten, um seine Waffe daran aufzuhängen, sagte sie nein, und das war unumstößlich. Nach einigen Wochen der Diskussion sagte sie: »Wenn du das Bett unbedingt haben willst, dann hol es dir. Aber wenn du hier ankommst, wird mein Name quer über das Kopfende eingeritzt sein, und jedes Mädchen, das du nimmst, weiß, wem es gehört.« Danach hörte sie nie wieder ein Wort über das Bett.

Am Anfang schien Bob zu denken, die Sache nehme ihren gewohnten Lauf. »He, Liebling«, sagte er sanft, als er ein paar Tage später anrief, »ich hab eine tolle Idee. Wir leben sechs Monate getrennt und treffen uns ab und zu. Vielleicht streiten wir dann nicht.«

Cindy vermißte Kimberly und auch Bob fürchterlich, aber sie war fest entschlossen. »Bob«, sagte sie, »hast du vergessen, daß ich gesagt habe, es ist endgültig vorbei, wenn du noch mal mit dem Kind ausziehst? Das hab ich ernst gemeint. Es gibt keine Verabredungen und keine Versöhnung.«

Am nächsten Tag rief er wieder an. »Ich hab ein neues Sofa gekauft und eine kuschelige, kleine Couch, Schatz, in deiner Lieblingsfarbe. Sie gefallen dir bestimmt. Komm doch her und guck sie dir an.«

Als Cindy nicht zu ihm kam, brachte er Kimberly zu ihr und erlaubte, daß sie über Nacht blieb. Kimberly sagte immer wieder: »Kommen du und Daddy wieder zusammen? Liebst du ihn nicht mehr? Er liebt dich noch.«

Cindy traten jedesmal die Tränen in die Augen. Für Kimberly war es schrecklich, sie so zu sehen, sie fühlte sich hilflos.

»Warum kommst du nicht zu uns und bleibst übers Wochenende?« fragte sie leise.

Cindy weinte und hielt sie fest. »Liebling, ich kann nicht«, sagte sie, »Daddy und ich kommen einfach nicht mehr miteinander klar.« Es brachte sie fast um, so mit Kimberly zu reden, es tat ihr weh. Sie vermutete, daß Bob Kimberly beauftragt hatte, mit ihr zu reden, und jetzt saß das arme Kind zwischen zwei Stühlen.

Als Bob kam, um Kimberly abzuholen, fuhr er – ohne es zu merken – rückwärts auf ihr Auto auf. Danach weinte er unaufhörlich und sagte, er könne nicht verstehen, wie sie so kalt bleiben könne. Diese Worte verfolgten sie. Sie fragte sich, was er wohl täte, wenn er erführe, daß sie bereits beim Anwalt die Scheidung eingereicht hat. Es machte ihr angst, ihn zu verletzen; sie wollte sich öffnen und ihm wieder näherkommen. Sie wollte ihn trösten und ihm sagen, daß sie ihn liebte, aber gleichzeitig wollte sie auch seinen Wutanfällen entfliehen, bevor sie sie zerstörten.

Statt dessen unterhielt sie sich flüchtig über die Reparatur des Autos und darüber, daß sie ein paar Kostenvoranschläge einholen wolle, um den besten Preis herauszufinden. Dann küßte sie Kimberly und dann Bob – ein freundschaftlicher, unpersönlicher Kuß ohne Gefühle, als spielte jeder von ihnen eine Rolle in einem Film und sie und Bob wären die Darsteller, die gerade zu einem gemeinsamen Wochenende aufbrechen wollten.

Sie war völlig erschöpft von dem Tag, fiel in tiefen Schlaf voller verschlungener Träume und wachte auf in einer neuen Situation. Die Nacht schien voller Gefahren zu sein wie ein großer Fluß, den es zu überqueren galt, aber es gab kein Zurück. Sie begann zu zittern und brach in Schweiß aus.

Sie sehnte sich so sehr nach ihm, daß es manchmal weh tat. Gleichzeitig hatte sie Angst vor dem, was kommen würde, wenn sie diesmal wieder einen Rückzieher machte. Sie wußte, wie sehr sie Kimberly liebte und wie sehr sie auch – trotz allem – Bob liebte. Sie wollte immer noch, daß es klappte, aber sie glaubte einfach nicht mehr daran. Er schrieb ihr einen Brief, in dem stand: »Liebling, ich glaube, du liebst mich genauso sehr, wie ich dich liebe. Bitte gib das mit uns nicht auf.« Sie widerstand.

Schließlich bot er an, wieder zum Therapeuten Dr. Stephen Groff zu gehen, zu dem sie nach ihrer letzten Trennung gemeinsam gegangen waren. Er wollte eigens von Sarasota nach Tampa fahren, nur um zu ihm zu gehen. Cindy schöpfte neue Hoffnung.

»Er wird das nicht durchhalten, Cindy. Ich kenne solche Menschen. Ich kenne seine Geschichte. Er wird es abbrechen«, sagte ihr der Therapeut.

Cindy nickte und machte ein Gesicht, als verstünde sie ihn, aber ihre Augen flehten den Arzt an, damit aufzuhören. Sie brauchte eine Hoffnung.

Jede Woche sagte der Therapeut: »Na ja, er ist heute gekommen. Das ist gut, aber machen Sie sich keine Hoffnungen, daß er weitermachen wird.«

Nach ein paar weiteren Sitzungen stellte sich heraus, daß Dr. Groff recht gehabt hatte. Bob hatte sich über irgend etwas aufgeregt. »Ich habe kein Problem, sie haben eines«, fuhr er Dr. Groff an.

Danach hörte Cindy ein paar Tage nichts von ihm. Aber dann rief er wieder an und sagte, er liebe sie immer noch.

»Liebling, ich glaube immer noch, daß es mit uns klappt«, sagte er. In diesem Moment klingelte es an der Tür, und man brachte ihm die Scheidungspapiere. Es gab eine kleine Pause, während er die Papiere überflog, und dann kam ein Ausbruch. »Du kleines Miststück«, schrie er. Dann legte er auf.

Am nächsten Tag rief der Anwalt an und sagte: »Bob untersagt Ihnen jeglichen Kontakt mit Kimberly.«

»Keine Besuche mehr, nie mehr?« fragte sie und rang nach Luft. »Das kann er nicht tun.«

»Er tut's aber«, sagte der Anwalt, nicht freundlich, einfach sachlich.

»Aber ich bin ihre Mutter, ich bin ihre Mutter. Er kann so etwas nicht machen. Sie braucht mich.« Während sie redete, schwappte allmählich eine kalte Welle der Panik über ihr zusammen. »Er hat es versprochen, als er gegangen ist. Er hat gesagt, er würde das nie tun. Er hat versprochen, daß ich immer Kimberlys Mutter bleibe und er Ashlees Vater, gleichgültig, was passiert. Egal, wozu wir uns entschließen. Er hat es an dem Abend geschworen, als er gegangen ist.«

»Er hat seine Meinung geändert«, sagte der Anwalt.

»Es tut mir leid, Cindy. Sie haben überhaupt keine Rechtsansprüche auf sie. Es liegt voll und ganz bei Bob, ob Sie Kimberly sehen dürfen oder nicht.«

Sie rief Bob im Büro an und weinte. »Bob«, schluchzte sie, »bitte mach das nicht.« Wie in Trance wiederholte sie: »Bitte, bitte, bitte, mach das nicht.«

»Du wirst sie nie wiedersehen«, kam als Antwort, es klang unfreundlich, teilnahmslos und verächtlich. »Du hast die Scheidung eingereicht, jetzt bist du auch von Kimberly geschieden.«

»Aber du hast es versprochen. Ich habe sie großgezogen, Bob. Ich bin doch die einzige Mutter, die sie kennt. Du hast sie von der Schwester und der Mutter weggenommen.«

»Du hast es so gewollt, Liebling«, sagte er mit distanzierter, uninteressierter Stimme. »Jetzt mußt du damit leben.« Es klickte in der Leitung. Sie wählte noch einmal.

»Bob«, sagte sie in panischer Angst. »Was ist mit Ashlee? Du kannst Ashlee nicht einfach im Stich lassen. Du hast sieben Jahre lang zu ihrem Leben gehört. Du kannst sie doch nicht einfach sitzenlassen.«

»Es wird schwer sein«, sagte er, »aber ich werde es tun.« Er legte wieder auf.

Danach nahm er ihre Anrufe nicht mehr an. Sie hatte die Beherrschung verloren und wußte das auch, aber sie konnte sich nicht mehr zurückhalten. Sie rief ihn weiterhin an, immer wieder. Sie hatte ein Telefon mit Wahlwiederholung, und seine Nummer war gespeichert, so daß sie ihn immer wieder anwählte, während ihr der Schweiß von der Stirn lief. Er nahm einfach nicht ab. Schließlich klingelte bei ihr das Telefon.

»Ich habe gerade einen Anruf von Bobs Anwalt bekommen«, sagte ihr Anwalt mit müder Stimme. »Sie belästigen Bob ständig, und wenn Sie nicht damit aufhören, wird er Anzeige erstatten.«

Cindy legte den Hörer auf und warf sich aufs Bett. Sie konnte es nicht glauben. Sie starrte blind auf den Boden und aus dem Fenster. Es kam ihr vor, als läge sie schon tagelang so da und starrte aus dem Fenster, ohne irgend etwas zu sehen.

Am nächsten Morgen meldete sie sich krank und rief Dr. Groff an. Sie fragte sich, ob ihr Körper überhaupt mitspielen würde, wenn sie aufstand, sich anzog, zu ihm hinfuhr und mit ihm redete. Sie mußte einfach jemandem erklären, daß das auf keinen Fall geschehen durfte und daß ihr Leben ohne Kimberly keinen Sinn hatte.

»Cindy«, sagte er, den Blick auf ihr blasses Gesicht gerichtet, das vom vielen Weinen geschwollen war. »Ihr Leben ist nicht zu Ende, und es ist nicht sinnlos.« Er streckte die Hand aus, um sie zu trösten. »Es sieht im Moment nur so aus. Sie sind eine starke Frau und ein Überlebenskünstler. Sie müssen darüber hinwegkommen. Sie müssen jetzt an sich selbst und an Ashlee denken. Sie beide müssen zusammenhalten. Die Situation ist nicht zu ändern. Sie haben keinen Rechtsanspruch auf Kimberly, und damit müssen Sie für den Rest ihres Lebens klarkommen.« Sie hörte ruhig und wie betäubt zu. »Sie müssen neu anfangen, ab heute, als ob es das Kind nie gegeben hätte.«

Ihre Füße schmerzten, ihr Kopf fühlte sich an, als würde er

jeden Moment explodieren. Es war etwas, was sie durchstehen mußte, etwas Unausweichliches, Endgültiges, wie der Tod, sagte sie sich selbst. Ein letzter Akt, der nicht mehr rückgängig zu machen war. Sie lief immer wieder durchs Haus, hin und her, und starrte Kimberlys Fotos an. Es schien ein beschwerlicher Gang zu sein, aber sie nahm ihn noch einmal auf sich und blieb vor jedem Foto von Kimberly stehen. Sie starrte auf das Foto von Kimberlys drittem Geburtstag und auf das von der Weihnachtsfeier, als sie vier war, und auf das Foto von ihr in der zweiten Klasse.

»Das ist mein Kind, egal, was Bob sagt, egal, was Dr. Groff sagt«, murmelte sie, während sie ein Foto nach dem anderen von der Wand nahm.

Sie war fertig damit, aber wirklich fertig würde sie damit nie werden. Sie wußte es. »Mein wunderbares, kleines Mädchen«, sagte sie leise, als sie hinüber zum Schuppen stolperte.

Vorsichtig legte sie die Fotos, immer noch im Rahmen, in einen großen leeren Karton. Ihr Kopf schmerzte vom unwirklichen, unklaren Gefühl des Verlustes. Sie hatte einen Mann und ein Kind verloren. Konnte so etwas wirklich passieren? »Ich hab dich lieb, Kimberly«, flüsterte sie. Sie hatte sich hingekniet, über den Karton gebeugt und drückte ihn an sich, als wäre es ein Sarg.

Plötzlich wurde sie wütend und weinte. »Du Mistkerl«, schluchzte sie und rannte aus dem Schuppen, vorbei an den Kühen, in die kalte, feuchte Dunkelheit.

18. KAPITEL

Verklingender Herzschlag

Arlenas Operation war für den 22. August festgelegt. Der Tag rückte näher. Bei Regina hatte sich der Gedanke festgesetzt, daß sie Arlena bei der vierstündigen Operation verlieren würden. Eine Operation am offenen Herzen, bei der die Arterie und die Aorta an ihren richtigen Platz gebracht werden sollten, war kompliziert. Die Ärzte hatten vor, zunächst eine künstliche Klappe einzusetzen, dann die Lungenvenen direkt an der Lunge zu befestigen und danach noch eine künstliche Klappe einzufügen, die verhindern sollte, daß sich das lebensspendende rote Blut mit dem verbrauchten blauen Blut vermischt. Wenn Arlena die Operation überlebte, konnte es immer noch sein, daß man eines Morgens feststellte: Sie ist über Nacht gestorben. Vielleicht starb sie direkt vor ihren Augen, so wie es vor genau dreizehn Jahren bei Vivian gewesen war. Der näherrückende Operationstermin machte aus der drohenden eine akute Gefahr. Regina mußte gegen ihre schlimmsten Ängste ankämpfen und versuchte, sie zu bezwingen.

Sie sagte sich immer wieder, sie würden den Kampf gewinnen. Gleichzeitig drängte es sie manchmal, Arlena jeden Wunsch zu erfüllen, bevor es zu spät war. Mit einer Handbewegung wollte sie all die kleinen Mädchenträume Wirklichkeit werden lassen.

Arlena hatte Sehnsucht nach Florida; der Swimmingpool fehlte ihr besonders, weil sie schrecklich gern schwamm. Also fuhren Regina und Arlena drei Wochen vor der Operation zu Besuch dorthin, zwei Wochen, die nur ihnen beiden gehörten. Sie wohnten bei Freunden, die einen Swimmingpool hatten. Im Juni hatte Arlena sich den Arm gebrochen, als sie beim

Rollerskate im Park über einen Betonklotz gefallen war. Aber sogar dieser Sturz, der Arlena wochenlang belastet hatte und ihr noch einmal zusätzlich Kraft abverlangte, machte nichts aus. Voller Lebenskraft ließ sie sich in ihrer roten Schwimmweste im Pool treiben, den Kopf nach hinten gebogen und die Beine um die Taille ihrer Mutter geschlungen. Sie lachte das glücklichste Lachen eines Kindes, das sich selbst wieder mühelos tragen kann.

»Du bist so schön, Liebling«, sagte Regina, so gerührt von Arlenas Anblick, daß sie ihr Gesicht unter Wasser tauchen mußte, um die Tränen zu verbergen. Es gab kein Kind, das tapferer gewesen wäre als Arlena.

Sogar an dem Abend vor der Operation schien sie sich gut zu fühlen und bereit zu sein. »Daddy«, sagte sie ruhig und sehr lieb, »ich bin sicher, daß ich es schaffe. Ich weiß das, weil jeder mir hilft, so gut er kann.« Sie hielt das Armband ihrer Schwester Vivia in der Hand, drehte es immer wieder hin und her. Dann sagte sie: »Das gehört meiner kleinen Schwester, die nicht überlebt hat. Aber ich werde überleben. Sie hat es nicht geschafft, aber ich werde es schaffen.«

Als es Schlafenszeit wurde, krabbelte Arlena zu Irisa ins Bett. »Sissy, darf ich heute nacht bei dir schlafen?« fragte sie.

»Natürlich darfst du«, sagte Irisa. Arlena warf sich hin und her, trat um sich und drehte sich immer wieder um. »He, Schatz«, sagte Irisa schließlich, »versuch mal zu schlafen. Du brauchst ein bißchen Schlaf.«

Arlena fing an zu weinen. »Ich habe Angst«, sagte sie. »Ich habe Angst, daß ich sterbe.«

»Du wirst nicht sterben«, sagte Irisa eindringlich. »Es wird alles gut, ich verspreche es dir.« Arlena kuschelte sich in Irisas Arme. »Es wird alles gut, Liebling«, sagte Irisa immer wieder. »Es wird alles gut.« Schließlich schlief Arlena beruhigt ein. Sie lag im Schlaf auf Irisa, an ihr festgeklammert, als ginge es um ihr Leben.

Am nächsten Morgen hatte Arlena wieder Angst. Sie versuchte, etwas zu sagen, aber sie bekam kaum ein Wort heraus.

»Ich will wieder nach Hause kommen, damit ich mitten in der Nacht Thunfischsandwiches essen kann, damit ich stundenlang mit Normia quatschen kann, damit Ernie und Will mit mir radfahren können und damit Tommy und Barry und ich Bockspringen spielen können.« Dann brach sie in Tränen aus. »Mommy«, flüsterte sie, »ich weiß nicht, ob ich es schaffe. Wenn ich ein liebes Mädchen bin, meinst du, Gott läßt mich dann am Leben?«

Regina wollte sagen: »Sei doch nicht dumm. Natürlich schaffst du das.« Aber sie brachte es in ihrer Angst nicht über die Lippen. Wie hätte sie das Kind belügen können? Wie konnte irgend jemand wirklich wissen, wie die Sache ausging? Ihr Kopf schmerzte vom Gefühl der eigenen Hilflosigkeit.

»Liebling«, sagte sie. »Du kannst deine Meinung immer noch ändern. Wir müssen das nicht jetzt machen, wenn du nicht willst. Wir können es auf später verschieben.« Arlena hielt die Hand ihrer Mutter fest und schloß eine Minute lang die Augen.

»Nein, Mommy«, sagte sie fest. »Laß uns losgehen und es hinter uns bringen. Wir haben lang genug gewartet.«

Im Radio spielten sie das Lied »As Long As I Have You«. Die Worte hingen im Raum. Regina beugte sich zu Arlena hinunter und zog sie an sich. »Ein Kind habe ich schon verloren«, dachte sie, »und ich weiß, ich habe noch eines verloren, auch wenn es vielleicht noch lebt. Aber solange ich Arlena habe, solange es Arlena gutgeht, schaff ich es.« Ihre langen, kräftigen Finger zitterten, als sie Arlenas Mantel zuknöpfte.

»Mein zauberhaftes, kleines Mädchen«, sagte sie immer wieder, voller Bewunderung für Arlenas Mut und Reife.

19. KAPITEL

Die letzte Nacht

Der Weg war zwar ausgeschildert, aber irgendwie fand sich Regina auf einmal, nachdem sie an der Luftwaffenstation McGuire in Richtung Browns Mills in New Jersey vorbeigefahren war, auf einem vierspurigen Highway wieder – in falscher Richtung. Sie war allein mit Arlena; Ernest war bei den Kindern zu Hause geblieben. Es war Sonntag morgen und nicht viel Verkehr, also drehte sie sich zum Heckfenster um und fuhr den Wagen eine halbe Meile rückwärts. Schließlich kamen sie auf die richtige Straße zurück. Sie war dem Schicksal in den Arm gefallen – etwas, was sie auf immer bereuen sollte.

»Wenn ich bloß weitergefahren wäre und mich verirrt hätte«, dachte sie seitdem immer wieder, »vielleicht wär's dann schon zu spät für die Operation gewesen, bis wir im Krankenhaus angekommen wären, und wenn sie es verschoben und ein andermal gemacht hätten, wäre Arlena vielleicht noch am Leben.«

Am Abend im Krankenhaus, nachdem alle Tests durchgeführt waren, schien Arlena immer noch lebhaft und munter zu sein. Im Zimmer gegenüber lag ein Baby. Arlena war ganz verrückt nach Babys und spielte mit ihm. Währenddessen ging Regina in die Cafeteria hinunter und besorgte etwas zu essen. Als sie zurückkam, war Arlena wieder in ihrem Zimmer und lag im Bett. Sie hatte wieder Angst bekommen.

Zusammengekauert und mit eingezogenem Kopf sagte sie: »Oh, Mommy, ich hatte so Angst, als du nicht hier warst.«

»Schatz«, antwortete Regina, nahm das zitternde Kind in die Arme und versuchte, es zu beruhigen. »Ich bin doch da, ich bin doch bei dir. Ich weiche keine Sekunde von deiner Seite. Ich bleibe immer bei dir.«

Langsam wurde das Zittern schwächer, und Arlena verlangte nach der Bibel. Regina las ihr ein, zwei Passagen vor, dann las Arlena weiter. Als sie einschlief, hatte sie die Bibel in der einen Hand, und mit der anderen umklammerte sie die Hand ihrer Mutter.

20. KAPITEL

Sag niemals Lebewohl

Die Operation war erfolgreich verlaufen. Als Arlena die Augen öffnete, saß Regina neben ihr und hielt ihre Hand, genau wie sie es versprochen hatte. Irisa war auch da. Zum ersten Mal in Arlenas Leben sah ihre Haut rosig aus und nicht blau. Sogar ihre Lippen waren rosafarben.

»Es ist vorbei«, flüsterte Regina berauscht vor Glück. »Und du siehst richtig gut aus. Alle Jungs werden sich in dich verlieben.«

Arlena war noch zu schwach, um zu sprechen, aber ihre Augen glänzten in ungläubiger Freude. Regina beugte sich über sie und gab ihr einen Kuß auf die Stirn.

»Du hast's geschafft«, sagte sie.

»Ich hab's geschafft«, wiederholte Arlena mit einer Stimme – so schwach und zart, daß man fast nur erahnen konnte, was sie sagen wollte.

»Guck mal, Liebling«, sagte Irisa und zeigte auf einen Ring, den Arlena kurz vor der Operation abgezogen hatte. »Ich trage deinen Ring für dich, bis du nach Hause kommst.«

»Ich hab dich lieb«, flüsterte Arlena.

Gegen Abend kam es zu einer völligen Veränderung. Arlena hatte Schmerzen. Sie hatte noch keine Medikamente bekommen, weil die Ärzte wollten, daß sich die Wirkung der Narkose erst verlor.

Die Schwester gab ihr nun Medikamente in eine Vene am Hals. Sie zuckte zusammen und schnellte zurück. »Arlena«, zischte die Schwester, packte ihren Arm und drückte sie hinunter, »wenn du nicht still liegenbleibst, binde ich dich fest.«

Arlena bewegte sich nicht, aber die Schwester war entschlossen, Arlenas Hände am Bett festzubinden. Sie legte die Schnallen eng an.

In Arlenas Lunge begann sich Flüssigkeit zu sammeln. Sie versuchte mühsam zu sprechen und zu schlucken, aber sie hatte eine Beatmungsröhre im Hals. Sie bewegte verzweifelt die Hände und Finger. Plötzlich lag ein Ausdruck panischer Angst in ihren Augen. Dann wurden sie glasig. Sie warf den Kopf zur Seite und schloß die Augen.

»Irgend etwas stimmt nicht«, sagte Regina, nach Luft ringend. »O mein Gott. Sie atmet gar nicht.«

»Sie müssen jetzt gehen«, sagte die Schwester bissig. »Sie regen Arlena nur auf.«

Die Schwester rief den Arzt herein. Arlenas Herz hatte aufgehört zu schlagen. Er machte Wiederbelebungsversuche, und nachdem ein zweiter Wiederbelebungsversuch fehlschlug, sagte der Arzt, sie läge im Koma und habe nur noch ein paar Stunden zu leben.

Irisa, die mit dem Arzt gesprochen hatte, kam mit einem Gefühl unsagbarer Angst ins Wartezimmer. Das erste, was sie sah, war ihr Vater, der weinend im Schaukelstuhl saß. Sie war fast zwanzig, aber sie hatte ihn noch nie weinen gesehen. »Mist«, hörte sie ihn schluchzen, und er hämmerte mit der Faust auf den Schaukelstuhl. »Lieber Gott, nimm mir doch nicht noch ein Kind weg.« Irisa rannte zu ihm und umarmte ihn. Er schaute sie mit ausdruckslosem Blick an. Regina weinte auch und lief verzweifelt auf und ab.

»Beten Sie für meine Tochter, sie stirbt, beten Sie für sie«, sagte sie zu einem Fremden, der durch den Warteraum kam. Dann rief der Arzt sie alle wieder herein. Ernest stand am Fußende des Bettes, den Blick auf den Monitor geheftet, er konnte nicht wegsehen. Er konnte die Augen einfach nicht vom Monitor losreißen. Plötzlich ertönte ein Piepston, und alles war zu Ende. Ernest stand da wie angewurzelt und zählte laut, als Arlenas Puls aufhörte zu schlagen.

»Sie ist gestorben«, sagte die Schwester.

»Aber ich habe ihr versprochen, daß sie nicht sterben wird. Ich habe ihr versprochen, daß sie nicht sterben wird«, keuchte Irisa nach Luft ringend. Sie begann, noch während sie es sagte, zu schwanken und brach dann zusammen.

»Sie ist ohnmächtig geworden«, rief der Arzt, hob sie hoch und setzte sie in einen Rollstuhl.

Zuerst stand Regina einfach nur da. Da lag Arlena, nur neun Jahre alt und so schön, und ihre Wangen und Lippen hatten zuletzt die Farbe von Rosenblättern angenommen. Dann begann sie zu schwanken wie eine brüchige Wand, die in sich zusammenfällt. Sie wollte laut losschreien, aber sie versuchte mit solcher Kraft, den Mund nicht aufzumachen, daß der Schrei in ihr erstickte. Bilder von Vivia tauchten vor ihrem geistigen Auge auf. Dies alles war schon mal passiert, auf den Tag genau vor dreizehn Jahren. Sie kannte den Schmerz bereits, aber diesmal war er schlimmer. Vivia hatte sie nur sechs Wochen gehabt, bevor sie sie verloren hatte. Diesmal war es anders. Diesmal war es Arlena, Arlena, Arlena. Sie versuchte, zu Arlena zu gehen, aber ihre Beine waren bleiern schwer. Sie wünschte sich, daß der Tod auch sie einhüllte und sie in ein bodenlos tiefes Grab neben Arlena sinken ließ. Gleichzeitig war sie voller Panik. Eine Panik, die ihr von den Füßen übers Rückenmark und den Nacken bis in den Kopf reichte und dröhnend pochte – das Pochen ihres oder Arlenas Herzens, das wußte sie nicht.

Wie im Nebel sah sie, daß Irisa sich aus dem Rollstuhl hochgestemmt hatte, neben Arlena kniete, ihr Gesicht küßte und ihr schönes Haar streichelte.

»Diese Haare, diese Haare«, weinte Irisa leise vor sich hin. »Kann ich eine Strähne von ihren Haaren haben?«

Regina preßte die Zähne zusammen und biß sich auf die Zunge, aber ihr Mund blieb nicht länger verschlossen. Plötzlich hallte ihr Schrei gellend durchs Zimmer. »Oh, mein Gott, mein Kind, mein Kind! Gott hat mir mein Kind genommen!« schrie sie.

21. KAPITEL

Das Begräbnis

Als Ernest bei dem Beerdigungsinstitut vorfuhr, machte Regina die Tür auf und stürzte hinaus, fiel in den Rinnstein. Sie versuchte noch nicht einmal aufzustehen. Ernest spürte entsetzliche Angst in der Magengrube, als er schnell zu ihr hinlief, um ihr aufzuhelfen. Ihre großen, leeren Augen waren auf sein Gesicht geheftet, als er sie hochhob. Er sah den benommenen Ausdruck und dahinter den tiefen Schmerz.

Regina konnte den Duft der geschnittenen Blumen riechen und das Haar ihrer Schwester im Wind wehen sehen, ganz so, wie Arlenas Haar immer im Wind geweht hatte. Überall waren Leute, die sich begrüßten, flüsterten, weinten und sich umarmten. Leute, deren Leben weiterging. Sie schloß einen Moment lang die Augen und holte tief Luft. Als sie die Augen wieder aufschlug, sah sie Irisa über den offenen Sarg gebeugt. Sie streichelte wieder Arlenas Haar und liebkoste ihre Finger.

»Daddy, hier ist Blut. Sie blutet«, schrie Irisa auf und wich erschrocken zurück.

»Das ist nur Leichenbalsam, Liebling«, flüsterte Ernest. Verwandte, die alles mitbekommen hatten, versuchten sie vom Sarg wegzuziehen.

»Nein«, sagte Irisa mit einer Stimme, so scharf wie ein Blitz in der Nacht, »bringt mich nicht weg. Es sind unsere letzten paar Minuten, die uns zusammen bleiben.«

Regina stand da und beobachtete die Szene. »Laßt sie auf ihre Art trauern«, sagte sie. Irgendwoher fand sie die Kraft, Irisa sanft zu umarmen.

Die anderen brachen bereits zum Friedhof auf. Klein Barry

sprang ihr um die Füße und sang: »Jetzt ist sie bei Jesus. Jetzt ist sie bei Jesus.«

Sie trafen sich alle wieder, als der Sarg in die Erde hinabgelassen wurde. Ernests Bruder hatte das Wort ergriffen und sprach davon, wie zerbrechlich und wunderbar Arlena gewesen sei – und was für ein guter Mensch. Eine Weile, nicht lange, hörte Regina, was er sagte: »Ihr Liebreiz und die Freude, die sie uns gemacht hat, sind unermeßlich. Wir alle fragen Gott, warum dieses kleine Mädchen sterben mußte. Unsere Herzen fragen es, und es gibt keine schlüssige Antwort und kein Verstehen. Wir tasten uns hilflos durch den Schmerz dieser Trennung und haben keine Antwort.« Dann sah Regina zum Sarg und zur kalten, feuchten, frisch aufgeworfenen Erde hinüber. Sie sah die Steinchen und die kleinen Grasplacken. »O Gott, wer kümmert sich jetzt um Arlena? Wer gibt ihr Medizin und hält sie warm?«

»Regina«, flüsterte Ernest, nahm ihre Hand, drückte sie und versuchte, sie wieder in die Realität zurückzuholen. Sie sah auf und schien ihn aus tiefster Seele mit matten Augen anzustarren. Dann wurde ihre Miene starr, sie zog die Hand weg, und Ernest wußte, daß er sie verloren hatte – verloren an den sanften, matten Glanz, der über dem Sarg lag.

4. TEIL

Blutbande

Nie wird sie verlöschen, die bleibende Erinnerung an das, was
wir einander bedeutet haben . . .
Du sollst bleiben, was du immer gewesen bist:
das Kind deiner Mutter.
Dann wird dein Antlitz sich nie von mir abwenden.

Robin Morgan

22. KAPITEL

Die Klage

Zwei Wochen nach Arlenas Tod verklagte der fünfundsechzig-
jährige, nicht sehr erfahrene, offensichtlich aber um so publici-
tysüchtigere Anwalt Marvin Ellin aus Baltimore das Hardee
Memorial Hospital beim Bundesgericht in Tampa auf einhundert Millionen Dollar.

Ellin behauptete, dadurch, daß die Babys vertauscht worden
waren, sei »der Tatbestand der Kindesentführung« erfüllt. Er
war überzeugt davon, daß die Tat vorsätzlich begangen worden war. Er wollte mit einem Blick erkannt haben, daß die
Geburtsurkunde gefälscht worden sci. Dabei war die Echtheit
des Dokuments durch wissenschaftliche Gutachten mit mehr
als 99,9prozentiger Sicherheit belegt worden. Die Ärzte bei
John Hopkins bestätigten, es sei tatsächlich unmöglich, daß die
Twiggs, die beide die Blutgruppe Null hatten, ein Kind mit der
Blutgruppe B-positiv bekommen haben könnten.

»Dies ist einer der unerklärlichsten Fälle in der Geschichte
der Medizin«, schrieb die *Washington Post* und benutzte die
größten Lettern seit dem Fall des Babys M. Der *Miami Herald*
erklärte: »Das Ehepaar aus Pennsylvania wirft Dr. William
Black grobe Fahrlässigkeit und Betrug vor, lobt dagegen
Dr. Ernest Palmer, den Arzt, der dem Kind die Mandeln herausgenommen hat, über den grünen Klee, und genauso die
grauhaarige Krankenschwester Dena Spieth und Dr. Adley Sedaros, den Kinderarzt, der es sich plötzlich leisten konnte, ein
wunderschönes neues Haus zu bauen.«

»Es klingt schon etwas seltsam«, sagte Harrell Connelly, der
neue Verwaltungschef im Hardee Memorial Hospital – und
der fünfte Beschuldigte in dem Fall, »aber wir nehmen den

Fall sehr ernst. Es ist kaum zu glauben, daß so etwas in einem so kleinen Krankenhaus passiert ist, und es ist nahezu ausgeschlossen, daß es vorsätzlich passiert ist.«

Die Ärzte, Schwestern und Krankenpfleger, die zu der Zeit, als Regina Twiggs Kind geboren wurde, im Hardee Memorial Hospital arbeiteten, behaupteten von Anfang an, daß sich keiner von ihnen an irgend etwas erinnern könne. Das einzige dem Bundesgericht vorliegende Dokument, das jemanden vom Krankenhaus betraf, waren zu dieser Zeit umfangreiche Prozeßunterlagen, die 1978 Dr. Adley Sedaros betrafen, also genau in dem Jahr, in dem Regina Twigg und Barbara Coker ihr Kind geboren hatten. Acht Baufirmen hatten den Arzt verklagt, weil er ihnen mehr als zwanzigtausend Dollar für Arbeiten an seinem neuen Haus schuldig geblieben war. Er hatte einen Vergleich mit ihnen ausgehandelt und war dann still und heimlich weggezogen.

William Black, der Babyarzt, hatte die Stadt ebenfalls fünf Jahre zuvor verlassen. Hardee Memorial mußte deshalb den Kreißsaal schließen. Reportern, die bei ihm in Ocean Spring in Mississippi anriefen, sagte eine Sekretärin, er sei übers Wochenende nicht in der Stadt und daher auch nicht zu erreichen.

Ernest Palmer, immer noch praktizierender Arzt im Hardee Memorial Hospital, erklärte, als man ihn dort aufsuchte: »Ich würde nie im Leben zwei Babys vertauschen, aber jeder kann so was behaupten und uns deswegen anzeigen.«

Dena Spieth, die in Rente gegangen war, verweigerte auf Anraten der Krankenhausanwälte jegliche Aussage, bis auf die Feststellung: »Ich kann mich an die Geburten 1978 überhaupt nicht mehr erinnern.«

Aber die Presse gab nicht auf. Tatsächlich bearbeiteten Journalisten aus aller Herren Ländern, sogar aus Australien und Japan, den Fall ausführlich. Es war der Alptraum aller Eltern und machte entsprechend weltweit Furore.

Am Freitag, dem 9. September, rief Dr. Black aus Grand Rapids in Michigan, wo er seine Schwiegermutter besucht hatte, in seinem Büro an. Er konnte sofort die Aufregung in der Stimme der Krankenschwester Ann Findelisen hören. »Was ist passiert?« fragte er.

»O Gott, Sie haben nichts davon gehört? Die Titelseiten sämtlicher Zeitungen in Florida sind mit Ihrem Foto bestückt. Jemand hat sie auf hundert Millionen Dollar verklagt. Das Telefon steht nicht mehr still. Die Zeitungen, Fernsehsender, Radiostationen und Zeitschriften aus dem ganzen Land rufen hier an. Erinnern Sie sich an die Namen Dr. Palmer, Dr. Sedaros und Regina Twigg? Regina Twigg behauptet, ihr Baby sei vor neuneinhalb Jahren vertauscht oder verkauft worden.«

Dr. Black fuhr nach Hause. Tatsächlich, in jeder Zeitung entdeckte er einen Artikel, und auf seinem Anrufbeantworter waren Dutzende von Nachrichten gespeichert. Einige stammten von Patienten, die ihre Termine absagten, andere von alten Freunden, die ihn wissen ließen, sie würden für ihn beten. Er rief seinen Anwalt Billy Brown an und sagte: »Ich habe mich gerade dazu entschlossen, der Gemeinschaftsredaktion von *Sun/Daily Herald* und dem Fernsehsender *WLOX* ein Interview zu geben. Ich möchte beides gleichzeitig durchführen, damit es keine Mißverständnisse gibt und weil ich eindeutig klarstellen will, daß dies das einzige Interview ist, daß ich geben werde, bis ich mehr darüber weiß. Meine Patienten verdienen eine schnelle Antwort, und das ist der einzige Weg, der mir einfällt.«

»Sie lassen sich da auf etwas Furchtbares ein«, erklärte ihm der Anwalt. »Aber wenn Sie es machen wollen, fassen Sie sich kurz und allgemein. Wir sollten keine Einzelheiten diskutieren. Es könnte zu sehr nach Verteidigung aussehen, wo es nichts zu verteidigen gibt. Alles, was Sie getan haben, war, eine Geburt zu betreuen.«

Black rief die Zeitung und den Fernsehsender an und organisierte eine Pressekonferenz in den Büroräumen des *Sun/Daily Heralds*. Er redete lange, aber im Grunde sagte er lediglich, daß er wirklich nicht wisse, was passiert sei. Die Twiggs, sagte er, hätten sein tiefstes Mitgefühl. Im Fernsehen wurden ungefähr neunzig Sekunden des Interviews ausgestrahlt.

Als er zurück ins Büro kam, fand er einige beglaubigte Dokumente von Marvin Ellin vor. Black gab sie an seinen Anwalt Billy Brown weiter und saß dabei, während Billy sie las. Nach einer Zeit, die Black vorkamen wie eine kleine Ewigkeit, schaute Billy auf. »Machen Sie sich keine Gedanken«, sagte er, »Sie werden der ärztlichen Fahrlässigkeit und des Betruges beschuldigt, ohne daß Einzelheiten genannt werden. Die Klage ist in aller Eile zusammengeschustert worden. Am 23. August ist das Mädchen gestorben, und die Klageschrift wurde am 7. September eingereicht.« Brown fand heraus, daß der Anwalt der Gegenseite sich nicht an die Neunzig-Tage-Frist gehalten hatte, die nach dem Gesetz von Florida vor einer Presseverlautbarung eingehalten werden muß. Außerdem stellte sich die Frage, ob Arlenas Blutgruppe nicht schon während früherer Krankenhausaufenthalte überprüft worden war. »Wenn dies der Fall ist«, sagte er, »hat es schon damals eine Feststellung des Sachverhaltes gegeben, das Ganze könnte also bereits verjährt sein. Marvin Ellen hatte es so eilig, daß er nicht daran gedacht hat, das zu überprüfen.«

Black war immer noch nicht beruhigt. »Ich glaube, ich fange an, paranoid zu werden«, vertraute er seinem Anwalt an. Er hörte seit neuestem zu Hause in der Sprechanlage Stimmen und wählte die falschen Leute an, wenn er die automatische Wahlwiederholung benutzte. »Ich komme einfach nicht von dem Gedanken los, daß ich abgehört werde.«

»Das bezweifle ich«, sagte Billy. Etwa zur selben Zeit bemerkte Black einen Kleintransporter, der niemandem in der Nachbarschaft gehörte, aber ziemlich regelmäßig an seinem Haus vorbeifuhr. Der Fahrer hatte ein Fernglas.

Am nächsten Tag rief Billy Brown wieder an. »Ich habe gerade einen Anruf von einem Reporter in St. Petersburg bekommen. Er fragt, ob Sie jemals den Namen Barbara Mays gehört haben. Läutet da was bei Ihnen?«

»Nein«, sagte Black. Aber nachdem er aufgelegt hatte, fand er ihre Karteikarte in einem Hängekasten mit alten Krankenhausdateien. Er legte sie neben die Karteikarte von Regina

Twigg und verglich beide. Dann rief er bei Brown zurück. »Ich erinnere mich dunkel an die Geburten. Ich habe mir die Karteikarten genau angesehen. Es gibt da einiges, was mir Sorgen macht.« Er erzählte Brown, daß nach den Karteikarten Regina Twiggs Baby von Adley Sedaros betreut worden war. Aber aus irgendeinem Grund hatte Ernest Palmer alle Eintragungen über sie gemacht, außer einer – nämlich genau der kritischen, der Diagnose des Herzfehlers. Alle Eintragungen von Palmer besagten, daß das Baby der Twiggs völlig gesund gewesen war. Und dann hatte Dr. Sedaros es am 5. Dezember, unmittelbar vor der Entlassung, untersucht und offensichtlich eingetragen, man habe das Herzflattern entdeckt. Nach der Datei hatte er eine Röntgenaufnahme der Lunge, ein Kardiogramm und einen Test über den Sauerstoffgehalt des Blutes angeordnet, bei dem mit Sicherheit auch die Blutgruppe des Babys festgestellt worden war. Eine weitere Ungereimtheit, die Black bemerkte, war, daß Dr. Palmer – und nicht Sedaros – den Twiggs gesagt hatte, daß etwas mit dem Baby nicht in Ordnung sei. Palmer war es auch gewesen, der die Entlassung des Babys abgewickelt und einen Termin mit den Twiggs in seinem Büro ausgemacht hatte.

Weil die Babys mit drei Tagen Abstand geboren worden waren, konnte Black die Möglichkeit ausschließen, daß die Bänder aus Versehen vertauscht worden waren. Aus demselben Grund war es auch ausgeschlossen, daß das Ergebnis des Bluttests versehentlich falsch eingetragen worden war. Die meisten Babys verlieren zwischen ihrer Geburt und der Entlassung aus dem Krankenhaus an Gewicht, so daß Black es für möglich hielt, daß ein Identifikationsband herunterrutschen kann. Aber die Vorstellung, daß alle vier Bänder zur selben Zeit von den Fußgelenken der beiden Babys rutschen, war entschieden zu weit hergeholt.

Anfang Oktober, fünf Wochen nachdem Marvin Ellin den Fall weltweit publik gemacht hatte, ließ er ihn wieder fallen. Und zwar, wie Billy Brown vermutete, wahrscheinlich deshalb, weil er nichts von dem früheren Bluttest gewußt hatte.

Brown hatte recht. Regina hatte nicht einmal Ernest davon erzählt. Es war ihr peinlich, zugeben zu müssen, daß sie das, noch dazu ihrem eigenen Mann gegenüber, so lange verschwiegen hatte. Allerdings war ihr nie in den Sinn gekommen, daß die Angelegenheit, wie der Anwalt erklärte, deswegen verjährt sein könnte.

Als Black die Neuigkeit erfuhr, war er erleichtert, aber was ihn wirklich erfreute, war, daß John Blakely, der neue Anwalt der Twiggs, die Strafanzeige fallenließ und den Fall als Fahrlässigkeitsklage gegen das Krankenhaus wiederaufnahm. Gott sei Dank waren er und die Ärzte noch mal davongekommen.

REGINA TWIGG ERZÄHLT:

Ich glaube, ich habe ihren Tod noch tausendmal durchlebt, aber die Beerdigung verbannte ich aus meiner Erinnerung. Und dennoch, irgendwie mußte ich ihr noch einmal Lebewohl sagen, um es mir wirklich bewußtzumachen. Und auch um denjenigen, die nicht zu der Beerdigung kommen konnten, die Möglichkeit zu geben, ihr die letzte Ehre zu erweisen.

Pastor Max, ein Priester von der Langhorne-Kirche der Vereinigten Methodisten, hörte davon, wie es uns ergangen war, und bot uns eine Gedenkfeier eine Woche nach der Beerdigung an. Er hielt den Gottesdienst selbst.

Später kam er manchmal bei uns vorbei, umarmte uns alle und schenkte uns Worte der Ermutigung, nur um uns wissen zu lassen, daß er an uns dachte.

Ich sagte: »Pastor Max, es tut mir leid, ich habe den Gottesdienst nicht durchgestanden, ich war zu unglücklich.«

»Regina«, antwortete er daraufhin, »nicht Sie müssen mir zur Seite stehen, ich muß Ihnen zur Seite stehen.«

Ich weiß noch, wie ich einmal zu ihm in die Kirche gegangen bin. Das war acht Monate nach ihrem Tod, und ich dachte, na ja, ich bleibe ein Lied lang da. Aber ich mußte dann schnell wieder hinausgehen, weil ich ein Mädchen in einer Bank ganz in der Nähe gesehen hatte, das mich an Arlena erinnerte. Ich mußte sofort weinen. Pastor Max kam mir nach – bis vor die Kirche. Er nahm mich ganz fest in die Arme und hielt mich so lange fest wie noch nie. Er stand einfach nur da und hielt mich fest.

Nach Arlenas Tod ging ich sechs Monate lang nicht aus dem Haus. Ich ging noch nicht mal zum Lebensmittelhändler am Ende der Straße. Ein Jahr lang fuhr ich nicht mit dem Auto.

Wenn die anderen Kinder mich brauchten, versuchte ich, für sie dazusein. Ich habe es wirklich verzweifelt versucht. Ernest sagte immer: »Regina, wir haben all diese Kinder. Wenn unser Familienleben zerbricht, was soll dann aus ihnen werden?«

Von August bis Januar befand sich Barry in einem Schockzustand. Er hatte den Verlust miterlebt, ohne zu verstehen, was Tod bedeutet. In der Schule merkte er nicht einmal, wenn die Lehrerin mit ihm redete. Es war, als ob er völlig benommen wäre. Er konnte ihr nicht antworten. Wir mußten ihn von der Schule nehmen. Er hätte es in diesem Jahr nicht einmal im Kindergarten geschafft.

Ich behielt ihn bei mir zu Hause. Ernest stand auf, um zur Arbeit zu gehen, brachte Barry herein und legte ihn neben mich. Ich nahm ihn einfach in den Arm. Schließlich, ungefähr im Januar, brachte ich ihn jede Woche ein paar Tage in die Vorschule.

An einem Tag, als er schon wieder in die Schule ging, saß er im Eßzimmer, sah mich versonnen an und sagte: »Ich hätte so gerne Schokoladenbonbons und Arlena.« In dem ersten Februarmonat nach ihrem Tod brachte er ein Valentinsgeschenk mit und sagte: »Ich wollte es eigentlich Arlena schenken, aber nun muß ich es Irisa geben.«

Ernie war zwölf und wütend. Oft sagte er: »Wenn Gott sie geliebt hätte, hätte er sie hier bei uns gelassen.«

Er saß manchmal stundenlang wie festgewachsen auf seinem Bett und schaukelte vor und zurück. Und dann kam Irisa eines Nachts, schon nach Mitternacht, die Treppe herunter und traf ihn am Tisch an, wie er einen Brief an Arlena schrieb: »Ich hab dich liebgehabt, Arlena, du warst so süß und so schön.« Er weinte.

Irisa war damals neunzehn. Sie fing auch zu weinen an. »Ich weiß, Ernie«, sagte sie, »ich weiß.«

Es war für alle Kinder sehr schwer. Gina hatte bei meiner Freundin Laura gewohnt, als Arlena operiert worden war. Als Arlena starb, meinte Laura, es sei das beste, es ihr zu sagen.

»Wie geht's Arlena?« fragte Gina. Sie lächelte in der Erwartung guter Neuigkeiten.

»Liebling, Arlena ist jetzt bei Gott«, antwortete Laura.

»Nein, nein!« schrie Gina. Sie warf sich hysterisch auf den Boden. Ihr Körper zuckte unkontrolliert. Dann wurde sie steif und konnte sich nicht mehr bewegen. Laura erschrak entsetzlich. Es dauerte Stunden, bis Gina ohne Hilfe wieder gehen konnte.

Noch lange Zeit danach wurde Gina von Alpträumen wegen Arlena geplagt, meistens ging es um Dinge, die sie gerne mit Arlena gemacht hätte. Schließlich sagte sie sich, daß die Alpträume besser wären als nichts. Immerhin brachten sie ihr Arlena zurück.

Normia konnte sich nicht dazu aufraffen, zur Schule zu gehen oder mit anderen Kindern zusammenzusein. Wochenlang mußte sie regelrecht überredet werden, überhaupt aus ihrem Zimmer zu kommen. Tommy, der immer gern in seinem Zimmer geblieben war, ließ keinen mehr herein. Er mauerte sich geradezu in seinen vier Wänden ein.

Laura kam eines Tages vorbei, um zu sehen, wie es uns ging. Plötzlich hörten wir Irisa hysterisch unter der Dusche schluchzen. Wir rannten zu ihr. »Warum hat Gott das getan?« Sie konnte nicht aufhören zu weinen. »Warum gibt es soviel Leid in der Welt? Warum hat Gott es zugelassen, daß Arlena leidet? Warum hat er sie weggenommen, wenn sie doch so sehr am Leben hing?« Wir konnten sie schließlich beruhigen. Laura versuchte, ihre Fragen zu beantworten. Ich konnte es nicht, weil ich selbst immer noch nach Antworten suchte.

Irisa fing an, das Grab zu besuchen. Sie nahm einen Korb voll Blumen mit, saß dort und redete mit Arlena. Sie erzählte, was sich in ihrem Leben ereignete. Als Irisa heiratete und schwanger wurde, fuhr sie extra zu Arlenas Grab. Manchmal wollte sie sogar auf dem Grab schlafen, weil sie auf diesem Stück Boden das Gefühl hatte, ganz nah bei Arlena zu sein. Sie könnten wieder Seite an Seite liegen wie in der letzten Nacht, in der Arlena in ihrem Bett geschlafen hatte.

Auch für mich war es eine schwere Zeit. Acht Monate lang konnte ich es nicht ertragen, wenn mir jemand zu nahe kam. Ich verkroch mich völlig in mich selbst. Zu Ernest sagte ich: »Komm mir nicht zu nah. Laß mich zu dir kommen, wenn ich's wieder kann.« Acht Monate wartete Ernest darauf. Schließlich drehte ich mich eines Abends zu ihm hin und berührte seine Schulter. Er nahm mich in die Arme. Ich weinte und sagte: »Wie schaffst du es nur, daß es nicht mehr weh tut?«

»Das muß nicht sein«, sagte er sanft, »du mußt einfach nur weiterleben.«

Oft fragte ich Gott: »Warum? Warum hast du mich nicht an ihrer Stelle sterben lassen?« Ich hatte furchtbare Schuldgefühle. Ich dachte die ganze Zeit: »Es war mein Fehler. Es war mein Fehler. Ich habe sie umgebracht. Ich habe sie umgebracht. Ich habe nicht die richtige Entscheidung getroffen. Sie ist meinetwegen gestorben. Wenn ich mich nur anders entschieden hätte.« Ich machte mir über dieses und jenes Gedanken. Ich dachte Hunderte von Malen: »Hätte ich doch . . .«

An einem Tag, als Ernest von der Arbeit nach Hause kam, sagte Irisa: »Dad, Mom glaubt tatsächlich, daß sie an allem schuld ist und daß wir alle sie dafür verantwortlich machen.« Ich glaube wirklich, es war, weil ich mir selbst Vorwürfe machte und einfach davon ausging, daß sie mir auch die Schuld gaben.

Später am Abend ging Irisa in den Keller hinunter. Ihr Daddy machte die Wäsche, und die Tränen liefen ihm übers Gesicht, weil er sich so sehr um mich sorgte. Ich konnte nichts daran ändern, daß alles mich daran erinnerte, wieviel das Kind mir bedeutet hatte. Die glücklichen Zeiten, die schweren Zeiten, das Bild des verlorenen Kindes, alles ist für immer in meinem Gedächtnis eingegraben. Ihr schmales Gesicht, ihre kleinen Eigenheiten, ihre Ideen, ihre Art, sich zu geben, ihre zarte Stimme – alles an ihr.

23. KAPITEL

Ein neuer Weg

John Blakely war ein erfahrener Verteidiger in Straf- und Zivilangelegenheiten. Er war schon an allen Gerichten Floridas juristisch tätig gewesen, auch am Obersten Bundesgericht und am Revisionsgericht. Da er sich in den Gesetzen und in der Rechtsprechung gut auskannte, maß er der Tatsache, daß Regina Arlenas Blutgruppe schon seit Jahren kannte, keine allzugroße Bedeutung bei. Seiner Meinung nach waren Reginas permanente Nachfragen Beweis genug, daß sie niemals eine Vertauschung der Babys vermutet hatte. Welche Mutter nahm schon an, daß ihr Baby bei der Geburt vertauscht worden war? Blakely meinte, daß die Verjährungsfrist nicht vor dem Zeitpunkt begonnen habe, an dem der Genetiker John Hopkins dem Ehepaar Twigg eindeutig gesagt hatte, Arlena wäre nicht ihre Tochter. Nebenbei erwähnt, die Verjährungsfrist betrug in Florida für Klagen gegen Krankenhäuser vier Jahre und nicht zwei, wie Marvin Ellin angenommen hatte.

Was Blakely allerdings beschäftigte, war ein Gesetz des Staates Florida, demzufolge staatliche Krankenhäuser Immunität beanspruchten. Das bedeutete, daß das Hardee Memorial nicht verantwortlich war für vorsätzliche oder kriminelle Handlungen seiner Angestellten. Ellins Forderung nach einhundert Millionen Dollar Schadenersatz wegen vorsätzlicher Vertauschung war also gegen das Krankenhaus gar nicht zulässig gewesen. Andererseits war es so, daß es eine festgelegte Höchstsumme gab, die gezahlt werden mußte, falls die Vertauschung durch Fahrlässigkeiten im Krankenhaus möglich geworden war, denn das Krankenhaus war dem Patienten-Wiedergutmachungs-Fonds von Florida angeschlossen.

Fahrlässigkeit war also der entscheidende Schlüsselbegriff. Die Twiggs hatten kein Geld, also erklärte sich Blakely bereit, auf der Basis eines Erfolgshonorars zu arbeiten. Er hatte den richtigen Instinkt dafür, was Erfolg versprach, und irrte sich fast nie.

Als Blakely sein Rechtsanwaltsbüro in Clearwater eröffnet hatte, waren von ihm oft Fälle übernommen worden, die andere Anwälte abgewiesen hatten. Jetzt, nach sechzehn Jahren, war sein Rechtsanwaltsbüro die größte Praxis im gesamten Pinellas County. Sechsundzwanzig andere Rechtsanwälte gehörten zu seiner Sozietät. Er hatte Büros in Clearwater, Port Richy und Tampa. Die Praxis umfaßte hundert Angestellte – Sekretärinnen, Rechtsberater und Rechtsgehilfen mitgezählt.

Der schlanke, bereits ergraute Anwalt hatte etwas Jungenhaftes an sich, eine entwaffnend unkomplizierte Art. In seiner Karriere hatte es lange Durststrecken gegeben – ohne Klienten, mit nur einer Sekretärin, in einem winzigen Büro mit einem Arbeitstisch und einem Telefon, direkt neben einem Sexkino. Blakely war scharfsinnig und kreativ. Er selbst hatte das fünf Morgen große Grundstück an der Chestnut Street ausgesucht, auf denen das Gebäude der Clearwater-Büros standen, und er hatte auch das verschachtelte graue Gebäude aus Holz entworfen. Geringfügige Fälle nahm Blakely nicht mehr an. Trotzdem leistete jeder Anwalt seiner Praxis immer noch jedes Jahr zehn Stunden kostenlose Rechtsberatung, um den Armen zu helfen.

Als er den Fall der Twiggs übernahm, zog er als erstes Ellins Klage zurück und kündigte dem Krankenhaus neue Aktivitäten sechs Monate im voraus an, wie es das Gesetz in Florida verlangte. Danach untersagte er den Twiggs, sich öffentlich zu dem Fall zu äußern. Es wurde Zeit, mehr Ruhe in die ganze Sache zu bringen und alles zu versuchen, um herauszufinden, was zehn Jahre zuvor im Hardee Memorial Hospital geschehen war.

24. KAPITEL

Hardee County in Florida

Damals, im Dezember 1978, war die Zufahrt zum Hardee Memorial Hospital eine Landstraße, von buschigen Zwergpalmen gesäumt, deren grüne Blätter sich vom Stamm aus verzweigten und in der trostlosen Umgebung wie Krüppelpalmen aussahen. Im schneeweißen Sand, im Gestrüpp und unter Lantanenblättern fanden Hasen, Waschbären, Opposums und Gürteltiere Unterschlupf. Die Stacheldrahtzäune und winzige künstliche Seen waren die einzigen Zeichen menschlicher Zivilisation inmitten des Gras- und Buschlandes, auf dem sich tagsüber Rinder und Klapperschlangen Gesellschaft leisteten.

Wenn man die Betonbrücke über Charlie Creek nahm und schließlich in die Hauptstraße von Wauchula einbog, war alles menschenleer, bis auf einige Rancher, die so herumliefen, wie sie gerade aus dem Sattel gestiegen waren.

Man sah es auf den ersten Blick: Hier in diesem kleinen Ort in Zentralflorida befand man sich im Viehzüchterland. Etwa fünfundsechzigtausend Rinder machten das Hardee County zu einem der bedeutendsten Zentren der Viehzucht in ganz Amerika. Aber die größte Einnahmequelle in diesem Gebiet waren Zitrusfrüchte. Auf fünfzigtausend Morgen Orangenhaine wurde alles produziert – vom Sämling bis zum Orangensaft. Trotzdem war Wauchula ein Provinznest geblieben, in dem es eben provinziell zuging. Die Menschen, die hier wohnten, gingen davon aus, daß jeder, der etwas zählte, mit dem nächsten oder übernächsten Nachbarn verwandt sein müsse. Sie gehörten alle denselben Vereinen und denselben Kirchengemeinden an. Einige Cowboys waren politisch engagiert, und einige wenige, darunter die Träger berühmter Namen aus den

Gründerfamilien, leiteten die Geschicke der Stadt. So auch die Cokers.

In den zwanziger Jahren errichtete Bryant Coker die erste Leichenhalle. Er bot einen Service rund um die Uhr an. Coker wurde wohlhabend und einflußreich. Außerdem war er einfühlsam und geschickt. Er kümmerte sich um Leute, wenn es ihnen nicht gutging, jeder im Ort war ihm zu Dank verpflichtet.

Kaum jemand in Hardee County war noch nicht mit Bryant Coker in Kontakt gekommen, und kaum jemand verdankte ihm nicht irgend etwas. Alle in der Familie Coker waren Unternehmer. Sie spielten überall – sei es bei den Steuerbehörden, bei Wahlen, in der Landwirtschaft oder als Beerdigungsunternehmer – eine so wichtige Rolle, daß einige Leute meinten, das Gebiet wäre ohne sie niemals so aufgeblüht. Es gab sogar eine Raststätte, die nach ihnen benannt war. Als es soweit war, daß das moderne Hardee Memorial Hospital mit fünfzig Betten gebaut wurde, beteiligten sich Bryant Coker und ein paar andere bei der Finanzierung des Projekts.

Regina Twigg hatte nie etwas von den Cokers gehört. Sie wußte nicht, daß Barbara Coker-Mays das einzige weiße Baby in dem Krankenhaus geboren hatte – außer Reginas eigenem – und daß es sehr krank war. Erst Jahre später, durch die Hilfe zweier Privatdetektive, wurde ihr die Verbindung zwischen den Cokers und dem Hardee Memorial Hospital klar. Vera Polly Rhodos, eine Pflegerin, die von 1976 bis 1980 Nachtdienst im Krankenhaus gemacht hatte, war die erste Krankenhausangestellte, die von dem Spezialermittler Ray Starr, einem Privatdetektiv aus Arcadia in Florida, befragt wurde. Ray Starr unterhielt eine Firma für Ermittlungs- und Untersuchungsservice.

Polly Rhodos, von der ihre Vorgesetzte einmal gesagt hatte, sie sei »eine der besten Krankenpflegerinnen«, stand in dem Ruf, sehr intensiv mit ihren kleinen Patienten mitzufühlen. Manche Schwestern sagten, sie sei so gütig gewesen, daß sie die Babys regelrecht verhätschelt habe. Eine behauptete sogar, sie habe selbst Fieber bekommen, wenn eines der Babys zu fiebern anfing.

Nach der Aussage von Polly Rhodos kam es immer wieder mal vor, daß Babys verwechselt wurden. Sie erinnerte sich an eine Nacht ungefähr zu der Zeit, zu der das Twigg-Baby geboren worden war, in der ihr bei Beginn ihrer Schicht gesagt wurde, alle Babys wären krank. In dieser Nacht befanden sich sechs Babys im Babyschlafraum. Als sie zu dem Bettchen von einem kleinen Mädchen ging, das am lautesten schrie, und seine Windeln wechselte, rief sie: »O mein Gott, du bist ja ein kleiner Junge.« Das Baby lag im falschen Bettchen. Sie waren alle krank geworden, weil jemand ihre Fläschchen vertauscht hatte. Polly Rhodos sagte, es habe sie und ihre Vorgesetzte die ganze Nacht gekostet, die Sache wieder in Ordnung zu bringen. Zuerst verglichen sie die Identifikationsbänder an den Hand- und Fußgelenken der Babys mit den Namen an den Bettchen, und dann sterilisierten sie die Flaschen und all die anderen Utensilien.

Nach der eidesstattlichen Erklärung, die Polly Rhodos Mr. Starr abgegeben hat, war deswegen eine Pflegerin, die gewöhnlich in der Schicht von drei Uhr nachmittags bis elf Uhr abends arbeitete, die ganze Nacht dageblieben; das war gewesen, bevor die Babys vertauscht wurden. Polly Rhodos zufolge fing ihre Vorgesetzte, die gerade Dienst hatte, sie am 4. Dezember, dem ersten Montag im Dezember 1978, am Eingang zur Entbindungsstation ab, als sie gerade ihre Nachtschicht von elf bis sieben Uhr morgens antreten wollte, und schickte sie nach Hause.

»Nachdem die Nachricht von der Vertauschung in der Presse gekommen war«, sagte Polly Rhodos, »kam jemand von der Krankenhausverwaltung zu mir nach Hause. Er war sehr aufgeregt. Man schärfte mir ein, kein Wort über den Vorfall zu verlieren. ›Polly, du sagst besser nichts. Sag ihnen einfach, du willst nicht darüber reden, und du wirst auch nicht reden.‹«

Ray Starr suchte weiterhin nach Informationen. Es gab gewöhnlich immer jemanden, der unter Druck nachgab.

Im März 1989 bekam er den Tip, auf den er gewartet hatte, von der örtlichen Polizeistation. Kathryn Drevermann, eine Nachtschicht-Angestellte bei der Schnellimbißkette Avon Park Circle K, behauptete, ihr sei ein Geständnis zu Ohren gekommen. Starr klopfte an ihre Tür und stellte sich vor. »Ich möchte mit Ihnen über die Vertauschung von zwei Babys sprechen«, sagte er und zeigte ihr seine Lizenz. »Kann ich hereinkommen?«

»Kommen Sie herein«, sagte sie, »ich habe Babys sehr gern, und wenn's um mich ginge, wollte ich mein Baby auch wiederhaben. Ich bin froh, wenn ich irgendwie helfen kann.«

»Mrs. Drevermann«, fragte Starr und schaltete sein Tonbandgerät ein, »wo waren Sie von August 1988 bis Januar 1989 angestellt?«

»Bei Circle K«, antwortete sie.

»Circle K, ein kleiner Laden für Lebensmittel des täglichen Bedarfs?«

»Ja, Sir, ein kleiner Imbiß.«

»Vor ungefähr einem Monat ist eine Kundin zu Ihnen gekommen. Können Sie mir von ihr erzählen?«

»Ja, Sir, sie war zu dieser Zeit die einzige Kundin. Sie kam herein und wollte ein Päckchen Zigaretten. Es war eine seltene Marke. Ich mußte in den Keller gehen und danach suchen. Und sie atmete sehr schwer.«

Privatdetektiv Starr: »War es eine bestimmte Marke?«

Mrs. Drevermann: »Ja, Sir, aber ich bin mir nicht mehr sicher, ob es Carleton oder irgendeine andere Marke war, die ich gewöhnlich nicht im Regal habe. Sie sagte, sie sei krank gewesen und solle eigentlich nicht Auto fahren, aber sie mußte unbedingt eine Zigarette rauchen.«

Privatdetektiv Starr: »Was hatte sie in dieser Nacht an?«

Mrs. Drevermann: »Sie hatte ihre Schwesterntracht und Hausschuhe an.«

Privatdetektiv Starr: »Um wieviel Uhr war das?«

Mrs. Drevermann: »Das muß so gegen halb zwölf oder zwölf Uhr gewesen sein.«

Privatdetektiv Starr: »Wieso erinnern Sie sich noch an die Zeit?«

Mrs. Drevermann: »Na, weil ich zu dieser Zeit immer saubermache.«

Privatdetektiv Starr: »Sie fangen mit dem Saubermachen an, wenn keine Kunden mehr kommen?«

Mrs. Drevermann: »Ja, Sir.«

Privatdetektiv Starr: »Können Sie die Dame beschreiben?«

Mrs. Drevermann: »Sie hatte dunkles Haar. Sie war so zwischen einssechzig und einsfünfundsechzig groß und wird ungefähr sechzig Kilo gewogen haben.«

Privatdetektiv Starr: »Sie sagen, ihr Haar war dunkel?«

Mrs. Drevermann: »Ja, Sir, sie hatte dunkles Haar. Sogar so dunkel, daß man fast sagen könnte: schwarz oder dunkelbraun.«

Privatdetektiv Starr: »Schien sie in guter geistiger Verfassung zu sein, vielleicht etwas nervös?«

Mrs. Drevermann: »Ja, Sir, es kam mir vor, als wolle sie sich irgendwas von der Seele reden, richtig nervös.«

Privatdetektiv Starr: »Machte sie auf Sie den Eindruck, als sei sie ein Fall für den Psychiater?«

Mrs. Drevermann: »Sie kam mir eher nervös und ruhelos vor.«

Privatdetektiv Starr: »Kann es sein, daß sie unter Tabletteneinfluß stand?«

Mrs. Drevermann: »Ja, Sir, es waren rezeptpflichtige Tabletten. Sie nahm ein Päckchen heraus, während sie mit mir sprach, und warf einen Blick darauf.«

Privatdetektiv Starr: »Also gut. Nachdem sie die Zigaretten gekauft hatte, rauchte sie. Wie rauchte sie?«

Mrs. Drevermann: »Sie rauchte Kette.«

Privatdetektiv Starr: »Worüber unterhielten sie sich? Soweit ich weiß, hat sie sich über eine Stunde mit Ihnen unterhalten?«

Mrs. Drevermann: »Ja, Sir, sie redete die ganze Zeit. Und dann kam sie irgendwie auf die vertauschten Babys zu sprechen.«

Privatdetektiv Starr: »Sie sprechen von den Babys der Twiggs und der Mays'. Verstehe ich das richtig?«

Mrs. Drevermann: »Ja, Sir.«

Privatdetektiv Starr: »Gut, was sagte sie ΙSο?«

Mrs. Drevermann: »Sie sagte . . . ähm . . . sie redete einfach nur davon, daß die Babys vertauscht wurden und daß man die Sache ihrer Meinung nach genausogut auf sich beruhen lassen könne. Sie sagte, wenn sie nun mal vertauscht worden seien, dann solle man die Kinder jetzt in Ruhe lassen. Sie sagte etwas von einer Untersuchung, die im Gange sei, und daß man sie auch hereinzitiert habe. Dann sagte sie, sie hätte damals die Anweisung bekommen, die Identifikationsbändchen dieser Babys zu vertauschen.

Privatdetektiv Starr: »Mit anderen Worten, das Band von dem Baby der Mays' mit dem Band von dem Baby der Twiggs zu vertauschen, das hat sie gemeint?«

Mrs. Drevermann: »Ja, Sir.«

Privatdetektiv Starr: »Hat sie sonst noch was gesagt?«

Mrs. Drevermann: »Sie sagte, es sei um Geld gegangen, aber sie wisse nicht, durch welche Hände das Geld geflossen und wie hoch die Summe gewesen sei.«

Privatdetektiv Starr: »Sie schien aber kein psychischer Fall zu sein, zum Beispiel eine Entlaufene aus einer Nervenheilanstalt, oder?«

Mrs. Drevermann: »Nein, Sir, ich hatte den Eindruck, daß sie nur jemanden suchte, bei dem sie ihr Herz ausschütten konnte. Beim Rauchen schien sie regelrecht nach Luft zu japsen. Und sie hat dauernd gehustet. Ihre Stimme klang belegt, als ob sie sich ständig räuspern müßte. Ich hatte ihr einen Aschenbecher auf die Theke gestellt, weil ich nicht viel zu tun hatte und mir klar war, daß sie noch eine Zeitlang drauflos erzählen würde.«

Privatdetektiv Starr: »Okay. Hat sie die Namen von irgendwelchen Ärzten erwähnt?«

Mrs. Drevermann: »Ja, Sir. Sie erwähnte des öfteren die Namen Palmer und Black – und noch einen anderen, aber an den kann ich mich nicht erinnern. Ich glaube, er fing mit S an. Ich hatte so was wie ›Sodority‹ oder so ähnlich im Ohr. Sie sagte, Dr. Palmer sei ein ziemlich guter Arzt gewesen und wenn er so etwas anordnete, dann gab's keine Fragen zu stellen.«

Privatdetektiv Starr: »Ich weiß, daß Sie keine Psychologin sind, aber hatten Sie das Gefühl, daß diese Frau unter Gewissensbissen litt?«

Mrs. Drevermann: »Es kam mir so vor, weil sie immer wieder betonte, da habe es nichts zu drehen und zu deuten gegeben.«

Privatdetektiv Starr: »Würden Sie diese Frau wiedererkennen, wenn Sie ihr begegnen würden?«

Mrs. Drevermann: »Ja, Sir.«

Privatdetektiv Starr: »Hat sie irgendwas davon gesagt, wo sie wohnt?«

Mrs. Drevermann: »Sie sagte so was wie: sie wohne nicht weit weg vom Imbiß. Eigentlich, sagte sie, sollte sie ja nicht so angezogen draußen herumlaufen, aber sie hätte unbedingt ein Päckchen Zigaretten gebraucht, und sie wohne ja auch nicht weit weg vom Imbiß.«

Privatdetektiv Starr: »Würden Sie ihre rechte Hand heben? Schwören Sie feierlich, Kathryn Ann Drevermann, daß die Informationen, die Sie mir heute gegeben haben, nach bestem Wissen und Gewissen der Wahrheit entsprechen?«

Mrs. Drevermann: »Ja, Sir, das schwöre ich.«

Privatdetektiv Starr: »Vielen Dank.«

Später identifizierte Kathryn Drevermann die Frau als Patsy Webb, eine Krankenpflegerin in der Babystation des Krankenhauses. Patsy bestreitet, jemals mit Kathryn Drevermann gesprochen zu haben.

25. KAPITEL

Der Weg in die Öffentlichkeit

Am 8. September 1988, dem Tag, an dem Barbara Coker-Mays vierzig Jahre alt geworden wäre, schlug Velma Coker die Zeitung auf und las, daß Ernest und Regina Twigg das Hardee Memorial Hospital auf einhundert Millionen Dollar verklagten, weil ihr gesundes Baby im Dezember 1978 mit einem kranken vertauscht worden war. Dem Artikel nach wurden in dieser Woche nur zwei weiße Babys geboren. Velma nahm den Telefonhörer ab. »Bob«, sagte sie, »da braut sich ein Sturm zusammen. Lies mal die Zeitung.«

Tatsächlich hatten die Journalisten Bob Mays bereits aufgespürt. Als er an die Tür kam, versprachen ihm die Reporter, sie würden weder seinen noch Kimberlys Namen verwenden. Das gefiel ihm. Er lächelte, bat sie herein und arbeitete mit ihnen zusammen. Privat stimmten alle Reporter darin überein, es sei eine Schande, daß ein so netter, freundlicher Bursche wie er und seine Tochter in so einen Schlamassel hineingezogen würden.

Zwei Wochen später entschloß sich Bob, an die Öffentlichkeit zu gehen. Er erzählte den Reportern, er habe Angst, daß Kimberly, wenn er es ihr nicht selbst erzählte, durch jemand anderen davon erfahren würde. »Ich habe es einfach satt, ständig mit einer Lüge zu leben, immer zu versuchen, sie vor den Reportern zu verstecken und mir Sorgen darüber zu machen, wer meine Tochter in der Schule oder auf dem Heimweg ansprechen könnte.« Dann berief er eine Pressekonferenz ein, um alle Welt wissen zu lassen, wer er und seine Tochter sind, und um klarzustellen, daß er »bis ans Ende seines Lebens« kämpfen werde, damit er Kimberly behalten könne, auch wenn ein Gentest beweisen sollte, daß er nicht der Vater sei.

»Es würde mir nichts ausmachen, wenn man ihre Ahnen bis nach Cabbage Patch zurückverfolgen würde«, sagte er, »ich bin ihr Vater. Sie ähnelt ihrer Mutter und ihrer Tante. Sie sieht aus wie sie und hat ihre Art. Sie wissen schon – ihr Benehmen, bestimmte Haltungen, bestimmte Körperbewegungen und ihre Beine.« Er lächelte. »Ihre Mutter hatte sehr bemerkenswerte Beine.«

Bob hatte sich, als er die Konferenz einberief, damit einverstanden erklärt, zu reden, aber seinen Namen wollte er nicht nennen. Trotz dieser Einschränkung zog Bobs Ankündigung aus dem ganzen Land scharenweise die Reporter an. Vor Bobs Eintreffen hatten zwei Fernsehteams eine heftige Auseinandersetzung darüber, wo sie in dem überfüllten Konferenzraum ihre Scheinwerfer aufbauen dürften. Der Streit wurde so schlimm, daß man den Eindruck haben konnte, sie würden jeden Moment anfangen, aufeinander einzuprügeln. Als Bob dann schließlich zu reden anfing, wurde es bei den Fernsehteams still, aber die Reporter riefen ihm aufgeregt zu, er solle in die Mikrophone hineinsprechen, bis er endlich deutlicher zu hören war.

»Als ich zum ersten Mal hörte, daß die Twiggs meine Tochter wollen, glaubte ich an einen makabren Scherz. Ich konnte nicht fassen, daß mir so etwas wirklich passierte. Anfangs dachte ich, ich könne Kimberly vor den kursierenden Gerüchten bewahren. Aber es wurde immer schwieriger. Das Telefon klingelte bis spät in die Nacht, und ständig klopfte ein Reporter an die Tür, um mir Fragen zu stellen. Kimberly fragte, warum sie nicht mehr draußen spielen durfte, wie sie es immer getan hatte.« Dann erzählte Bob den Presseleuten, daß er sich entschlossen habe, ihr alles zu sagen. »Ich holte Kimberly eines Tages von der Schule ab«, sagte er, »schenkte ihr Kaugummi mit Joghurtgeschmack und forderte sie auf, sich auf die Veranda zu setzen, damit wir uns unterhalten könnten. Es ist ja klar, wenn nicht ich, wer hätte ihr denn sagen sollen, daß ihre richtige Mutter gestorben ist, oder? Und dann habe ich ihr erklären müssen, daß meine zweite Frau und ich uns scheiden lassen. Die einzige Sicherheit, die ihr nach all diesen Geschichten blieb, war, daß ihr Daddy jederzeit für sie da wäre. Wir haben den Tod durchgestanden, wir haben die Scheidung durchgestanden, und jedesmal haben wir's gemeinsam geschafft: Aufgelehnt hat sie sich ein einziges Mal, und zwar, als sie dachte, sie müsse vielleicht wegziehen und die Tochter einer anderen Familie werden. Sie beruhigte sich, als ich ihr sagte, das wäre nicht der Fall. Sie war immer ein prima Kumpel.«

So wie Bob es erklärte, war die Frage, ob sie von ihm getrennt würde, das einzige, was Kimberly interessierte. Ansonsten, sagte er, mache ihr der ganze Rummel sogar Spaß. »Es ist etwas Neues und Aufregendes. Ich glaube, das amüsiert sie irgendwie ein bißchen. Er nannte Kimberly einen Spaßvogel, der gern im Mittelpunkt steht und in der Schule lauter Einser und Zweier bekommt.

Bob machte eine kleine Pause und ließ den Blick über die Schar von Reportern schweifen – wie im Film. »Was mich angeht, ich habe die gesamte Palette der Gefühle durchlebt, von Angst und Betroffenheit bis zum Humor«, sagte er. »Im Moment weiß ich nicht, was ich bei dieser Sache empfinden soll.« Nachdem er den Reportern gedankt und ihnen das Gefühl gegeben hatte, ein geradezu vorbildlicher Vater zu sein, fügte Bob noch hinzu, daß er und Kimberly ein typisches Florida-Leben führten: Sie führen oft mit dem Boot hinaus oder zum Skifahren nach Vail in Colorado, Kimberlys Lieblingsort.

An diesem Abend konnte sich Cindy, nachdem sie die Pressemeldung gelesen hatte, nicht mehr zurückhalten. Sie schlug alle guten Vorsätze in den Wind. Irgend etwas, vielleicht die Erinnerung an Vail, veranlaßte sie, den Hörer abzunehmen und Bob anzurufen. »Oh, Bob, es tut mir so leid«, sagte sie. »Kann ich dir irgendwie helfen?« Sie wäre in diesem Augenblick sogar ins Auto gesprungen und nach Sarasota gefahren – so überwältigt war sie.

»Danke, Kleines«, sagte er, »aber ich bin schon ein großer Junge, ich komme allein klar.« Dann legte er auf.

Am nächsten Morgen in der Schule scharten sich alle Kinder um Kimberly. Sie saß an ihrem Platz, ein bißchen verblüfft, aber glücklich.

»Wir wissen alle, daß Kimberly im Moment viel Aufmerksamkeit auf sich zieht«, sagte die Lehrerin, als sie ins Klassenzimmer kam. »Aber bitte, wenn ihr wirklich Freunde seid, laßt uns heute nicht den ganzen Tag so weitermachen. Seid nicht anders zu ihr als gestern.«

Währenddessen hatte Arthur Ginsberg, einer der bekanntesten Scheidungsanwälte in Sarasota, den Entschluß gefaßt, Bob beim Kampf um Kimberly zu helfen. »Es ist ein aufregender Fall«, sagte er. »Und Gott weiß, wie phantastisch er noch werden wird.« Der kleine, grauhaarige Anwalt, der vom Körperbau her immer ein bißchen an einen Hydranten erinnerte, fügte hinzu: »Ich für meine Person will mit und für Kimberly dafür einstehen, daß sie bei ihrem Daddy bleiben kann.« Ginsberg, der schon in vielen Scheidungsfällen bekannte Experten zu Rate gezogen hatte, begann eilig Zeugen vor Gericht zu laden. Zwei der Experten, die er berief, Dr. Albert J. Solnit, Professor für Kinderkrankheiten und Psychiatrie an der Yale-Universität, und Dr. Joseph Goldstein, Professor an der Rechtsakademie in Yale und am Kinderforschungscenter der Yale-Universität – stimmten ihm zu, daß Kimberlys psychischer Zustand und ihre Ausgeglichenheit gestört werden könnten, wenn sie einen Gentest machen ließe.

Goldstein, der Studien an jüdischen Kindern betrieben hatte, die während des Holocaust von ihren Eltern getrennt worden waren, schrieb: »Wenn Sie ein zehnjähriges Kind wären, würden Sie es dann verstehen, warum Sie ihre liebevollen Eltern verlieren sollen, weil die Gesetze der Erwachsenen es so vorschreiben?«

Dr. Lee Salk, Professor für Psychiatrie und Kinderkrankheiten am New York Hospital beziehungsweise am Cornell Medical Center, wurde ebenfalls engagiert. »Man sollte Kimberly nicht die Angst einjagen, sie könne ihren Vater verlieren«, sagte er. »Wenn Mr. Und Mrs. Twigg wirklich Interesse an dem Kind hätten und es lieben würden, müßte ihnen ihr Herz sagen, daß sie Kimberly besser in Ruhe und weiterhin ihr normales Leben führen ließen.«

Nachdem Bob einmal die Gunst der Stunde für sich genutzt hatte, entwickelte das Ganze immer mehr Eigenleben – wie ein Schneeball, der den Berg hinunterrollt. »Wenn man ein Kind wirklich liebt, riskiert man nicht, einfach in sein Leben einzubrechen und womöglich bei ihm wegen des einen oder anderen biologischen Aspekts ein traumatisches Erlebnis auszulösen«, sagte Dr. William Hafling, ein Psychologe aus St. Petersburg. Bald zogen alle Anwälte Psychologen zu Rate, und der Wirbel, den die Sache in der Öffentlichkeit machte, wurde immer größer.

Cynthia Green, die gewählte Präsidentin des Vereins für Familienrechtsfragen in Florida, goß zusätzlich Öl ins Feuer: »Das Gesetz geht davon aus, daß die leiblichen Eltern die besten Erzieher sind. Aber: Es sollte auch nicht bei ungeeigneten Eltern leben. Wenn es dem Kind etwas ausmacht, von Bob Mays weggenommen zu werden, und wenn das ein schweres psychisches Trauma auslösen kann, dann sind die Twiggs als ungeeignet zu bezeichnen.«

Das Bild des einsamen Alleinerziehenden gewann die Sympathie der Öffentlichkeit. Nach den Worten der *St. Petersburg Times* war Barbaras Tod für Mays niederschmetternd gewesen. Bob selbst fügte dem hinzu: »Das einzige, was mich aufrecht hielt, war die Tatsache, daß ich Kimberly hatte. Ich mußte wieder auf die Beine kommen, weil es dieses Leben gab, für das ich verantwortlich war.«

Der Richter Andy Owens, der beauftragt wurde, diesem noch nie dagewesenen Fall vorzustehen, wurde als »Salomon von Sarasota« betitelt, weil jeder der Meinung war, er habe eine sehr schwere Aufgabe.

Journalisten und Zuschauer flüsterten nervös, dann wurde es schlagartig still, und der einsachtzig große, frühere Basketballspieler an der Universität von Florida betrat den Gerichtssaal. Es war der 2. Dezember 1988. Er trug eine schwarze Robe anstelle eines orangefarbenen oder blauen Trikots, und er wurde nicht von einer johlenden Zuschauermenge, sondern mit gebührendem Respekt empfangen. Doch für die Leute war er immer noch ein Star. »Guten Morgen, Hohes Gericht«, begrüßte ihn der Anwalt. Owens nickte und lächelte.

Der Mann, der zwei Jahrzehnte lang in ganz Amerika einer der Helden auf dem Spielfeld gewesen war, stand immer noch im Ruf, in schwierigen Situationen ruhig zu bleiben. »Ich habe eine salomonische Entscheidung zu treffen, ohne daß mir König Salomons Weisheit gegeben wäre«, sagte Owens den Reportern, bevor er in den Gerichtssaal ging. »Also zehre ich von dem, was ich als Sportler gelernt habe. So wie ich die Fans ignoriert habe, wenn ich auf den Korb zielen mußte, muß ich das Drumherum um diesen seltsamen Streitfall seit Baby M., nämlich die Gefühle und das theatralische Getue, beiseite schieben. Viele Dinge dürfen einfach nicht beachtet werden, damit wir den Kernpunkt, das Herz der Sache, treffen«, erklärte er.

Owens hatte bei allem, was er tat, Unabhängigkeit und Können bewiesen. Als er noch Teenager an der Hillsborough-High-School in Seminole Heights, einem Vorort von Tampa, gewesen war, hatte er sich als »sensationelle Bohnenstange« im Basketball-Team einen Ruf verschafft. Fünfundfünfzig Colleges und Universitäten wählten ihn aus und boten ihm Stipendien an. Beim Vordiplom seines Studiums der Finanzwissenschaften an der Universität von Florida hatte er mit einer der besten Durchschnittsquoten von allen Ballspielern sämtlicher Colleges abgeschnitten. Nach seinem Diplom nahm er ein weiteres Universitätsstipendium an und schrieb sich an der Rechtsakademie der Universität von Florida ein. Dort konnte man ihn oft auf seiner Triumph vorfahren sehen – er fuhr ein 650er Motorrad und war sehr gesellig. Eine Zeitlang wurden seine Noten schlechter, aber er lernte intensiv und arbeitete sich ins erste Drittel der Klasse vor. 1983 wurde er für einen Zeitraum von zwei Jahren als Kreisrichter nach Sarasota berufen. Er wurde bekannt als guter Richter, sehr lebhaft, überaus unabhängig, sehr witzig und manchmal etwas respektlos. Aber Owens ging den Fall mit äußerster Ernsthaftigkeit an. »Ich muß aufmerksam den rechtlichen Argumenten zuhören und meine Entscheidung unter dem Aspekt fällen, was das beste für Kimberly ist«, sagte er.

Am 2. Dezember 1988 hörte Owens konzentriert zu, als Ginsberg versuchte, einen Gentest an Kimberly abzuwenden. »Sie will die Twiggs nicht sehen. Sie will nicht, daß ihr Blut abgenommen wird. Sie will keinen Gentest. Sie will in Ruhe gelassen werden. Meinem Klienten ist es egal, wessen Kind sie ist, er will sie einfach nur weiterhin großziehen dürfen.«

Als es so aussah, als ließe Owens sich von Ginsbergs Worten nicht beeindrucken, schlug Ginsberg ein Treffen zwischen den Twiggs und Bob Mays vor – beide wohnten der Verhandlung nicht bei –, damit »die Twiggs sehen können, was für ein einfühlsamer, ehrlicher und wundervoller Vater er ist«.

John Blakely stand auf. »Meine Klienten wären froh, Mr. Mays kennenzulernen«, sagte er, »wenn er anerkennt, daß Kimberly wirklich das Kind von Mr. und Mrs. Twigg ist.«

»Einen Moment«, unterbrach in Ginsberg. »Ich möchte jetzt auf der Stelle wissen, was die Twiggs zu tun beabsichtigen, wenn sie beweisen können, daß Kimberly ihr Kind ist?«

»Die Twiggs müßten gar nichts tun«, antwortete Blakely ruhig. »Weil schon, ehe es überhaupt Gesetze gab, das Recht der natürlichen Eltern anerkannt wurde, ihr Kind aufzuziehen. Ich verstehe das Gesetz so, daß meine Klienten nicht das Gericht um das Sorgerecht bitten müssen, wenn sie die leiblichen Eltern sind. Mr. Mays wird es dann auf sich nehmen müssen, um das Sorgerecht zu kämpfen.«

Ginsberg stellte den Antrag, den Punkt fallenzulassen. Owens lehnte ab und ermächtigte Blakely, einige der in ihrem Verhalten umstrittenen Ärzte und Schwestern des Hardee Memorial Hospitals vorzuladen. Dann schüttelte er nur noch den Kopf und sagte mit sorgenvollem Blick, wie zu sich selbst:

»Salomon soll darüber nachdenken, außer ihm wüßte ich niemanden.«

In einem Stegreifinterview mit Reportern vor dem Gerichtssaal legte Blakely die Position seiner Klienten dar. »Natürlich werden die Twiggs sorgsam abwägen, was das beste für das Kind sein wird und welche Änderungen gegebenenfalls vollzogen werden sollen. Ich habe gerade Krankenhausberichte erhalten, die beweisen, daß das Baby, das Barbara Coker-Mays zur Welt gebracht hat, schwach war, nur geringe Blutzirkulation und blaue Arme und Beine hatte – und die Blutgruppe B, genau wie Arlena. Ich werde wieder vor Gericht ziehen, um es aufgrund dieser Berichte und der Ergebnisse der Anhörungen, die ich durchführen werde, zu ersuchen, einen Gentest anzuordnen.«

Am nächsten Morgen berief Bob Mays ad hoc eine eigene Pressekonferenz ein. »Ich kann mich nicht erinnern, daß mein Kind als Baby blaue Haut hatte«, sagte er gedehnt, »und ich bin sicher, daß ich mich daran erinnern würde, wenn jemand gesagt hätte, sie habe eine bläuliche Gesichtsfarbe. Ich glaube, Mrs. Twigg hat den Satz geprägt ›Man kann Liebe nicht einfach auf- und zudrehen wie einen Wasserhahn‹. Dieses Kind gehört mir. Ob es genetisch oder biologisch mein Kind ist, das ist nicht die entscheidende Frage. Das einzig Entscheidende ist, was für Kimberly das beste ist. Und das kann nur der gegenwärtige Zustand sein, irgend etwas anderes kann ich mir nicht vorstellen. Als Vater empfinde ich es im höchsten Maße bedrohlich, daß diese Leute ihre Forderungen immer weiter verfolgen. Wir haben sechs der besten Leute auf der Welt, die sagen: ›Machen Sie das nicht, hören Sie auf. Wie sehr müssen wir dem Kind noch weh tun, bevor Schluß damit ist?‹« Er machte ein kleine Pause, sein Gesicht verzog sich vor Wut, aber er hatte sich unter Kontrolle. »Ich will, daß die Twiggs Kimberly in Ruhe lassen. Sie kann nicht verstehen, warum ihr jemand so etwas antun will.«

Nach der Pressekonferenz gestand Bob einigen Reportern, daß es nachts am schlimmsten für ihn sei. »Tagsüber«, erklärte er, »haben wir nicht viel Zeit für unsere Ängste. Kimberly ist mit Hausaufgaben beschäftigt, fährt mit dem Fahrrad oder fummelt an ihren falschen Fingernägeln herum. Ich muß arbeiten. Ich habe aber gleitende Arbeitszeit«, fügte er hinzu, »dadurch kann ich viel Zeit mit Kimberly verbringen, kochen, Boot fahren und ihr bei den Hausaufgaben helfen.«

»Aber in der Nacht«, sagte Bob, »wenn Kimberly im Bett liegt, kann ich oft nicht schlafen. Ich denke daran, wie sie jeden Tag nach der Schule zur Tür hereinstürmt und irgendwas zur Begrüßung vor sich hin trällert. Wenn sie mir weggenommen wird«, sagte er der *St. Petersburger Times*, »werden mich solche Erinnerungen umbringen. Ich werde sie mein Leben lang um zwei Uhr nachmittags sagen hören: ›Ich bin zu Hause, Daddy.‹«

26. KAPITEL

Sammeln von Beweisen

Privatdetektiv Ray Starr hatte das herrschaftliche Zehn-Morgen-Grundstück fast den ganzen Tag beobachtet. Er hatte einen überdachten Swimmingpool und eine baumbestandene Sitzecke ausgemacht. Hier lohnte es sich, sein Geld anzulegen, dachte er. Der Verkaufspreis lag gewöhnlich um die achtzigtausend Dollar, die Instandhaltungskosten betrugen hundertvier Dollar im Monat.

Starr fuhr nach Westen weiter und hielt in der Nähe der Hausnummer 104, wo Robert Mays und seine neue Freundin, Darlena Sousa, seit August 1988 zusammenlebten. Starrs schnelle Nachforschungen hatten ergeben, daß sie die unlängst geschiedene, zweiunddreißigjährige Präsidentin einer Vertragsfirma für Maschinen war. Er schaltete den Motor ab und wartete. Er überlegte sich, wer wohl zuerst auftauchen würde. Wahrscheinlich sie, dachte er.

Etwa um Viertel nach zwei sah er ein kleines, einsdreißig großes Mädchen, ungefähr fünfundvierzig Kilo schwer, mit schulterlangem blondem Haar. Sie war von der Bushaltestelle aus ein Stück des Wegs mit anderen Kindern gegangen. Nun winkte sie zum Abschied, nahm ihren Schlüssel aus der Schultasche und machte sich selbst die Tür zum Haus Nr. 104 auf. Um halb sechs kam sie noch einmal heraus, stieg auf ein pinkfarbenes Fahrrad und fuhr zum Zayre-Einkaufscenter. Ungefähr um sechs kam sie mit einer kleinen Papiertüte im Arm aus einem Supermarkt. Dann fuhr sie wieder nach Hause, nahm ihren Schlüssel heraus und schloß sich selbst auf. Sie kam Starr irgendwie einsam vor. Um halb sieben war Robert Mays immer noch nicht zu Hause.

27. KAPITEL

Cindys Kampf

Cindy hatte keine Ruhe mehr, seit sie die Titelstory der *Orlando Sentinel* gelesen hatte: »Kein Wort mehr von dem Gentest, sonst behält Kimberly ein Trauma zurück. Von Geburt an kannte Kimberly, ein Einzelkind, keinen anderen Vater als Mr. Mays. Zehn Jahre lang haben Mr. Mays und Kimberly in Liebe und Vertrauen miteinander gelebt. Ganz eindeutig offenbart diese Bande eine aufrichtige Vater-Tochter-Beziehung, ungeachtet der biologischen Gegebenheiten. Kimberly ist ein menschliches Wesen, keine Pflanze und kein Haustier, das von Haushalt zu Haushalt weitergereicht werden kann und von dem man erwartet, daß es sich anpaßt. Kimberly Mays verdient es, wieder zu ihrem ruhigen Leben zurückzufinden, das sie glücklich mit dem einzigen Vater, den sie je hatte, geführt hat.«

Als Cindy den Artikel zu Ende gelesen hatte, weinte sie. Am nächsten Tag stand wieder etwas Neues in der Zeitung. »Kimberlys Mutter starb an Krebs«, hieß es dort. »Fast ihr ganzes Leben lang hat sie mit ihrem Vater verbracht, nur sie beide. Die Unantastbarkeit dieser Zweipersonenfamilie und der Schutz der zehnjährigen Kimberly haben in diesem Fall überragende Bedeutung. Wenn bewiesen wird, daß ihnen durch Verschulden des Hardee Memorial Hospitals ihr Kind weggenommen wurde, steht den Twiggs für das, was sie durchgemacht haben, eine Entschädigung durch das Krankenhaus zu. Aber wie auch immer: Kimberly steht ihnen nicht zu, sogar dann nicht, wenn die Gentests beweisen, daß sie ihre leibliche Tochter ist. Es gibt etwas Ähnliches wie einen Test, und dadurch wird belegt, daß Kimberly Robert Mays' Tochter ist – die

Tochter des Mannes, der sie zehn Jahre lang beschützt, sie versorgt, ihr alles beigebracht hat und sie liebt.«

»Mist«, sagte Cindy sich und goß sich erst mal eine Tasse Kaffee auf. Dann rief sie ihren Vater an und sagte ihm, sie wolle mit der Presse reden.

»Mach das nicht, Cindy«, sagte er. »Du weißt doch, was Dr. Groff dir gesagt hat. Diese Dinge gehen dich nichts an. Du mußt dein eigenes Leben leben. Misch dich da nicht ein; du mußt dich um Ashlee kümmern. Und wenn jemand zu dir kommt, sprich nicht mit ihm.«

»Mach dir keine Sorgen, Daddy«, sagte Cindy und weinte wieder. »Es weiß ja noch nicht mal jemand, daß es mich gibt.«

Niemand rief schneller bei ihr an als Bobs Anwalt, nachdem diese Dinge publik geworden waren. »Ich habe gehört, daß Sie Kimberlys Babybuch und ein paar Fotos besitzen. Wir schicken morgen jemanden vorbei, der die Sachen abholt«, sagte er.

Am nächsten Tag kam eine Rechtsgehilfin und fragte nach dem Babybuch und anderen Geburtsdokumenten, die es in dem Haus gab. »Ich möchte die Sachen behalten«, sagte Cindy, »sie sind alles, was mir von Kimberly geblieben ist.«

»Lassen Sie mich nur einen Blick darauf werfen«, sagte die Frau. Cindy holte das Babybuch, und sie setzten sich draußen auf die Stufen und sahen es durch, damit Ashlee es nicht bemerkte. Die Frau überflog die Seiten, die mit der Liste der Babygeschenke und die mit der Beschriftung »Erster Geburtstag«, bis sie an einer Seite innehielt, auf der stand: »Wer war die andere Mutter, die dich im Krankenhaus bei sich gehabt hat?«, und darunter in Barbaras Schrift »Mrs. Twigg«. Cindy erkannte am Gesichtsausdruck der Frau, welche Bedeutung es haben könnte, daß Barbara Regina gekannt hatte. Aber was sie magisch anzog, war ein winziges Armband, das auf der Buchklappe des Babybuches befestigt worden war. Das und ein Foto des Babys, das man durch das Sichtfenster des Babyschlafraums aufgenommen hatte.

»Ich sehe nicht ein, wozu Sie das Buch brauchen«, sagte Cindy. »Es hat Bob früher nie etwas bedeutet.«

»Ich kann es beschlagnahmen«, gab die Frau zurück.

»Verschwinden Sie«, sagte Cindy und fühlte sich selbst ekelhaft dabei. Sie hatte sich in letzter Zeit so wenig im Griff, daß es ihr widerwärtig war, dermaßen die Beherrschung zu verlieren.

»Ich sag Ihnen mal was, Mrs. Mays«, sagte die Frau und lächelte. »Das einzige, was ich wirklich brauche, ist das Armband und das Babyfoto. Wenn Sie mich das einfach mitnehmen lassen, können Sie das Buch behalten.« Cindy sah sich das Foto an. »Das ist komisch«, dachte sie, »es sieht gar nicht aus wie Kimberly.« Cindy zögerte. »Ich bringe es zurück«, versprach die Frau. »Ich brauche es nur fürs Gericht, dann bringe ich es zurück.«

Cindy spürte einen dumpfen Schmerz im Hinterkopf. Vielleicht war es überhaupt nicht Kimberly, dachte sie. Vielleicht war es das andere Baby. Es wurde ihr bewußt, daß sie wirklich gern mal ausgegangen wäre und sich amüsiert hätte, vielleicht ein bißchen tanzen und das alles hier zurücklassen. Was änderte das jetzt schon noch? Plötzlich hatte sie das Gefühl, es sei die Spucke nicht wert, länger darüber zu diskutieren. Sie wollte Kimberly, nicht das Armband, nicht das Foto. Sie hatte draußen in der Scheune eine ganze Kiste mit Fotos und brachte es nicht über sich, sie anzusehen. »Sie haben gewonnen«, sagte sie und versuchte, den wilden Schmerz zu unterdrücken, der in ihr aufstieg. Sie machte dieser Zusammenkunft besser ein Ende, weil sie sonst jeden Moment angefangen hätte, zu weinen oder Dinge zu sagen, die sie besser nicht sagte.

»Danke, Mrs. Mays«, sagte die Rechtsgehilfin. Dann sahen sie sich einen Moment lang an. Danach fuhr die Frau weg.

REGINA TWIGG ERZÄHLT:

Die meisten Leute trauten sich nicht zuzugeben, daß sie mich kannten oder mich zu Hause besuchten. Gelegentlich fragte einer von unseren Bekannten, wie es denn so liefe, und sagte mir ein paar aufmunternde Worte. Und manchmal begegnete ich wildfremden Menschen auf der Straße, die etwas zu mir sagten wie: »Sind Sie Mrs. Twigg? Sie sind niemandem Rechenschaft schuldig. Man ist Ihnen etwas schuldig.«

Es gab aber auch Leute, die auf mich zukamen und, zum Beispiel, sagten: »Bringen Sie das Kind doch nicht ganz durcheinander.« Ich erwiderte dann: »Wenn jemand Ihr Kind ohne Ihre Zustimmung weggenommen und weggegeben hätte, würden Sie das einfach so hinnehmen?« Nach einiger Zeit weigerte ich mich, überhaupt zu antworten.

Manche sagten: »Sie hatten Arlena doch neuneinhalb Jahre lang. Sie sollten lieber dankbar sein für so eine lange Zeit. Lassen Sie doch Kimberly in Ruhe. Sie können Arlena sowieso nicht durch Kimberly ersetzen.« Wir wußten selbst sehr gut, daß man ein Kind nicht ersetzen kann. Wir hatten Vivia verloren und haben sie nie durch ein anderes von unseren Kindern ersetzt. Und wir haben niemals auch nur gehofft, wir könnten Arlena durch Kimberly ersetzen. Kein Kind könnte jemals Arlena ersetzen, auch wenn ich noch zehn weitere Kinder bekommen hätte.

Aber es gab auch kein Kind, das Kimberly ersetzen konnte. Sie war unser Fleisch und Blut. Sie ist die Schwester unserer Kinder. Wir wollten an ihrem Leben teilhaben, und ihre Brüder und Schwestern auch.

Für die Kinder war es immer noch eine schwierige Zeit. Denn gerade jetzt, als sie die schlimmste Phase des Verlustes von Arlena durchmachten und mit meiner und ihrer eigenen Verzweiflung fertig werden mußten, starrten uns die Reporter ins Fenster, und unsere Familie wurde lächerlich gemacht. Wir bekamen haßerfüllte Briefe. Die Presse hatte alle gegen uns aufgehetzt. Ich dachte, es sei die normalste Sache der Welt, daß wir uns fragten, wie es zu dieser Vertauschung kommen konnte. Immerhin hatten Bob und Barbara Mays ihr Baby vier Tage lang gehabt, bevor sie meins bekommen hatten. Sie hatten ein Motiv, wir nicht. Als wir diese Frage stellten, begannen die Medien in Florida eine wilde Hetzjagd auf uns. »Wie können es die Twiggs, Yankees aus Sebring, wagen, diesen Mann so etwas zu fragen? Wie können sie es wagen, diesen Mann aus Sarasota so in die Enge zu treiben? Wie soll er sich wehren?« Die Medien gingen davon aus, daß wir in Schach gehalten werden müßten, ohne zu wissen, ob er unschuldig war oder nicht, ohne zu wissen, was für ein Vater er war. Lange Zeit wichen wir allem aus, was mit der Sorgerechtsklage zu tun hatte, und sagten: »Wartet erst mal, bis der Gentest gemacht worden ist. Dann, wenn wir mehr wissen, können wir eine Entscheidung über das Sorgerecht treffen.«

Aber die Medien in Florida schrieben weiterhin Monat für Monat, wie die Twiggs ums Sorgerecht kämpften und wie sie die arme kleine Kimberly dem einzig wahren Vater entrissen, den es für das Kind jemals gegeben hatte. Sie machten aus uns die Buhmänner und aus Robert Mays den Helden.

28. KAPITEL

Das Foto

Die Leute konnten nicht verstehen, wieso jemand, auch wenn es um sein eigenes Fleisch und Blut ging, ein Kind haben wollte, das zehn Jahre lang einen anderen Mann Daddy genannt hatte. Sie waren wütend darüber und wurden feindselig.

Will hatte es nie leicht in der Schule gehabt. Die Kinder sagten, er habe einen zu großen Kopf und seine Augen guckten nicht richtig. Er war ein sehr liebes Kind, sehr umgänglich. Und jetzt, da all diese Artikel über die Vertauschung in den Zeitungen erschienen, war er für die anderen ein gefundenes Fressen. Die Kinder hänselten ihn wegen Kimberly, schlugen ihn im Bus zusammen und trampelten auf ihm herum. Nicht nur einmal mußte er einen Hieb in den Magen einstecken. Er kam nach Hause und trommelte mit den Fäusten auf den Tisch. »Ich wär auch lieber nicht mehr da, wie Arlena«, sagte er und weinte. Regina rief in der Schule an und redete mit dem Rektor, aber es änderte sich nichts. Sie rief noch mal an. »Das muß aufhören«, sagte sie. »Es täte mir leid, wenn ich mich an eine höhere Stelle wenden müßte, an die Stadtverwaltung oder das Kreisamt.«

Danach war der Rektor sehr hilfsbereit, ebenso die Lehrer. Aber es gab ein Kind, das Will immer noch Tritte versetzte. Nachdem Will das ungefähr eine Woche lang ertragen hatte, drehte er sich um und trat heftig zurück. Der Lehrer tat so, als sei nichts passiert. Das war das richtige Mittel gewesen. Das Hänseln und Terrorisieren hatte ein Ende – alles wurde anders. Einige Kinder sagten zu Will, es täte ihnen leid, was mit seiner Schwester passiert sei. Sie wollten sich mit ihm anfreunden.

Daß es ein paar Kinder gab, die sich ihm gegenüber freundlich verhielten, war eine große Hilfe.

Irisa trat einem Fitneßclub bei, in der Hoffnung, ihre Ängste und ihre Wut abzureagieren, aber als die Empfangsdame ihren Namen auf der Liste sah, sagte sie: »Oh, Twigg – da weiß ich ja, wer Sie sind«, und schleuderte ihr die Karte wieder hin.

»Mein Gott, Mom, alle tun so, als hätten wir die Pest und als müßten sie Angst haben, mit jemandem wie uns in Berührung zu kommen«, sagte Normia. »Es tut uns auch weh, wir sind auch Menschen, und wir wollen unsere Schwester. Nur weil wir schon zu siebt sind, wird unser Schmerz nicht kleiner. Warum erwarten sie von uns, daß wir so tun, als wäre unsere Schwester, unser eigenes Fleisch und Blut, für uns gestorben? Unsere Schwester ist irgendwo da draußen, und wir dürfen nichts von ihr wissen.«

Regina war traurig. Was die Kinder durchmachen mußten, machte sie so fertig, daß sie in Erwägung zog, die Klage fallenzulassen. Was allerdings nicht möglich gewesen wäre – auch wenn sie es gewollt hätte. »Du gibst nicht auf, du gibst nicht auf«, sagten die Kinder wie aus einem Munde. »Du wirst weiterkämpfen, Mom. Arlena hätte nicht gewollt, daß du aufgibst.«

Ein paar Tage später brachten alle Zeitungen des Landes ein Foto von Kimberly Mays. Sie hatte einen Regenschirm in der Hand und lächelte. Ernest und Regina sahen das Bild des kleinen Mädchens, von dem sie schon so oft geträumt hatten, und wußten sofort, daß sie ihre Tochter gefunden hatten. In ihren Träumen war das Gesicht immer unscharf gewesen. Aber jetzt, so plötzlich, war der Anblick des Kindes – ein kleines Mädchen aus Fleisch und Blut, lächelnd, und Regina wie aus dem Gesicht geschnitten – ein solcher Schock für sie, daß keiner von ihnen in der Nacht ein Auge zutun konnte.

Bob Mays redete vor der Presse immer noch davon, daß die Twiggs – auch wenn der Bluttest bewies, daß Kimberly ihre Tochter sei – kein Recht hätten, sich mit Kimberly zu treffen, bevor sie achtzehn würde. Aber jetzt war sich Regina ihrer

Sache sicher. Sie wußte, daß sie nicht aufgeben konnte. Sie entschloß sich nun tatsächlich, wieder zurück nach Florida zu ziehen, um näher bei Kimberly zu sein und weiterzukämpfen.

5. TEIL

Familiäre Angelegenheiten

Neben mir
in dieser verlorenen Menge
steht ein Mann,
der schwört,
er sei nicht verantwortlich.
Den ganzen Tag
höre ich ihn rufen.
Lauthals
schreit er es hinaus: auch er sei
Zwängen unterworfen.

Bob Dylan
»I Shall Be Released«

29. KAPITEL

Schwestern und Ärzte

Diana Tinsley-Smith, eine Schwester, die Dienst gehabt hatte, als Regina das Kind zur Welt brachte, saß an dem langen, weißen Tisch und warf nervöse Blicke hinüber zu John Blakely, dann zu Regina Twigg. »Ja, ich erinnere mich an Barbara«, gab sie zu. »Ich erinnere mich, daß ich mich um Barbara gekümmert habe.«

»Ich nehme an, daß Sie sich während der vierzehn Jahre, die Sie Krankenschwester sind, um Hunderte, wenn nicht Tausende von Leuten gekümmert haben. Stimmt das nicht?« fragte Blakely.

»Ja, das stimmt schon«, antwortete Diana Smith.

»Wie kommt es dann, daß Sie sich an Barbara erinnern?«

»Na ja«, wich sie aus, »ich kannte ihre Mutter und hatte auch von Barbara gehört.«

»Sie kannten ihre Mutter?«

»Mhm – ja.«

»Wie heißt ihre Mutter?«

»Velma Coker.«

»Wissen Sie irgendwas Genaues? Erinnern Sie sich im Zusammenhang mit Barbaras Krankenhausaufenthalt exakt an Einzelheiten?«

»Nein«, sagte Mrs. Smith.

»Hatten Sie sie schon mal gesehen? Hatten Sie sie schon mal getroffen, bevor sie 1978 zur Geburt ins Krankenhaus kam?«

»Ja, ich war ihr schon vorher begegnet«, bestätigte Mrs. Smith.

»Also wußten Sie, daß sie es war.«

»Ja.«

Blakely warf einen Blick auf seine Notizen. Dann wies er darauf hin, daß Diana Smith das Formular unterschrieben hatte, das besagte, Arlena sei ihrer rechtmäßigen Mutter übergeben worden.

»Mr. Blakely, ich unterschreibe kein Schriftstück, wenn ich eine Sache nicht persönlich erledigt habe«, sagte sie. »Meine Unterschrift da besagt, daß ich das Baby mit dem Identifikationsband 1059 der Mutter, Regina Twigg, übergeben habe. Sie hat das Baby erhalten, es genau angesehen und bestätigt, daß es ihr Baby ist. Ich habe das Band vor ihren Augen abgeschnitten, nachdem ich mich davon überzeugt hatte, daß es dieselbe Nummer war, die sie auf ihrem Band hatte. Dann habe ich eines der Bänder auf dem Protokoll befestigt.«

»Okay«, sagte Blakely und kam auf ein anderes heikles Thema zu sprechen. »Auf Seite zwölf, unter ›Ärztliche Anweisungen‹, kann man, glaube ich, die Stelle finden, wo Dr. Sedaros um acht Uhr dreißig einen Test des Sauerstoffgehaltes im Blut anordnet. Habe ich das richtig gelesen?«

»Ja, Sir, Sauerstoffgehalt im Blut, das ist richtig«, antwortete Diana Smith.

»Ist der darauffolgende Eintrag von Ihnen, Mrs. Smith? Ist das Ihre Schrift?«

»Ja, das ist richtig.«

»Dort wo ›Sauerstofftest unterlassen‹ steht, ist das Ihre Schrift?«

»Ja, Sir.«

»Und Sie haben dies für Dr. Palmer unterschrieben?«

»Das stimmt«, wiederholte Diana Smith. »Er gab mir den mündlichen Auftrag; ich habe das gemäß seinen Anordnungen geschrieben.«

»Mrs. Smith«, fragte Blakely scharf. »Wissen Sie, warum entschieden wurde, daß der Test auf Sauerstoffgehalt im Blut unterlassen wurde?«

»Das weiß ich nicht. Ich kann mich nicht erinnern.«

»Wissen Sie, warum er Sie bat, das Baby in seinen Ordinationsbereich verlegen zu lassen?«

»Nein, das weiß ich nicht. Ich habe das so geschrieben, wie er es mir aufgetragen hat«, antwortete Diana Smith.

»Ich glaube, ich erkenne Ihre Unterschrift hier unten – es geht um die Schicht am 5. Dezember von sieben bis fünfzehn Uhr, und es scheint so, als hätten Sie an diesem Tag das Gewicht des Kindes nicht eingetragen.«

Diana Smith las zunächst die Stelle im Protokoll nach, dann sah sie wieder Blakely an. »Da ist kein Gewicht eingetragen, Sir.«

»Warum nicht?« fragte er. »Ich meine, könnten Sie mir erklären, warum Sie das Kind an diesem Tag nicht gewogen haben?«

»Nein, Sir, ich erinnere mich nicht«, stotterte sie. »Vielleicht war es so eine Sache, die einfach verschlampt wurde. Sie wissen schon. Es könnte auch sein, daß Mutter und Kind schon verlegt worden waren . . . Sie wissen schon. Aber die Gewichtsangabe wurde vorher, wie das so ist, nicht mehr dem Protokoll hinzugefügt.«

Blakely sah sie lange und schonungslos an. »Sie würden also zugeben, das Kind *hätte* eigentlich gewogen werden sollen und das Gewicht hätte notiert werden sollen«, beharrte er.

»Ja, Sir«, antwortete sie.

Als nächste Zeugin wurde die Schwester Dena Spieth aufgerufen. »Wie alt sind Sie?« fragte John Blakely.

Sie zögerte und kicherte dann nervös. »Ich wollte gerade achtundsiebzig sagen, aber ich bin sechsundsiebzig. Meine Schwiegermutter ist achtundsiebzig. Daran sehen Sie, daß ich so meine Probleme habe.«

Dena Spieth plapperte weiter drauflos. Sie erzählte von ihrer Ehe, ihrer Scheidung, ihren Kindern. Sie erzählte Blakely sogar, daß ihre frühere Schwiegermutter immer noch ihre beste Freundin sei.

Er lächelte verständnisvoll und fragte sie dann, ob sie sich erinnern könne, daß schon jemals ein Identifikationsband ganz von selbst vom Arm eines Babys gerutscht sei.

»Nach meiner Erinnerung ist es einmal passiert, aber nicht

beide Bänder. Wir haben es am Fußende des Kinderkörbchens befestigt. Ich habe mir den Kopf darüber zerbrochen, aber ich kann mich nur an das eine Mal erinnern.«

»Mrs. Spieth, kennen Sie jemanden aus der Familie Mays?«

»Ich wußte gar nicht, daß ich die Familie kannte«, sagte Dena Spieth. »Aber jetzt habe ich entdeckt, daß ich Mrs. Mays' Bruder, Larry Coker, doch kenne. Ich kannte erst seine Frau Carolyn, die in unsere Kirche ging.«

»Gut. Was ist mit Regina Twigg? Sie sitzt heute hier im Raum.«

»Ich weiß«, sagte Dena Spieth, sah flüchtig zu Regina hinüber und schaute dann weg.

»Erkennen Sie sie wieder?«

»Nein, wirklich nicht, außer von den Bildern in der Zeitung.«

Blakely wandte seine Aufmerksamkeit wieder den Identifikationsbändern zu. Er fragte, wie man die Verschlüsse öffnete.

»Sie können überhaupt nicht geöffnet werden. Die einzige Art, wie man sie abmachen kann, ist, sie durchzuschneiden. Ich kann mich nur an ein einziges Mal erinnern«, stotterte Dena Spieth, »daß ein sehr frühzeitig geborenes Baby, es war entweder am Fuß- oder am Handgelenk . . . eine Frühgeburt, ganz winzig . . . Das Band rutschte ab. Ich kann mich nicht erinnern, welches, aber beide waren es nicht. Und wir haben es am Fußende des Babykörbchens befestigt.«

»Sie haben es nicht wieder am Baby befestigt?« fragte Blakely. »Sie haben es ans Babykörbchen geheftet?«

»Nach meiner Erinnerung, ja. Weil das Baby so klein war, hatten wir Angst, daß es wieder herunterrutscht.«

»Mrs. Spieth, können Sie sich an irgendwelche Namen der Pflegerinnen erinnern, die 1978 in der Babystation gearbeitet haben?« Blakelys Stimme war leise, aber bestimmt.

»Na ja, ich weiß, daß es eine Polly Rhodos gab, die in der Babystation arbeitete«, sagte sie. »An andere kann ich mich wirklich nicht erinnern.« Blakely ließ es dabei bewenden.

Regina wußte nicht, daß Polly Rhodos unter Eid geschworen hatte, daß man ihr in dieser Nacht, als die Babys vertauscht wurden, den Zutritt zur Entbindungsstation verwehrt hatte. Sie wußte auch nicht, daß Polly Rhodos gesagt hatte, jemand vom Krankenhaus sei bei ihr vorbeigekommen und habe sie gewarnt, nichts zu sagen, nachdem der Fall an die Öffentlichkeit gekommen war. Trotzdem merkwürdig fand Regina aber etwas, was sich kurz nach dem Verhör ereignete.

Alle standen auf, um zu gehen. »Mrs. Twigg«, rief Dena Spieth. Regina drehte sich um. »Mrs. Twigg«, sagte sie noch einmal, und dann schlang sie plötzlich die Arme um Regina und weinte. »Oh, Mrs. Twigg, es tut mir so leid«, schluchzte sie und tätschelte Reginas Rücken. »Sie sind kein schlechter Mensch. Sie haben das nicht verdient.« Dann, als sie sich aufrichtete, sah sie John Blakelys weit aufgerissene Augen und den überraschten Blick des Krankenhausanwalts. »Natürlich haben Sie noch all die anderen Kinder, die Sie brauchen«, stammelte sie und faßte sich wieder. Niemand, schon gar nicht Regina, wußte, wie das zu verstehen war.

Es war Patsy Webb, die für den ersten Bruch bei den Anhörungen sorgte. Einen Tag nach Dena Spieths Zeugenaussage bekannte die schmale, schwarzhaarige Frau, die nur schwer Luft bekam, daß gelegentlich Identifikationsbänder von den Arm- oder Fußgelenken der Babys gerutscht waren. »Wir haben sie überall gefunden, wo sie gerade hingefallen waren«, erzählte sie Blakely und schuf damit einen Widerspruch zu Dena Spieths Aussage.

»Haben Sie die Arm- oder Fußbänder immer in den Kinderkrippen gefunden oder auch an anderen Stellen? Haben Sie zum Beispiel schon mal ein Identifikationsarmband auf dem Fußboden gefunden?«

»Ein Identifikationsband kann nur auf den Fußboden gelangen, wenn es herunterfällt, während ein Baby hochgenommen wird«, sagte Patsy Webb.

»Ist so etwas schon mal passiert?« fragte Blakely und konnte seine Aufregung kaum noch verbergen.

»Ja, das ist vorgekommen«, antwortete Patsy Webb.

»Gab es irgendwelche Schwierigkeiten, wenn Sie die Arm- oder Fußbänder wieder am Kind festmachen wollten?«

Patsy Webb zögerte.

»War es schwer, das Band wieder anzulegen, oder mußte man es einfach wieder drüberschieben?« wiederholte Blakely langsam und so beherrscht wie möglich.

»Na, ganz so einfach nicht«, antwortete Patsy Webb. Sie machte eine Pause, als ob sie sich sammeln müßte. »Aber es rutschte wieder darüber.«

»Sie haben es wieder drübergestreift«, wiederholte Blakely. »Die Verschlüsse haben Sie nicht geöffnet?«

»Nein«, antwortete Patsy Webb mit rasselndem Atem. »Man konnte die Verschlüsse nicht öffnen.«

»Mußten Sie das Plastik dehnen?«

»Na ja, wenn es locker herunterfiel, konnte es wieder drübergestreift werden. Sie war doch noch so winzig«, sagte Patsy Webb, ohne zu erklären, wer »sie« war. »Wir haben es einfach wieder befestigt, und das war's.«

»Gut, Mrs. Webb. Haben Sie die heruntergefallenen Arm- oder Fußbänder in den meisten Fällen enger gemacht, wenn Sie sie wieder befestigt haben?«

»Nein«, sagte sie.

»Und haben Sie *irgendeine* Notiz im Babybuch gemacht, wenn so etwas passierte?

»Nein«, sagte sie wieder. Dann erzählte sie Blakely, daß sie auch Babys vertauscht und in den falschen Babybettchen schlafend vorgefunden hätte.

»Waren auch die Babys von den Twiggs und den Mays' dabei?« fragte Blakely.

Patsy Webb zögerte. »Ich habe in dieser Zeit zwei Babys in den falschen Bettchen gefunden«, antwortete sie, »aber ich könnte nicht wirklich sicher sagen, daß es diese beiden Babys waren.«

Blakely wußte, daß ihre Aussage der widersprach, die sie zuvor der Presse gegenüber gemacht hatte. Damals hatte sie gesagt, sie habe die Babys der Twiggs und der Mays' kurz nachdem Regina Twigg das Baby geboren hatte, vertauscht vorgefunden. »Ich guckte mir die Babys an, und sie lagen in den verkehrten Bettchen«, hatte sie ursprünglich der *St. Petersburg Times* gesagt. »Ich habe die Babys sofort wieder in ihre eigenen Betten zurückgelegt.« Blakely erinnerte sich genau an diese Aussage, aber er wußte auch, daß das, was Patsy Webb heute zugegeben hatte, vielleicht noch wichtiger war. Es war genau das, was Dena Spieth abgestritten hatte. Patsy Webb hatte nicht nur bekannt, daß Babybänder regelmäßig heruntergefallen waren, sondern daß sie einfach wieder »drübergeschoben« worden waren.

»Eines der wesentlichsten Dinge, die mir die Krankenpflegerin heute gesagt hat, war, daß die Armbänder nicht nur abgingen, sondern auch wieder übergestreift werden konnten«, gab Blakely der Presse bekannt, als er die Anhörungen abgeschlossen hatte.

Je mehr John Blakely die ärztlichen Berichte studierte, um so überzeugter war er, daß die Babys vorsätzlich vertauscht worden waren. Ein Grund dafür war zum Beispiel, daß das Mays-Baby dem Protokoll nach zwischen dem 4. und 5. Dezember, dem Tag der Vertauschung, eineinhalb Kilo verloren hatte, was genau das Gewicht ergab, das für das Twigg-Baby am 4. Dezember registriert worden war. Bei dem Twigg-Baby war kein Gewicht eingetragen worden, man hatte einfach eine Lücke gelassen. Blakely dachte sich, das sei wohl deshalb geschehen, weil es die Krankenhausbelegschaft bestimmt mißtrauisch gemacht und erst darauf gebracht hätte, daß die Babys vertauscht worden waren, wenn man einfach das Gewicht des einen unter dem Namen des anderen eingetragen hätte und umgekehrt.

»Diese Protokolle sind unglaublich«, sagte er den Reportern kopfschüttelnd. »Sie sind sehr ungewöhnlich. Sie sind ein Beweisstück mehr, daß eine Vertauschung stattgefunden hat. Medizinische Experten, die ich zu Rate gezogen habe, sagten mir, es sei sehr ungewöhnlich für ein Kind wie Kimberly, über

Nacht eineinhalb Kilo abzunehmen, zumal es in den sechs Tagen seit seiner Geburt stetig an Gewicht zugenommen hatte. Es ist auch bemerkenswert«, fügte er hinzu, »daß das Kind, das als Kimberly Mays geführt wurde, genau das gleiche Gewicht wie Arlena erreichte. Ich wäre überrascht, wenn die Ärzte nicht zugeben würden, daß dies sehr, sehr ungewöhnliche Gewichtsprotokolle sind.«

Bei seiner Anhörung stimmte Adley Sedaros dem zu. Er sagte, daß er sich an die Geburten nicht erinnern könne, die Gewichtsprotokolle aber tatsächlich ungewöhnlich fände.

»Ich würde genauer überprüfen, warum sie eineinhalb Kilo an einem Tag verloren hat«, sagte er, »das ist ganz klar.«

»Warum wurde Ihr Name als behandelnder Arzt auf der Babykartei der Mays ausgestrichen und statt dessen Dr. Palmers Name eingetragen?« fragte Blakely.

»Vielleicht war es falsch, daß ich die Behandlung überhaupt angefangen hatte. Es war nicht mein Baby, nicht meine Patientin. Es war wohl eher seine Patientin«, antwortete Sedaros.

»Also haben Sie, soweit Sie sich erinnern können, nichts mit einer der Eintragungen zu tun, die auf dieser Seite gemacht wurden?«

»Nein, nichts«, wiederholte er. »Dies ist von Dr. Palmer unterschrieben. Es ist Dr. Palmers Handschrift.«

Blakely zeigte auf eine andere Notiz, die über Barbara Coker-Mays' Baby gemacht wurde und mit dem 29. November datiert war, und fragte Sedaros, ob es seine Handschrift sei. Als Sedaros dies mit »Ja« beantwortete, forderte Blakely ihn auf, es laut vorzulesen.

»29. 11., ein Neugeborenes, eindeutig weiblichen Geschlechts«, fing Sedaros an. »Kaiserschnittgeburt, nachdem über Monitor Störungen beim Ungeborenen festgestellt wurden. Vitalität nach dem Apgar-Schema acht bis neun, Mageninhalt wurde abgesaugt. Hautfarbe verbessert . . .«, Sedaros stockte, »die Kopie ist sehr . . .«

»Ja«, unterbrach Blakely. »Bitte lassen Sie sich Zeit.«

»Hautfarbe verbesserte sich schnell, wurde rosa, bis auf eine periphere Blausucht.«

»Wenn wir von peripherer Blausucht reden, was bedeutet das?« fragte Blakely. »Würden Sie uns den Zustand beschreiben?«

»Eine teilweise blaue Hautfarbe, blaue Verfärbung der Extremitäten, des Gesichts, der Füße, der Hände.«

Blakely nickte und war zufrieden. Er hatte es geschafft, herauszuarbeiten, daß das Baby der Mays' bei der Geburt blau gewesen war und – noch wichtiger – daß die Ärzte dies offensichtlich gewußt hatten.

»Danke«, sagte er. »Ich darf Sie nun bitten, Ihre Aufmerksamkeit der Seite dreizehn in dem Bericht vor Ihnen zuzuwenden. Dort ist eine Notiz von einundzwanzig Uhr unter dem 29. 11. 78 (zum Mays-Baby), die lautet: ›Sehr lebhaft, schreit in regelmäßigen Abständen, Dr. Sedaros zu Rate gezogen, über das Baby befragt.‹ Haben Sie diese Notiz gefunden?«

»Ja.«

»Wenn das Kind nicht in Ihrer Obhut war, wie Sie zuvor ausgesagt haben, warum haben die Schwestern dann Sie gerufen, als sie Fragen wegen des Kindes hatten?«

»Ich weiß es nicht.«

»Gut«, sagte Blakely. »Dann bitte ich Sie, Ihre Aufmerksamkeit der Kartei des neugeborenen Twigg-Kindes zuzuwenden, in der Mitte der Seite, gegenüber der Datumseintragung 5. 12. Ist das Ihre Handschrift?«

»Ja.«

»Würden Sie uns die Notiz vorlesen?«

»Systolische Herzgeräusche: drei zu sechs, links über dem Brustbein, möglicherweise VDS.«

»Gut, Sir. Was bedeuten nun die systolischen Herzgeräusche drei zu sechs?« fragte Blakely.

»Schwache Herzaktivität«, antwortete Sedaros und wirkte beunruhigt.

»Bereitete Ihnen das in irgendeiner Form Sorgen, der Zustand des Herzens könne bei diesem Kind nicht in Ordnung sein?« sagte Blakely.

»Ja«, erwiderte Sedaros ernst.

»Und was bedeutet der Begriff ›möglicherweise VDS‹?« fragte Blakely.

»Möglicherweise heißt möglicherweise«, sagte Sedaros bissig, sichtlich erregt. »VDS heißt Herzklappendefekt.«

»Und würden Sie uns beschreiben, was ein Herzklappendefekt ist?« sagte Blakely.

»Es ist ein Defekt oder ein Loch in der Trennwand zwischen zwei Herzkammern. Manchmal gibt es da ein Loch.«

»Gut. Das Baby, um das es geht, ist das Baby der Twiggs.« Blakely machte eine längere Pause und vertiefte sich in die Notizen. »Es war auch eines von Dr. Palmers Babys, oder nicht?«

Sedaros nickte.

»Sagen Sie mir, Doktor, wie kamen Sie dazu, das Baby zu behandeln und am 5. Dezember eine Untersuchung an ihm durchzuführen?«

»Man muß mich gebeten haben, nach diesem Baby zu sehen«, antwortete Sedaros. »Dr. Palmer oder sonst jemand muß mich darum gebeten haben.«

»Gut«, sagte Blakely und schien die Antwort hinzunehmen. »Wenden wir unsere Aufmerksamkeit der nächsten Seite zu. Unter dem Datum 5. 12. und der Uhrzeit acht Uhr dreißig findet sich eine Eintragung, die mit ›EKG‹ beginnt. Ist das Ihre Handschrift?«

»Ja.«

»Würden Sie uns die Eintragung bitte vorlesen?«

Sedaros seufzte. »EKG, allgemeiner Check, Röntgenaufnahmen der Brust *heute noch*, Fersenstich, Sauerstoffgehalt des Blutes.«

»Und warum waren Sie daran interessiert, daß das EKG bei diesem Kind so schnell wie möglich gemacht wurde?«

»Wegen der Herzgeräusche«, antwortete er ungeduldig.

»Und würden Sie uns sagen, Dr. Sedaros, warum Sie gerade

bei diesem Kind den Sauerstoffgehalt des Blutes untersucht haben wollten?«

»Um den Oxydationsgehalt zu prüfen, den Grad der Oxydation.«

»Okay«, sagte Blakely. »Unter dieser Eintragung steht eine andere von Dr. Palmer vom 5. 12., die besagt, ›Sauerstofftest unterlassen‹, und dann heißt es ›wegen der Röntgenaufnahmen zu mir ins Sprechzimmer‹. Würden Sie es als ungewöhnlich bezeichnen, daß Dr. Palmer Ihre Anweisungen aufgehoben hat?«

Sedaros rutschte auf seinem Stuhl herum, dann räusperte er sich. »Etwas ungewöhnlich«, gab er zu.

»Dr. Sedaros«, fragte Blakely und lenkte die Befragung wiederum in eine andere Richtung, »kennen Sie Merle Coker?«

»Nein«, antwortete er abrupt.

»Haben Sie den Zeitungsartikel gelesen, der vor ein paar Monaten im *Miami Herald* erschienen ist? Er betraf Sie, Ihre persönlichen Finanzen oder – besser gesagt – die Hypothek oder die Beleihung auf Ihr Haus in Wauchula, während Sie dort wohnten.«

»Nein«, antwortete Sedaros wieder.

»Ich habe heute keine weiteren Fragen«, sagte Blakely. Für den Moment gab er sich damit zufrieden, die möglichen Verbindungen und Motivationen nur anzudeuten, Sedaros aber dennoch klarzumachen, daß er durchaus darüber im Bilde war.

Als die Anwältin des Ausgleichsfonds, Kelly Joe Schmedt, Sedaros am nächsten Tag befragte, schien er konzentrierter zu sein.

Sein Name stehe in der Babykartei, erklärte er, weil er der einzige Kinderarzt an dem Krankenhaus gewesen sei und die Schwestern daher, wann immer ein Kinderarzt notwendig gewesen sei, seinen Namen eingetragen hätten. Sedaros sagte außerdem, daß er möglicherweise sicherheitshalber zugezogen worden war für den Fall irgendwelcher Komplikationen, weil bei einer Kaiserschnittgeburt immer ein höheres Risiko gegeben sei. Es liege ihm besonders daran, die Krankenhausanwälte wissen zu lassen, daß er nicht persönlich die Herzgeräusche des Twigg-Babys diagnostiziert habe. Statt dessen, sagte er, wäre er »womöglich« als Experte dazugerufen worden, um Palmers Diagnose zu bestätigen.

Es handele sich nur um kleine Unterschiede, aber sie waren wichtig, denn im Grunde sagte Sedaros damit aus, daß eine Vertauschung stattgefunden haben mußte, und zwar bevor er das Twigg-Baby zum ersten Mal untersucht hatte.

30. KAPITEL

Die Theorie

John Blakely hoffte immer noch auf irgend jemanden, der sich daran erinnern konnte, daß er die Babys versorgt hatte, und der gewillt war, dies zuzugeben. Aber er schien allenfalls nachweisen zu können, daß es eine Verbindung zu den Cokers gegeben hatte.

»Haben Sie zu irgendeiner Zeit ein Mitglied der Familie von Barbara Coker gekannt?« fragte er Ernest Palmer.

»Ja, Sir«, antwortete Palmer.

»Wen?« fragte Blakely.

»Ich glaube, Larry Coker ist ihr Bruder«, sagte Palmer.

»Sonst noch jemanden aus der Familie?«

»Ja«, gestand Palmer ein. »Man sagte mir, daß ich die Mutter des Mays-Kindes behandelt hätte, aber dem Namen nach kenne ich sie nicht und glaube, wir waren einander lange Zeit nicht begegnet.«

»Gut. Ist Larry Coker ein guter Freund von Ihnen?«

»Nein, Sir«, sagte Palmer. »Aber er ist einer meiner Patienten!«

»Ist das der einzige Bezugspunkt, durch den Sie ihn kennen?« frage Blakely.

»Ja, Sir.«

Blakely machte eine kurze Pause und warf einen Blick auf das Blatt Papier, das ihm von einem Privatdetektiv gegeben worden war. Er las leise: »Die Kinder von Larry und Carolyn Coker und die Kinder von Palmer sind gleich alt. Palmers Kinder und Cokers Kinder sind unzweifelhaft Freunde. Sie besuchen sich häufiger, als das sonst bei Kindern der Fall ist . . . Sonny Coker, der vermutlich auch mit Barbara Mays verwandt ist, ist Wahlleiter im Hardee County. Larry Coker ist verheiratet mit Carolyn Coker, und Carolyn ist die Steuerschätzerin im Hardee County.«

Blakely setzte seine Befragungen fort. »Dr. Palmer, ist das Ihre Unterschrift in der unteren rechten Ecke auf der Seite eins der Babykartei für das neugeborene Mays-Baby?«

»Ja, Sir.«

»Ist das Ihr Kontrollzeichen, das besagt, daß eine Krankheit festgestellt wurde und Sie den Patienten davon unterrichtet haben?«

»Ja, Sir.«

»Gut, können Sie mir sagen, warum Sie das überprüft haben, ich meine, warum Sie das ausdrücklich abgezeichnet haben? Bedeutet das, daß bei dem Mays-Kind von Geburt an eine bestimmte Krankheit vorlag?«

»Das ist richtig.«

»Welche Krankheit hatte das Kind?«

»Es hatte Herzflattern«, antwortete Palmer.

»Es handelt sich um das Neugeborene der Mays«, wiederholte Blakely, indem er den Namen betonte.

»Nein, ich glaube nicht,« antwortete Palmer. »Vielleicht war es das andere. Das ist vielleicht dem Kaiserschnitt zuzuschreiben, ich weiß es nicht, oder vielleicht ist es nur ein Irrtum.«

»Wann haben Sie diesen Bericht das letzte Mal durchgesehen, Dr. Palmer?« fragte Blakely geduldig.

»Gestern abend«, antwortete Palmer.

»Stimmt es, nach Ihrer Durchsicht dieses Protokolls, daß Sie die mündliche Anordnung gegeben haben, den Test wegen des Sauerstoffgehalts im Blut zu unterlassen, der von Dr. Sedaros angeordnet worden war?«

»Ja«, sagte Palmer.

»Könnten Sie mir sagen, warum?«

»Nein«, erwiderte Palmer, »ich weiß nicht, warum ich das getan habe.«

»Könnten Sie mir sagen, warum am Tage der Vertauschung bei einem der Babys das Gewicht nicht geprüft wurde?«

»Ich würde es dahingehend einschränken, daß kein Gewicht verzeichnet wurde. Ich weiß nicht, ob das Gewicht überprüft wurde oder nicht.«

»Hätte es überprüft werden müssen?« fragte Blakely.

»Ja, Sir, ich denke, das wäre nötig gewesen«, erwiderte Palmer.

Dann hielt Blakely eine Seite vom Krankenhausbericht hoch und zeigte auf eine Zeile, die offensichtlich geändert worden war. »Dr. Palmer«, fragte er, »haben Sie irgendeine Vorstellung, was unter dem Tipp-Ex in der linken Spalte dieses Krankenhausberichtes steht?«

»Vielleicht das falsche Datum.«

Dann hielt Blakely Palmers Stationsberichte hoch und zeigte, daß diese auch geändert worden waren. »Nun, Dr. Palmer«, wiederholte er, »können Sie mir sagen, was hier übertüncht wurde?«

»Ich glaube, eineinhalb wurde in eineinviertel geändert, vielleicht. Ich weiß es wirklich nicht«, brachte Palmer heraus.

Blakely sah auf den Bericht, dann wieder zu Palmer und schüttelte den Kopf. »Mir kommt es so vor«, sagte er, »daß das – egal, was hier eingetragen und wieder weiß übertüncht wurde – mehr als einmal geschrieben wurde: Sie verstehen, was ich meine. Wäre es ungewöhnlich, hier zehnmal ›ein halb‹ einzutragen?«

»Das erscheint mir ungewöhnlich, ja doch, etwas ungewöhnlich«, stotterte Palmer, »sehr ungewöhnlich.«

Blakely schüttelte erneut den Kopf. Er machte eine Pause, dann setzte er sich. Die Fakten dieses Falles waren erstaunlich. Wäre dies bereits der Prozeß gewesen – der Augenblick, in dem er seine Argumente zum Vorwurf der vorsätzlichen Vertauschung der Babys im Schlußplädoyer zusammenfassen mußte, dann hätte er der Jury vielleicht vorgetragen: »Meine Damen und Herren Geschworenen, lassen Sie uns die Fakten betrachten. Die Krankenhausprotokolle zeigen, daß das Baby, das von Barbara Coker-Mays geboren wurde, blaue Extremitäten hatte, schlechte Durchblutung und die Blutgruppe B, so wie Arlena. Die Krankenhausberichte zeigen, daß ein Kaiserschnitt durchgeführt wurde, weil das Baby bereits ein Herzleiden hatte. Die Krankenhausberichte zeigen auch, daß Dr. Black hinzugerufen wurde, um die Monitoraufzeichnungen des Ungeborenen zu überwachen, und daß er so besorgt war über den Zustand des Babyherzens, daß er einen Kaiserschnitt anordnete.

Den Notizen der Krankenschwester zufolge, die um neunzehn Uhr dreißig am 29. November 1978 abends gemacht wurden, war Barbara Coker-Mays am Abend der Geburt – statt unendlich glücklich zu sein, daß ihr jahrzehntelanger Traum doch endlich Wirklichkeit geworden war – ›sehr unglücklich und in Tränen aufgelöst, Bob Mays an ihrer Seite‹.

Meine Damen und Herren, Barbara Coker-Mays sah ihr eigenes krankes Baby zum Stillen vier Tage lang *alle* vier Stunden, bevor das Baby mit Regina Twiggs gesundem Baby ausgetauscht wurde. In einem alten Babybuch, das Cindy Tanner-Mays draußen in der Scheune fand, hatte Barbara die Haarfarbe ihres Babys als braun vermerkt, aber das Baby, das sie vom Krankenhaus mit nach Hause brachte, hatte rotblondes Haar. Ich frage Sie, meine Damen und Herren, ist es möglich, daß sie das nicht gemerkt hat? Oder ist es möglich, daß sie, nachdem sie zehn lange Jahre versucht hatte, ein Baby zu bekommen, so darauf fixiert war, es müsse gesund sein, daß sie sich nicht darum scherte?

Dr. Palmer, der hinzugerufen wurde, um die Geburt zu überwachen, war Hausarzt des Familienclans der Cokers. Meine Damen und Herren, ich frage Sie, war es ein bloßer Zufall, daß er den Test auf Sauerstoffgehalt im Blut am 5. Dezember 1978 gestrichen hat, den Test, der gezeigt hätte, daß die Babys bereits vertauscht worden waren? War es auch nur ein Zufall, daß der Arzt, der – nachdem die Babys vertauscht worden waren – die Diagnose eines Herzleidens bestätigt hat, von sieben Baufirmen verklagt worden war und Geld brauchte?

Meine Damen und Herren Geschworenen, lassen Sie sich das gründlich durch den Kopf gehen. Die Krankenhausberichte sind weiß überpinselt und geändert worden. Entscheidende Angaben über das Gewicht der Babys wurden nicht eingetragen. Dr. Palmers Stationsberichte sind ebenfalls übertüncht und geändert worden. Sogar Arlenas Geburtsurkunde wurde abgeändert. Unter ›Geburtsfehler‹ ist das Wort ›keine‹ offenkundig durchgestrichen und mit der Hand die Worte ›angeborenes Herzleiden‹ eingetragen worden.

Heute haben wir ein neues Beweisstück. Heute hat Patsy Webb, eine Pflegerin, endlich zugegeben, daß die Identifikationsarmbänder der Babys trotz der Dauerverschlüsse in Wirklichkeit ziemlich leicht herunter- und wieder übergestreift werden konnten. Ist es ein Zufall, daß die äußerliche Beschreibung der Frau, die angeblich in den Schnellimbiß Circle K gekommen war und Kathryn Drevermann erzählt hat: ›Man hat mir aufgetragen, die Bänder von zwei Babys zu vertauschen‹, dem Aussehen von Patsy Webb entspricht? Meine Damen und Herren, ist es einfach nur ein Zufall, daß eine andere Pflegerin behauptet, sie sei von der Entbindungsstation nach Hause geschickt und ihr sei später eingeschärft worden, nichts zu sagen?

Sind alle diese Fakten nur Zufälle? Denken Sie darüber nach. Eine junge Frau aus einer bekannten Familie hatte zehn Jahre lang versucht, ein Baby zu bekommen. Schließlich hat sie ein Kind zur Welt gebracht, von dem man glaubte, es werde nicht mehr als ein oder zwei Wochen lang leben. Die Ärzte und Schwestern wollten helfen, aber niemand wußte, wie.

Drei Tage später kam eine arme Frau, die schon sechs Kinder zur Welt gebracht hatte, ins Krankenhaus und bekam auch ein kleines Mädchen. Dieses Kind war gesund, aber zufällig zeigten die Krankenhausberichte, daß ihr zuletzt geborenes kleines Mädchen mit sechs Wochen an einem Herzleiden gestorben war. Plötzlich gab es eine Möglichkeit, Bob und Barbara Mays zu einem gesunden Baby zu verhelfen, das sie mit nach Hause nehmen konnten. Es mußte nur jemand die Identifikationsbänder der kleinen Mädchen vertauschen und die medizinischen Berichte und die Geburtsurkunden ändern.

Der armen Mutter mit den fünf anderen Kindern konnte man einfach sagen, dieses Baby habe, genau wie ihr letztes, ein Herzleiden. Aber wer sollte die Bänder austauschen? Wir wissen, daß sie irgendwie vertauscht wurden. War das auch ein Zufall? Oder gab es einen bewußten und methodischen Plan, diese beiden Babys zu vertauschen?«

John Blakely wußte, daß all diese Ereignisse auf eine vorsätzliche Vertauschung hindeuteten, aber er konnte diese Punkte nicht weiterverfolgen, ohne die Zivilklage gegen das Krankenhaus aufs Spiel zu setzen.

»Danke, Dr. Palmer«, sagte er, fürs erste zufrieden. Er glaubte, daß all diese Karteien und Berichte sich als nützlich erweisen würden, wenn er die Zusammenhänge zu gegebener Zeit Richter Owens vortrug. Ob Palmer selbst für die Manipulation verantwortlich war oder nicht, gehörte nicht zu den Fragen, denen er nachgehen mußte. Er wollte nur aufzeigen, daß ausreichend viele Ungereimtheiten existierten, um Richter Owens zu überzeugen, daß ein Gentest gerechtfertigt war, und er hatte das Gefühl, dies sei ihm gelungen.

Das Gericht schien das jedoch, als es soweit war, nicht so sehen. Je deutlicher sich abzeichnete, daß Kimberly Mays zu den Twiggs gehörte, um so weniger wollte es mitziehen.

Am 22. März 1989 ergriff das Zweite Revisionsgericht des Bezirks Bob Mays Partei. Nach Meinung des Gerichts konnte ein Gentest bei Kimberly Mays eine sachlich nicht gerechtfertigte Demütigung darstellen und psychische Schäden verursachen. Zwar sei einzuräumen, daß man grundsätzlich vom Sorgerecht der Eltern über ihre eigenen Nachkommen auszugehen habe; doch wie dem auch sei, dies sei kein absolutes Recht. Kinder seien kein Eigentum, sondern Individuen, deren körperliches und geistiges Wohlergehen durch die Anwendung der Gesetze Schutz finden müsse.

»Das Revisionsgericht stimmt mit mir überein«, verkündete Ginsberg. »Wenn das Gericht der Meinung ist, es sei nachteilig für das Kind, den Twiggs die weitere Verfolgung ihres Vorgehens zu erlauben, ist der Fall vorbei. Es gibt keine weiteren Enthüllungen und keinen Gentest.«

Die *St. Petersburg Times* spendete der Entscheidung Beifall, mit den Worten, daß Bob, der »Kimberly seit dem Tod ihrer Mutter 1981 großgezogen hat, endlich Grund hat zu hoffen, durch die richterliche Entscheidung sei ein Wendepunkt markiert, und die Unsicherheit, unter der die Familie leidet, habe ein Ende«.

Die *Orlando Sentinel* war derselben Ansicht. »Das Gericht hat im Kimberly-Mays-Fall ein weises Urteil gesprochen, und es wird Zeit, daß der gesunde Menschenverstand die Oberhand gewinnt. Ernest und Regina Twigg haben das kleine Mädchen und den einzigen Vater, den es jemals gekannt hat, einer unsäglichen Qual und Unsicherheit ausgesetzt . . . Wenn sie sich jetzt zurückziehen und erklären würden, es sei ihre leidenschaftliche Liebe gewesen, die ihr Urteilsvermögen getrübt habe, könnte Kimberly vielleicht eines Tages verstehen, warum sie sie solch einer Qual ausgesetzt haben.«

»Ich bin außer mir vor Glück«, sagte Bob. »Alle haben mich gefragt, was ich mir zum Geburtstag wünsche. Ich habe immer gesagt: eine Wende in dem Fall. Nun, diese Wende ist mir geschenkt worden.«

An diesem Abend gab er auf einer kleinen privaten Feier bekannt, daß er vorhabe, Darlena Sousa zu heiraten, und er sagte, Kimberly sei hocherfreut, eine neue Mutter zu bekommen.

Blakely zeigte sich vom Urteil des Gerichts sehr betroffen. »Das wird die Entwicklungen nicht aufhalten. Es macht sie nur kostspieliger, die Twiggs werden mehr Zeit brauchen, und die ganze Sache wird alle noch mehr Nerven kosten. Ich werde alle zwölf Richter des Berufungsgerichts bitten, ihre Meinung nochmals zu überdenken, und wenn auch das nichts bringt, werde ich den Fall vors Oberste Bundesgericht von Florida bringen. Das Urteil scheint die Rechte, die Gefühle und die Seelenqualen von Mr. und Mrs. Twigg zu rigoros zu verleug-

nen. Sie sollten nicht gezwungen werden, den Weg einer vor-
sorglichen Sorgerechtsklage zu gehen, bevor sie die Persönlichkeit des Kindes kennengelernt haben. Sie haben ein Recht
zu wissen, was mit ihrer Tochter passiert ist, um sich ein Urteil
bilden zu können, wer das Sorgerecht für sie bekommen sollte.

REGINA TWIGG ERZÄHLT:

Wir beschlossen, noch mal vor das nachgeordnete Gericht zu gehen und Richter Owens zu beweisen – es jedenfalls zu versuchen –, daß wir Kimberly nicht schaden wollten. Als erstes leitete Blakely in die Wege, daß Bob Mays vereidigt wurde. Dann rief er Bob Mays' zweite Frau, Cindy, an. Kurz nachdem Mays erfahren hatte, daß Cindy unter Eid aussagen sollte, war er wie ausgewechselt.

»He«, schlug er mir vor, »wir sollten uns mal treffen und darüber reden.«

Zum ersten Mal stand ich von Angesicht zu Angesicht dem Mann gegenüber, der das Sorgerecht für mein Kind hatte und der ein Jahr lang gegen mich gekämpft hatte. Es war furchtbar für mich, zu dem Treffen zu gehen, ohne Ernest an meiner Seite zu haben, aber Ernest konnte bei seiner Arbeitsstelle keinen Urlaub mehr bekommen. Er hatte schon zu oft gefehlt. Als John mich an diesem Morgen abholte, konnte ich nicht aufhören zu weinen. Ich wußte, daß ich viel zu durcheinander war, um mich so ausdrücken zu können, wie ich es gewollt hätte, also beschloß ich, lieber die ganze Zeit über John reden zu lassen.

Wir saßen alle um einen Tisch in einem Besprechungsraum des Gerichtsgebäudes von Sarasota. Bob ergriff das Wort. »Kimberly ist in einem Alter, in dem sie gern am Wochenende ihre Freunde besucht«, sagte er, »also glaube ich nicht, daß da überhaupt noch Zeit für Besuche übrigbleibt.«

»Nun, irgendwann wird sie zwölf sein und vierzehn und sechzehn – alt genug, um ihre eigenen Entscheidungen zu treffen«, fügte Ginsberg hinzu.

John durchschaute, worauf beide hinauswollten. »Die Cokers durften das Kind viereinhalb Jahre lang nicht sehen, nachdem Bob und Cindy geheiratet hatten. Dann, als sie geschieden waren, wurde Cindy, die Kimberly großgezogen hatte, das Recht verweigert, die Beziehung aufrechtzuerhalten oder auch nur in Kontakt mit ihr zu bleiben.«

Mays grinste. »Nun ja«, sagte er, »wenn ich Mrs. Twigg hier so zum ersten Mal sehe, kann ich ehrlich sagen, ich hätte nichts dagegen gehabt, wenn Kimberly die Zeit mit *ihr* verbracht hätte.«

Er schien mich entweder zu akzeptieren, oder er versuchte, mich reinzulegen. Ich weiß nicht, was zutraf, aber ich wagte nicht, auch nur ein Wort zu sagen, weil ich Angst hatte, die Beherrschung zu verlieren und meiner Wut freien Lauf zu lassen.

Als wir den Besprechungsraum während einer Pause verließen, sagte John zu mir: »Regina, wir sollten eine Übereinkunft anstreben, die einen Gentest an Kimberly zuläßt, und zwar jetzt. Wenn wir nicht irgendeine Übereinkunft mit Mays finden, werden Sie vielleicht erst dann, wenn Kimberly erwachsen ist, erfahren, ob sie wirklich Ihr Kind ist. Mays sagt, er willigt in einen Test ein, wenn Sie versprechen, daß Sie dann nicht das Sorgerecht beantragen. Dieser Kompromiß müßte eigentlich akzeptabel für Sie sein, weil es sein kann, daß wir mit einer Sorgerechtsklage nicht durchkommen. Übrigens, wenn der Test beweist, daß sie Ihnen gehört und die Besuche in Kimberly den Wunsch nach mehr Kontakt wecken, wird das Ganze sowieso damit enden, daß Sie das Sorgerecht bekommen.«

Ich sagte ihm, daß ich den Streit um das Sorgerecht nicht fallenlassen wolle. »John«, sagte ich, »ich will meiner Tochter nicht eine Minute das Gefühl geben, daß ich sie aufgegeben hätte.«

»Aber, Regina, wenn wir einen langwährenden Streit um das Sorgerecht beginnen, ist es Kimberly, die darunter leiden muß, und in Ihnen wird man den Buhmann sehen.« Er überzeugte mich, daß sein Vorschlag für Kimberly alles einfacher mache und daß dies die einzige Chance sei, von Bob Mays die Einwilligung für den Gentest zu bekommen.

Als wir wieder im Besprechungsraum waren, sagte John: »Also gut, lassen Sie uns zu einer Lösung kommen. Ernest und Regina wollen Kimberly nicht entwurzeln, wenn sie ein glückliches Zuhause hat. Wir lassen den Kampf um das Sorgerecht fallen, wenn Sie in einen Gentest einwilligen.« Mays zog die Augenbrauen hoch und lächelte. Dann sagte er, das wolle er schriftlich haben. John arbeitete die ganze Woche daran. Die Übereinkunft, die er formulierte, besagte, daß wir während des laufenden Prozesses den Anspruch auf das Sorgerecht nicht weiterverfolgen würden, auch nicht, wenn erwiesen sein würde, daß sie unser Kind ist – es sei denn, Bob Mays werde nachgewiesen, daß er ein unfähiger Vater sei, oder es würden sich völlig neue Umstände ergeben. Mays akzeptierte diese Übereinkunft.

Wir sollten das Dokument unterschreiben und dann den Gentest machen. Ich wollte Kimberly so gerne nochmals versichern, daß wir sie niemals an uns reißen oder ihr Angst machen würden. Gleichzeitig war es ein sehr schwerer Schritt für mich, die Übereinkunft zu unterschreiben. Meine Mutter hatte unter Zwang unterschrieben, mich wegzugeben, und nun kam es mir so vor, als tat ich dasselbe. Als wir in Johns Büro gingen, um zu unterschreiben, saß ich wie versteinert auf dem Stuhl.

Schließlich nahm ich das Dokument. Es war einer der schwersten Schritte, die ich jemals tun mußte.

31. KAPITEL

Der Bluttest

»Betet zu Gott, daß es das beste für dieses Kind ist«, sagte Velma Coker und wischte sich die Augen, als sie von der Übereinkunft hörte. »Die ganze Sache hat Kimberly mehr aufgeregt, als sich irgend jemand klarmacht. Wenn sie mich mit diesen Augen ansieht und sagt: ›Granny, was wird mit mir passieren?‹, bricht es mir das Herz.«

»Wenn sich herausstellt, daß Kimberly biologisch das Kind der Twiggs ist«, sagte der Psychologe William Hafling aus St. Petersburg, »wird sie etwas erkennen, was viele Menschen nicht wissen. Sie wird erkennen, daß es biologische Eltern und *wahre* Eltern gibt und daß sie nicht unbedingt identisch sein müssen.«

»Abgesehen davon, daß Kimberly ein bißchen Angst vor der Nadel hat, und davor, daß ihr Blut abgenommen wird, ist sie glücklich«, ließ Bob verlauten. »Endlich gibt es die dunklen Schatten im Hintergrund nicht mehr, die ihr angst machten.«

Die Cokers hatten sich auch damit einverstanden erklärt, getestet zu werden, um Barbaras genetische Veranlagung bestimmen zu lassen. Velma, eine hagere Frau mit kurzem, ergrauendem Haar, mit einer Brille und einem verwelkten Gesicht, lächelte verkrampft, als Kimberly, Bob und Darlena im Labor in Sarasota ankamen. Kimberly war wie immer strahlend, niedlich und hübsch in dem kurzen Kleidchen und den Turnschuhen, die Haare zum Pferdeschwanz gebunden. Aber als sie die Nadel sah, bekam sie es mit der Angst zu tun. »Werden die Nadel und das Röhrchen mit meinem Blut gefüllt?« fragte sie und drängte sich Schutz suchend an Velma. Als sie beobachtete, wie Bobs Blut das Röhrchen füllte, erschrak sie erst recht. Die Cokers kamen als nächste dran. Als die Reihe an ihr war, wurde sie hysterisch. »Ich hab Angst, ich hab Angst!« schrie sie. »Ich will nicht!« Sie lief zu Velma, zu Darlena und dann zu Bob. »Daddy, Daddy, warum muß ich das machen?« fragte sie weinend. Aber es war einfach nur die Nadel, vor der sie Angst hatte. Schließlich hielten sie alle fest. Danach lachte sie das hübsche, sprudelnde Lachen eines kleinen Mädchens und erzählte, wie dumm es doch gewesen sei, daß sie Angst gehabt hatte. Dann umarmte sie alle, lächelte und stellte sich für ein Foto in Pose.

32. KAPITEL

Das Ergebnis

»Hallo, Regina«, sagte John Blakely mit fröhlichem Schwung in der Stimme, als er sechs Wochen später aus Kalifornien anrief. »Wie geht es Ihnen?«

»Ich hänge hier rum. Ich kann es kaum erwarten, bis die Testergebnisse kommen.«

»Na ja, sie sind ziemlich schnell gekommen«, sagte er gedehnt – in seiner lässigen, ruhigen Art. Regina sog scharf die Luft ein.

»Wollen Sie wissen, was herausgekommen ist?«

Regina konnte immer noch nichts sagen.

»Sie ist voll und ganz eine Twigg.«

»Oh, Gott sei Dank!« schrie Regina und hüpfte auf und ab. »Ernest, sie gehört uns. Sie gehört uns.«

»Sie ist unsere Schwester«, schrie Normia. Plötzlich hüpften alle Kinder herum, lachten und weinten.

»Sie ist es, sie ist es, wir haben sie gefunden, wir haben unsere Schwester gefunden.«

Ernest hob Regina hoch und küßte sie. »Ich wußte es«, sagte er. »Sie gehört uns, Schatz, sie gehört uns.«

Bis zum Sonntag, zur Pressekonferenz, hatte Regina sich wieder beruhigt. Sie saß einfach nur da und lächelte, bis Blakely die Ergebnisse des Tests der Öffentlichkeit bekanntgab. Dann füllten sich ihre Augen mit Tränen. »Zuletzt gibt es doch noch einen Lichtblick. Nichts kann uns unsere Arlena oder die Jahre, die wir mit unserer Kimberly verloren haben, zurückbringen«, sagte Regina den Reportern. »Aber ich bin froh, daß die Bluttests gemacht wurden und daß wir endlich Sicherheit haben.«

»Dies sind die Brüder und Schwestern von Kimberly Michelle Mays«, fügte Blakely fröhlich hinzu, als die sieben Twigg-Kinder durch das Gewirr von Kameras und Blitzlichtern marschierten.

Innerhalb von Stunden baten Hunderte von Sendern aus entfernten Ländern wie England, Australien, Deutschland und Japan um Fernseh- und Radioauftritte. Blakely mußte eine zusätzliche Aushilfe einstellen, nur um die Anrufe zu erledigen. Es war unmöglich, daß die Twiggs in all diesen Sendungen auftraten. Also wählte er die *Oprah Winfrey Show* aus und stimmte zusätzlich einem Auftritt bei *Larry King Live* zu, weil die Sendung auf CNN lief und er sich überlegte, daß diese vielleicht ein internationales Publikum hatte. Regina mochte Mrs. Oprah am liebsten. Es lag etwas in der Art, wie Mrs. Oprah ihr die Hand drückte, als sie über Arlena sprachen, was Regina das Gefühl gab, Mrs. Oprah fühle wirklich mit.

Schon ein paar Stunden, nachdem Ernest vor zwanzig Millionen Leuten aufgetreten war, kehrte er wieder in den heruntergekommenen, mit pinkfarbenem Stuck verzierten Amtrak-Bahnhof in Sebring zurück. Er tat, wenn Züge ankamen, die gewohnte Arbeit, verkaufte Fahrkarten, kontrollierte das Gepäck und nahm Reservierungen entgegen. Als er allein in seinem Schalterraum saß, beobachtete er einen Fremden in der Nähe der leeren Gleise, der die Schlagzeilen über Ernests Familie las. »Viele von den Leuten hier kennen mich nicht«, erklärte er einigen Reportern der *Tampa Tribune*, die am Nachmittag vorbeikamen, um ihn zu interviewen. »Wissen Sie, wir sind gerade erst in die Stadt zurückgekommen, nachdem wir viele Jahre lang in Pennsylvania gewohnt haben. Unsere Freunde haben uns wirklich unterstützt, und ein paar von den Leuten, die bei Amtrak arbeiten, haben angerufen und gesagt: ›Wir denken an euch.‹ Aber andere fragen sich, warum wir damit weitermachen. Ich denke, man muß selbst Kinder haben, um das zu verstehen.«

Dienstags, nachdem Bob von einem verlängerten Wochenendtrip mit dem Boot zurückgekehrt war, hatte er seinen ersten öffentlichen Auftritt, seit er die Ergebnisse des Tests bekommen hatte. »Zuerst haben wir uns zusammen auf ihr Bett gesetzt, nachdem sie freitags aus der Schule zurückgekommen war«, erzählte er den Reportern, die sich in das Anwaltsbüro zwängten. »Als sie mein Gesicht sah, wußte sie gleich, daß etwas nicht stimmte.

›Bin ich deine Tochter?‹ fragte sie.

›Du bist immer meine Tochter‹, sagte ich ihr, ›aber die Tests beweisen, daß du nicht meine leibliche Tochter bist.‹

Sie weinte, umarmte mich und schluchzte: ›Oh, Daddy, oh, Daddy. Was heißt das? Was heißt das nur?‹«, erzählte er weiter. »Sie nennt mich immer noch Daddy, und ich bin natürlich auch ihr Dad. Wir werden uns eben mit der Zeit daran gewöhnen, ganz allmählich, und uns in Zukunft an den Gedanken klammern, daß sich, soweit es sie und mich betrifft, nichts ändern wird. Aber jetzt, wo sie weiß, daß sie eine andere Familie hat, wird sie sich entscheiden müssen, ob sie sich mit ihr treffen will. Ich habe nicht vor, ihre Entscheidung zu beeinflussen; ich will mich einfach nur darauf konzentrieren, sie so glücklich wie möglich zu machen. Zum ersten Mal in ihrem jungen Leben ist es ihre eigene Entscheidung. Ich sage nicht, daß sie leicht ist. Ich war bis heute vollkommen glücklich mit unserem Leben, und ich glaube, sie war es auch.

Ich habe Kimberly versprochen, daß ich sie unterstützen werde, auch wenn sie sich entschließt, sehr viel Zeit mit den Twiggs zu verbringen. Es wird vielleicht schwer für mich, aber ich will versuchen, ihre Gefühle über meine zu stellen. Wir müssen jeden Versuch unternehmen, uns so gut wie möglich nach den Wünschen dieses Kindes zu richten.«

Die Presse spendete Bob mehr Beifall als je zuvor. »Sie wurde von einem liebenden Vater großgezogen«, schrieb die *Sarasota Herald Tribune*, »der allem Anschein nach eifrig für ein sicheres, stabiles Zuhause gesorgt hat. Man hört überall, daß sie gesellig ist und auch in der Schule gut aufpaßt . . . Für diese Wesenszüge muß sie Bob Mays, dem Mann, den sie Daddy nennt, dankbar sein, und auch ihre biologischen Eltern, Mrs. und Mr. Twigg, sollten die Pflege, die sie erhalten hat, zu würdigen wissen.«

»Glaubt man an die göttliche Fügung«, griff der *Gondolier* diesen Tenor auf, »so wird man es als Vorsehung begreifen, daß die Twiggs mit ihren sieben anderen Kindern eines hergeben mußten für den Mann, der ansonsten weder Frau noch Kind gehabt hätte.« Sie wußten nicht, daß Bob im Begriff war, seine dritte Frau, Darlena, zu heiraten.

Es war eine kleine Hochzeit an einem Samstagnachmittag im Februar 1990 in der lutheranischen Kirche Prince of Peace. Ein paar Tage vor der Feier hatte Bob der Presse erzählt, daß er seit einigen Jahren mit Darlena Sousa liiert sei. »Sie hat mir und Kimberly geholfen, die emotionalen Wogen um die Vertauschung zu glätten. Kimberly ist begeistert«, sagte er. »Erst wollen wir beide ›ja‹ zueinander sagen, und dann wollen wir ›ja‹ zu ihr sagen. Wir wollen die Ringe austauschen. Kimberly wird eine große Rolle dabei spielen. Alles wäre sehr viel schwieriger gewesen, wenn Darlena es nicht mit uns durchgestanden hätte«, erklärte er und lächelte die überraschten Reporter an.

REGINA TWIGG ERZÄHLT:

Wir unterschrieben die Vereinbarung im Oktober. Im November unterzog sich Kimberly dem Test. Das Erntedankfest verstrich, Weihnachten war vorbei, das neue Jahr brach an, Bob Mays heiratete wieder, der Frühling kam, es wurde Sommer . . . Und wir warteten immer noch darauf, daß wir uns mit Kimberly treffen konnten. Zuerst hatten sie wegen der Feiertage keine Zeit, dann ging es wegen der Hochzeit nicht, anschließend lag es an der Schule. Und dann kam eines Tages ein Reporter bei mir vorbei und fragte mich: »Sie sind doch eine glückliche Familie, sie haben sieben andere Kinder, er hat nur eines. Warum lassen Sie die Leute nicht in Ruhe?«

Bob teilte der Presse mit, Kim habe eigenhändig eine Notiz verfaßt, in der stand: »Ich kann die Twiggs nicht leiden. Ich wünschte, sie würden verschwinden.« Er rief die Zeitungen an und gab ihnen das als Zitat durch. Es erschien überall in den Vereinigten Staaten.

Im Gegenzug gab ich der Presse zwei Gedichte, von denen ich das erste im Gedenken an Arlena geschrieben hatte, im anderen faßte ich meine Liebe zu Kimberly in Worte. Nun, ich bin keine Schriftstellerin, aber auf diese Gedichte bin ich stolz. Stolz darauf, weil ich einen Weg gefunden habe, meine Liebe und meine Trauer in Worte zu kleiden. Ich habe auch versucht, Kimberly damit zu erreichen, ich hoffte, irgendwie werde sie vielleicht auf das Gedicht stoßen, das ich ihr gewidmet hatte, und erkennen, daß ich ihr weder weh tun noch ihr angst machen wollte.

Später erfuhren wir, daß ein Mädchen aus der gleichen Schule das Gedicht über Kimberly aus der Zeitung ausgeschnitten und ihr gegeben hatte. Kimberly trug es mit sich herum und zeigte es ihren Freundinnen. »Es ist recht hübsch, findest du nicht auch?« fragte sie.

Bob rief in den Zeitungsredaktionen an und verteufelte beide Gedichte als gefühlsrohe Sensationshascherei. »Solche kleinen Gedichtchen und alle blumigen Worte bewirken gar nichts«, bellte er ins Telefon. »So wahr ich hier sitze, ich warte immer noch auf das erste Anzeichen von Liebe – von aufrichtiger Liebe, aber davon habe ich bis jetzt noch nichts gemerkt. Meine Antwort kann nur lauten: Geben Sie endlich Ruhe, das Kind wird eines Tages schon selber daraufkommen, was hier gespielt wird.«

Ein paar Tage später rief der Reporter, der Bob interviewt hatte, bei mir an und sagte: »Bob Mays ist aus der Haut gefahren, als er diese Gedichte gesehen hat. Ich hab nicht mal die Hälfte von dem gedruckt, was er in seiner Wut gesagt hat. So habe ich ihn früher nie erlebt. Zunächst war ich wie vom Donner gerührt, aber inzwischen habe ich mit mehreren Leuten gesprochen, die mir alle gesagt haben, das sähe ihm ähnlich, er könne ganz schön jähzornig werden.«

»Es tut mir leid, daß er so darauf reagiert hat«, sagte ich. »Mit den Gedichten will ich meine Liebe zu beiden Mädchen ausdrücken, nicht etwa Haß oder Wut auf eines von beiden.«

Für meine Tochter Arlena

Arlena, Kind, wo einst das Herz
Mir schlug, da nistet tiefer Schmerz.
Ach, wär uns doch mehr Zeit geblieben,
Wie innig wollte ich dich lieben!

Wie kann es je in meinem Leben
Noch Hoffnung, Glück und Zukunft geben?
Durchs Dunkel irr ich nun allein,
Du warst mein Licht, mein Sonnenschein.

»Vergiß sie«, hör ich viele sagen,
»Was helfen Tränen dir und Klagen?«
So reden sie und wissen nicht,
Woran ein Mutterherz zerbricht.

»Denk an die andern«, mahnt man mich,
»Sie bau'n auf dich, sie brauchen dich.«
Das Leben und die Zukunft wagen . . .
Ich höre wohl, was sie mir sagen.

Ich hör es, doch kein gutes Wort
Wischt meine heißen Tränen fort.
Nichts bringt mir dich, mein ganzes Glück
In diesem Leben je zurück.

Auf Wiederseh'n, mein liebes Kind . . .
Vielleicht, wenn wir im Himmel sind.

Für meine Tochter Kimberly

In meinen Armen hielt ich dich, mein Kind,
Als du ein Baby warst, so süß und hold –
Erinnerung, verweht wie Spreu vom Wind.
Ein böses Schicksal hat es so gewollt.

Nun weiß ich nichts von deinen frühen Jahren,
Das erste Lachen und das allererste Wort,
Die ersten Schritte – nie werd ich's erfahren.
Ich liebte dich, das Schicksal nahm dich fort.

Wir haben dich vermißt und still um dich getrauert,
Sieben Geschwister und dein Dad und ich.
Unendlich lange Zeit hat es gedauert,
Dann, liebes Kind, dann endlich fand ich dich.

Ich hör die Zweifler raunen ringsumher:
»Wer weiß, wie sich's in Wahrheit zugetragen hat?«
Ich weiß es, Kind, für mich gibt's keine Fragen mehr,
Sie gaben mir ein and'res Kind an deiner Statt.

Die Wahrheit darf nicht immerdar im Dunkel bleiben,
Sie drängt ans Licht und will sich offenbaren
Du sollst nicht länger fremd bei Fremden bleiben,
Du hast ein Recht, die Wahrheit zu erfahren.

»Vergiß sie«, hör ich wieder viele sagen,
»Du machst es doch dem Kind nur schwer.«
Wir werden weiterkämpfen, ohne zu verzagen,
Denn eine Mutter gibt ihr Kind nie her.

Mein Herz hört nie auf, sich nach dir zu sehnen.
Ein böses Schicksal nahm uns unser Glück.
Und dennoch hoff ich unter heißen Tränen:
Einst gibt es uns, was es uns nahm, zurück.

33. KAPITEL

Das Treffen

Bob trug Sandalen, ein orange- und pinkfarben gestreiftes Hemd und kurze Lastexhosen. Und neben ihm stand Darlena, seine neue Frau – in Khaki-Shorts. Durch ihr Äußeres trug sie deutlich zur Schau, daß die Begegnung ihnen nichts bedeutete. Das Ganze war nur eine kurze, ärgerliche Störung, derentwegen sie nun etwas später auf ihr Boot kommen würden.

Nach acht langen Monaten waren die Mays endlich damit einverstanden, daß Kimberly sich mit ihren Schwestern und Brüdern treffen dürfe, aber nicht mit Regina und Ernest. Ernest konnte es nicht fassen. Daß die Psychologen, Spezialisten auf dem Gebiet des geistigen Wohlergehens, nichts als so eine Vereinbarung zustande brachten, das war unbegreiflich für ihn. Die Twiggs, die Mays' und die Psychologen der beiden streitenden Parteien sollten sich in Ginsbergs Büro in Sarasota zusammensetzen. Die Kinder sollten sich währenddessen unter der Aufsicht einer Assistentin aus der psychiatrischen Praxis von Dr. Lawrence Ritt, der für die Mays' als Gutachter tätig war, auf dem White-Bird-Minigolfplatz kennenlernen.

Ernest hatte sich irgend etwas mit Blue Bird gemerkt, doch die Kinder paßten zum Glück auf und fingen auf den Rücksitzen aufgeregt zu schreien an: »Daddy, da ist es, da ist es doch! Du bist vorbeigefahren.«

Damit war es für Regina und Ernest auch schon erledigt, wenn sie nicht irgendwo herumlungern wollten, um wenigstens einen Blick auf Kimberly zu erhaschen. Sie hielten sich an die Abmachung und ließen die Kinder, die nervös der Begegnung mit ihrer Schwester entgegenfieberten, allein aussteigen.

In Sarasota deutete Dr. Ritt auf die Sitzgruppe. »Ich denke, wir sollten uns jetzt gegenseitig vorstellen und – nun, jeder ein bißchen was über sich und sein Leben erzählen.« Er versuchte, eine herzliche Atmosphäre zu schaffen.

Bob meinte sarkastisch: »Da hat schon so viel in der Pesse gestanden, daß ich, glaube ich, kaum etwas Neues erfahren werde.« Regina bemerkte die Wut in seinen Augen. Er fuhr fort: »Lassen Sie uns einfach nur darüber reden, was das Beste für Kimberly ist. Wenn sie nach einigen Begegnungen feststellt, daß sie das Ganze nicht weiter mitmachen will, sollten wir sie auch nicht dazu zwingen.«

»Damit bin ich nicht einverstanden«, sagte Regina, nun auch verärgert.

»Aber ich bin ihr Vater und berechtigt, für sie Entscheidungen zu treffen. Nach Recht und Gesetz ist Kimberly Michelle Mays meine Tochter.«

Regina nahm sich zusammen, sie wollte es mit vernünftigen Argumenten versuchen. »Wenn Arlena noch leben würde, könnten wir Ihnen nach demselben Recht Ihre Tochter wegnehmen.«

»Das haben Sie bereits getan«, fuhr Bob sie an. »Nach den Bluttests wußten Sie genau, daß es nicht Ihre Tochter ist, und trotzdem haben Sie nichts unternommen, um mich ausfindig zu machen.«

»Ich habe nicht gewußt, daß sie nicht meine Tochter ist. Ich konnte mir das mit diesen unterschiedlichen Blutgruppen nicht erklären. Meine ganze Sorge war, daß mein Mann denken könnte, ich hätte mich mit anderen herumgetrieben.«

»Na und, war's nicht so? Nach den Zeitungsartikeln, die ich gelesen habe, sieht's doch ganz danach aus.«

»Jetzt aber mal langsam.« Ernest fuhr hoch. »Ich denke, Sie sollten erst mal ganz tief durchatmen. Immerhin reden Sie von meiner Frau.«

Und Regina fuhr ihn ärgerlich an: »Mir vorzuwerfen, daß ich mich herumgetrieben hätte, ist eine grobe Ungezogenheit und sehr häßlich von Ihnen!«

»Na ja, die Äußerungen gegenüber der Presse kamen schließlich von Ihnen«, konnte sich Bob Mays nicht verkneifen, während er sich anschickte, kurz nach draußen zu gehen. Er ging um die Couch herum und zog die Tür hinter sich zu. Betretenes Schweigen, die Wasserspülung der Toilette rauschte.

»Darlena«, fragte Dr. Hal Smith, der als Psychiater die Interessen der Twiggs vertrat, »sind Sie dagegen, daß sich Kimberly mit ihren Eltern trifft?«

Regina musterte sie. Ein Mädchen aus dem Westen – weit auseinanderstehende Augen, ausladende Hüften, kräftige Oberschenkel. »Ja, bin ich«, antwortete Darlena. »Sie ist sehr empfindsam. Sie hat Angst, daß die Twiggs sie uns wegnehmen wollen.«

»Nun«, warf Regina ein und machte eine vage Handbewegung in die Richtung, aus der sie das Wasserrauschen gehört hatten, »wenn er ihr nicht eingeredet hätte, daß wir wahre Unmenschen sind, hätte sie diese Ängste nicht.«

Als Bob zurückkam, fragte Dr. Smith ihn: »Wie soll's denn nun weitergehen, Bob? Zwei Jahre dauert das Hin und Her jetzt schon, und die Twiggs haben sich immer noch nicht mit Kimberly getroffen.«

»Von mir aus kann's zehn Jahre dauern!« schrie Bob.

»Wir möchten das mit Kimberly besprechen, bevor wir Einzelheiten festlegen«, versuchte Dr. Ritt dem Gespräch wieder eine sachliche Note zu geben. »Es hängt ganz von ihr ab.«

»Als wir die Vereinbarung unterzeichnet haben«, erinnerte ihn Regina, »war unser gemeinsames Einverständnis, daß wir uns in Zukunft die elterlichen Rechte und Pflichten teilen.«

Bob wurde gleich wieder laut. »*Soweit* das in Kimberlys Interesse liegt.« Dann sagte er: »Sehen Sie, wir führen ein sehr turbulentes Leben. Während des Sommers wird Kimberly jeweils zwei Wochen bei beiden Großeltern verbringen, danach geht sie ins Schullandheim. Und wir selbst werden einen Monat lang mit dem Boot unterwegs sein, zusammen mit Freunden.«

»Nun, wenn das so ist, warum fahren wir nicht gleich jetzt rüber und treffen uns mit Kimberly und den anderen Kindern auf diesem Golfplatz?« schlug Dr. Smith vor.

»Auf gar keinen Fall, hören Sie?« Bob spie Gift und Galle. »Haben Sie mich verstanden?«

Dr. Smith sagte: »Ich höre Sie laut und deutlich. Aber ich dachte, wir wären uns darüber einig, daß wir das Kimberly entscheiden lassen.«

»Ich bin der gesetzliche Vater von Kimberly Michelle Mays und habe das Recht, ihr zu sagen, was sie tun soll – Sekunde für Sekunde, Minute für Minute, Tag für Tag, Monat für Monat und Jahr für Jahr, und das so lange, bis sie achtzehn ist. Anschließend kann sie tun, was sie will.«

»He«, sagte Dr. Smith, »vielleicht sollten wir das Ganze abbrechen und uns ein andermal zusammensetzen.«

»Ich glaube nicht, daß das irgendwas bringt«, erwiderte Bob scharf. »Und wenn wir Erwachsene uns nicht einig werden, dann kommt für Kimberly erst recht nichts dabei raus.«

Aus einem Artikel in der *St. Petersburg Times* wußte Regina, wie Bob sich früher aufgeführt hatte. Sie konnte sich gut vorstellen, daß er auf dieselbe Weise einen Keil zwischen Kimberly und Cindy Mays getrieben hatte und daß es vorher mit Ashlee und den Cokers genauso gewesen war.

»Natürlich kommt nichts dabei heraus«, sagte sie mit erhobener Stimme, »solange Sie derart über ihr Leben bestimmen und ihr womöglich noch vorschreiben wollen, wann und wie tief sie atmen darf.«

Jetzt, da Reginas Geduld erschöpft war, schien Bob sich auf einmal zu beruhigen. Er wechselte das Thema und bat: »Erzählen Sie ein bißchen von Arlena.«

Ernest sagte: »Nun, sie war ein richtiges kleines Hausmütterchen, sie hat so gern gekocht.« Man konnte heraushören, wie traurig er war. »Und sie war immer darauf aus, zwischen allen Frieden zu stiften. Ach, wenn sie bloß heute bei uns wäre . . .«

Ein Bild huschte vor Reginas geistigem Auge vorbei: Arlenas hübsches Lächeln. Und schon spürte sie, wie ihr die Tränen in die Augen stiegen. Dr. Smith warf ihr einen Blick zu. Und sie fragte, während ihr die Tränen schon über die Wangen liefen, artig wie ein kleines Mädchen: »Darf ich mich einen Augenblick entschuldigen?« und huschte hinaus ins Bad. Als sie sich eine Weile kaltes Wasser ins Gesicht gespritzt hatte, hatte sie sich wieder gefaßt.

Inzwischen hatte Dr. Ritt Bob beiseite genommen und unter vier Augen mit ihm gesprochen. Und als Regina zurückkam, sagte Bob: »Wissen Sie, was ich jetzt tun werde, um Ihnen zu beweisen, daß ich in Wirklichkeit doch ein netter Kerl bin?«

Regina starrte ihn wütend an. »Was denn?«

»Als Kimberlys Vater erlaube ich Ihnen, daß Sie zu diesem Golfplatz fahren und sich mit meiner Tochter treffen.«

34. KAPITEL

Die Stunde der Kinder

Alle sieben Kinder saßen aufgereiht wie die Spatzen auf einer Bank und warteten nervös. Als der Wagen vor dem Minigolf- platz vorfuhr, sahen sie Kimberly durchs Autofenster zu ihnen herüberschielen. Sie war genauso aufgeregt, sie atmete heftig. Kaum war Kimberly ausgestiegen, ging Irisa auf sie zu, lächel- te sie an und fragte: »Bist du Kim?«

»Ja«, antwortete Kimberly.

»Ich«, brachte Normia heraus, »ich bin Normia.« Und schon fing sie laut zu schluchzen an.

»Oh, weine doch nicht«, sagte Kimberly und schloß sie in die Arme. Und von diesem Augenblick an war das Eis gebro- chen.

»Ich glaube, wir sind alle mächtig nervös«, fügte Kimberly in ihrer gewinnenden Art hinzu. Ihre Augen schienen Feuer zu sprühen. Man merkte ihr an, wie glücklich, wie hingerissen sie war. Sie sah genauso aus wie Normia auf einem Foto, als sie elf gewesen war. Die Twigg-Kinder hatten sich im Halbkreis um Kimberly aufgebaut und nannten ihre Namen. Nur Barry zum Reden zu bringen, damit würden sie wohl ihre liebe Mü- he haben, dachten sie. Aber es kam ganz anders, Kimberly hatte einfach eine Art, die Brücken baute. »Ich bin Barry«, sag- te er, »ich geh in den Kindergarten.« Auch Tommy und Ernie und Will mochten Kimberly auf Anhieb.

Sie sah so hübsch und adrett aus in ihren knielangen Shorts und dem in Grün und Schwarz gehaltenen T-Shirt. Hauptsäch- lich aber lag es wohl an ihrem Lächeln. Und da war noch etwas anderes – sie spürten es alle, auch wenn sie nicht ge- wußt hätten, wie sie es nennen sollten.

Alle plapperten drauflos und kicherten und hatten sich Gott weiß was zu erzählen. Kimberly erzählte, daß sie für Spaghetti schwärmte – und für Oldies. Und als Irisa ihr anvertraute, daß sie bald ein Baby bekommen werde, fing Kimberly vor Freude zu hüpfen an und rief immer wieder: »Ich werde Tante, ich werde Tante!«

Und dann sagte sie ein ums andere Mal: »Daß du mir aber gut auf dich aufpaßt, Irisa! Ich will eine bildschöne kleine Nichte haben. Oder einen tollen Neffen. Wer weiß, vielleicht wird das Baby am neunundzwanzigsten November geboren, an meinem Geburtstag?«

»Nein, Liebes«, korrigierte sie Irisa, »das ist nicht dein Geburtstag, das ist Arlenas Geburtstag.«

»Ach herrje, du hast recht«, sagte Kimberly, und ein Schatten huschte über ihr Gesicht. »Ich bin ganz durcheinander.«

Danach spielten sie Minigolf. »Ich wünschte, ich könnte den ganzen Tag bleiben«, sagte Kim, »aber mein Vater hat noch was vor. Ich soll mit aufs Boot kommen.« Sie bat die Assistentin, in Dr. Ritts Büro in Sarasota anzurufen und zu fragen, ob sie ein bißchen länger bleiben dürfe. »Aber sagen Sie bitte nicht, daß ich länger bleiben möchte«, flüsterte sie ihr zu, »sagen Sie lieber, die Kinder wollten, daß ich bleibe.«

Einen Augenblick später drückte die Assistentin ihr das Telefon in die Hand. »Dr. Ritt möchte mit dir reden.«

Und Dr. Ritt fragte sie: »Was würdest du davon halten, dich mit Mr. und Mrs. Twigg zu treffen? Wäre dir das recht?«

»Du meine Güte . . .«, fing Kimberly zu stammeln an, »du liebe Zeit!« Dann schielte sie zu den Kindern hinüber und holte tief Luft. »Ja«, sagte sie, »das wäre mir sehr recht.«

35. KAPITEL

Wieder vereint

Regina suchte Halt an Ernests Hand. Ihr Blick war wie gebannt auf das Kind gerichtet, auf das Mädchen, das – noch so viele Schritte entfernt – an einem Picknicktisch saß. Und mit jedem Schritt wurde das Bild klarer. Der kleine Pferdeschwanz, das zarte Gesicht, die Nase, die schönen langen Beine. Kimberly sah sie kommen und lief ihnen mit ausgestreckten Armen entgegen. Bob, Darlena, Dr. Ritt und Dr. Smith blieben ein paar Schritte zurück. Regina breitete die Arme aus, Tränen stiegen ihr in die Augen. »Ob ich wohl eine ganz dicke Umarmung kriege?« brachte sie mit belegter Stimme heraus.

Kimberly sah sie an. Ihre Blicke trafen sich. Kims Augen waren klar, sie hatten denselben grünen Schimmer wie die Reginas. »Ja«, sagte sie, »die kriegst du.«

Regina spürte das Kind in ihren Armen, und sie spürte die kleine Hand, die ihr den Rücken tätschelte. Sie richtete sich auf. Die Tränen liefen ihr über die Wangen, sie schniefte ein bißchen, aber sie schaffte es, ein wenig zu lächeln. »Nun«, sagte sie, »wir haben lange Zeit Geduld haben müssen.«

»Ja«, antwortete Kimberly, »genauso lange, wie ich lebe.« Sie stand da wie ein wunderschönes Mädchen beim ersten großen Tanzfest: strahlend schön, graziös, anmutig, lebhaft wie perlender Sekt. Ernest, von seinen eigenen Gefühlen überwältigt, hielt sich zurück.

Bob zerstörte den schönen Augenblick. »Kimberly«, rief er, »ich möchte dich mit Mr. und Mrs. Twiggs bekannt machen.« Kimberly sah ihn verstört an, dann drehte sie sich um, ihr Blick suchte Irisa und die anderen Kinder.

Das Mädchen hatte ein überaus feines Gespür, es fühlte sich, beinahe wie von einer magnetischen Kraft beherrscht, zu dieser fremden Frau hingezogen, die ihre Mutter war.

»Ein wunderschönes Kleid, das Sie anhaben«, sagte Kimberly. Ihre Stimme hatte einen lieblichen, glockenreinen Klang. Aber ihre Augen sagten die ganze Zeit über etwas anderes. »Mutter«, sagten sie, »Mutter, meine richtige Mutter.« Und Regina nahm die Botschaft intuitiv auf, bestätigte sie mit ihrem strahlenden Lächeln. Ihre Augen tanzten über die Gesichter der Kinder, die nun zum erstenmal vor ihr aufgereiht standen, alle gemeinsam. »All diese grünen Augen«, flüsterte sie.

Darlena warf ihr einen bösen Blick zu, aber das machte Regina nun nichts mehr aus. Solche kleinen Nadelstiche prallten an ihr ab.

Kimberly hielt sich, als die Kinder auf dem Minigolfplatz zu spielen begannen, in Reginas Nähe. Sie drückte ihr einen Golfball in die Hand. »Hier, Mommy . . .«

»Du hast nun zwei Moms«, sagte Regina, »Darlena und mich. Wenn's dir lieber ist, kannst du ruhig auch ›Mom Twigg‹ zu mir sagen.«

»Ich werd dich einfach nur Mom nennen«, antwortete Kimberly. »Nur nicht, wenn er in der Nähe ist. Dann sag ich lieber Mrs. Twigg zu dir.«

Drei- oder viermal kam Kimberly während des Spiels zu ihr herübergelaufen, um sie rasch ein bißchen zu drücken. Einmal, ganz von sich aus, sagte sie: »Wenn ich groß bin, will ich eine Babyärztin werden und aufpassen, daß es nie wieder so eine Verwechslung gibt. Und ich will natürlich auch selber Kinder haben, acht Kinder, genau wie du.«

Sie fühlten sich alle sehr zueinander hingezogen – Regina, Ernest, Kimberly und ihre Schwestern und Brüder. Dieses Kind, dachte Regina, ist auf eine ganz besondere Weise schön. Es ist nicht die Art von Schönheit, die einem sofort ins Auge sticht, aber man spürt sie trotzdem ganz deutlich. Sie war von Kimberly fasziniert, so unausweichlich und überwältigend, als hätten die elf Jahre eine Sehnsucht in ihr wachsen lassen, die jetzt um so mehr nach Erfüllung verlangte.

Bob und Darlena kamen zu ihr und meinten, nun wäre es wohl langsam an der Zeit, ein Foto zu machen. Kimberly zuckte gerade zurück, als die beiden so plötzlich auftauchten. Bob faßte das Kind hart an der Hand. Und Regina hörte ihn sagen: »Na, willst du nicht allmählich wieder von deiner Wolke sieben runterkommen?«

Nachdem sie das Foto gemacht hatten, ging Regina vor Kimberly in die Hocke. Sie legte ihr die Hände auf die Schultern. »Ich liebe dich, Kimberly. Ich werde dich immer lieben.« Ihre Blicke trafen sich und hielten einander lange fest. Als Regina hochschaute, sah sie Bob Mays. Er stand direkt neben ihr – über ihr und Kimberly.

36. KAPITEL

Abermals ein Lebewohl

Dreimal trafen sie sich noch mit Kimberly. Jedesmal nahmen sie sich etwas ganz Besonderes vor. Sie fuhren an den Strand, zum Bowling und zum Rollerskate. Von Sebring nach Sarasota brauchte man zwei Stunden mit dem Auto, daher blieb ihnen nie genug Zeit, um Kim nach Hause zu bringen. Sie wollten, daß alles unbeschwert blieb, Kimberly sollte bei ihnen sein, aber das Kind sollte sich deswegen nicht innerlich hin und her gerissen fühlen. Das seltsame war, daß Kimberly offenbar in ihnen von Anfang an keine Fremden sah, sie schien sie seit langem zu kennen – nicht so, daß sie gewußt hätte, wie ihr Alltag im einzelnen ablief, aber in einer tieferen Bedeutung. Am Anfang jeder Begegnung schien sie Funken zu sprühen, anders konnte man es nicht ausdrücken, sie glühte regelrecht. Später, wenn die Zeit, die sie gemeinsam verbringen durften, sich dem Ende zuneigte, wirkte sie bedrückt, beinahe verzweifelt.

Einmal, als sie unterwegs waren zu ihrer Freundin Betty, fragte Regina: »Kimberly, ich hoffe, diese Leute kümmern sich gut um dich und sind lieb zu dir und du liebst sie auch?«

Kimberly spielte mit ihrem Haar. »Ja«, antwortete sie ausweichend, »ihr seid alle lieb zu mir.«

Später, als Betty sie fragte, was sie denn dabei empfunden habe, daß sie nun endlich ihre Schwestern und Brüder kennenlernen konnte, antwortete Kimberly: »Ich hab nur im stillen gedacht: wunderschön, daß sie so hübsch sind und so lieb.«

»Und deine Mom und dein Dad?« fragte Betty.

Kimberly ließ ein paar Sekunden verstreichen, dann seufzte

sie. »Endlich meine Eltern, meine richtige Mom und mein richtiger Dad, die ich so lange nicht gehabt habe.«

An dieser Stelle griff Regina ein, weil sie auf keinen Fall wollte, daß das Kind sich unter Druck gesetzt fühlte. »Kimberly, du sollst aber auch die anderen liebhaben, die zu deinem Leben gehören.«

»Aber zwischen dir und mir ist es das Band des Blutes«, erwiderte Kimberly, »du bist mein Blut.«

Ein andermal, als sie zum Bowling fuhren, fragte Kimberly, ob sie in die Bowlingliste den Vornamen Arlena oder Kimberly eintragen sollte.

»Warum solltest du denn Arlena hinschreiben?« wollte Regina wissen.

»Na ja, weil das doch der Name ist, den ihr eigentlich für mich ausgesucht habt«, erklärte ihr Kimberly.

»Kleines«, sagte Regina, »egal, wie du heißt, wir haben dich sehr lieb. Vor langer, langer Zeit, als ich selber ein kleines Mädchen war, hieß ich Mary Lee. Eigentlich ist das immer noch mein richtiger Name. Wenn du's gern willst, kannst du Kimber-Lee sein, das ist dann so, als wären unsere beiden Namen ineinander verschlungen. Aber eines, Kimberly, sollst du wissen und uns glauben: Wir haben dich nie freiwillig hergegeben, und wir werden uns nie von dir abwenden.«

»Na ja, mein Dad sagt, nach einer Weile werde ich für euch nur noch ein Kind unter vielen sein, nichts Besonderes mehr.«

»Für uns wirst du immer etwas Besonderes sein«, sagte Regina. Als sie auf den Parkplatz einbogen, auf dem sie sich mit Bob Mays treffen wollten, beschlich Regina plötzlich ein ungutes Gefühl. »Hör gut zu, Kimberly«, sagte sie hastig, »er wird vielleicht irgendwann böse auf uns und erlaubt uns nicht mehr, daß wir uns treffen. Das kann sich dann lange hinziehen, vielleicht müssen wir wieder vor Gericht gehen und hart miteinander streiten. Hier – hier hast du unsere Telefonnummer, heb sie gut und sicher auf.«

»Ich werd sie verstecken«, sagte Kimberly leise. Sie sahen

schon Bobs Wagen in einiger Entfernung stehen, die Scheinwerfer waren eingeschaltet, der Motor lief.

»Denk immer daran, daß wir dich sehr, sehr lieben«, sagte Regina.

Kimberly hielt Reginas Hände umklammert und sah ihr fest in die Augen. »Ich will dir ein Geheimnis verraten, Mom«, wisperte sie, »ich liebe dich auch. Ich habe euch alle lieb.« Dann öffnete sie die Wagentür und verschwand in der Dunkelheit. Das war das letzte Mal, daß Regina sie sah.

6. TEIL

Epilog

Mutter – das ist auf den Lippen und in den Herzen kleiner Kinder das Synonym für Gott.

William Makepeace Thackeray

37. KAPITEL

Kimberly

Im Oktober 1990 brach Bob Mays einseitig alle Besuchs- und Telefonkontakte ab. Zuerst behauptete er, es ginge um eine Strafe für Kimberly, weil ihre Noten immer schlechter würden. Dann sagte er, Kimberly litte unter Depressionen und werde bereits mit Medikamenten behandelt, das sei der Grund. Später fiel ihm als Begründung ein, Kimberly habe nach den Besuchen regelmäßig »Verhaltensstörungen« gezeigt, und er habe jedesmal drei Tage gebraucht, um sie wieder zu beruhigen.

Für die Twiggs waren diese Jahre sehr schwer – eine Zeit, in der sich Anhörungen vor Gericht, eine Kostenrechnung nach der anderen, vergebliche Vermittlungsbemühungen und im letzten Moment abgesagte Gerichtstermine aneinanderreihten. Sie hatten inzwischen John Blakely beauftragt, eine Klage einzuleiten, um das Sorgerecht für Kimberly zu erstreiten. Cindy Mays und Dr. Stephen Groff wurden vorgeladen, aber beide weigerten sich, der Vorladung Folge zu leisten. Das Gericht mußte Cindys Anhörung unter Strafandrohung anordnen.

Blakely nahm viel Rücksicht auf Cindy. »Das wird sehr, sehr schwer für Sie werden«, sagte er. »Schauen Sie einfach nur immer zu mir her, sehen Sie nur mich an, als ob sonst niemand da wäre.«

Unwillkürlich wandte sie sich doch für einen kurzen Moment um. Rechts von ihr saß der Berichterstatter des Gerichts, daneben Arthur Ginsberg, dann kam Bob Mays – alle starrten sie an. Daneben hatten die Anwälte des Krankenhauses Platz genommen. Sie saßen alle an dem runden Tisch in John Blakelys Büro in Tampa, aufgereiht wie die Gäste bei einer Dinnerparty. Sie schauderte, wandte den Kopf rasch wieder nach links und suchte Blakelys Blick. Seit einiger Zeit fühlte sie sich von Woche zu Woche innerlich stärker, sie hatte sich – abgesehen von einer kurzen Phase mit Angstanfällen in den letzten Tagen, unmittelbar vor dieser Anhörung – recht gut in der Gewalt.

Sie hatte abgenommen und sah hübsch aus in ihrem schwarzen Rock, einem weißen, mit kleinen schwarzen Punkten gemusterten, an der Taille gerüschten Oberteil, einem roten Schultertuch, weißen Seidenstrumpfhosen, schwarzen Pumps und roten Ohrclips. Sie hatte geahnt, daß Bob sie besonders aufmerksam mustern würde. Seinetwegen hatte sie sich so hübsch hergerichtet, aber nicht etwa ihm zuliebe, sondern weil sie ihm keinen Anlaß zu hämischer Genugtuung geben wollte.

Blakely hatte am Abend zuvor alles ausführlich mit ihr durchgesprochen, eineinhalb Stunden lang, und hatte morgens die wichtigsten Punkte kurz mit ihr rekapituliert. Er hatte erfahren, daß Bob gern zur Flasche griff, er wußte, wie er mit Kimberly umsprang und sie immer wieder mit bösen Worten und Schlägen traktierte. Er wußte auch, daß Bob das Kind einmal durchs Zimmer geschleudert hatte. Ihm war ebenfalls bekannt, daß er die Waffe auf Cindy gerichtet und gedroht hatte, sie zu erschießen. Er hatte geglaubt, nun alles zu wissen, aber dann gab es doch noch eine Überraschung – die Sache mit den jungen Hunden. Daß jemand so herzlos sein konnte, vor den Augen der Kinder damit zu drohen, daß er die Hunde abschießen werde, war unfaßbar für ihn.

»Abgesehen von dem Vorfall seinerzeit im Schlafzimmer, als Mr. Mays gedroht hat, Sie zu erschießen – hat es eine ähnliche Drohung auch bei anderer Gelegenheit gegeben?« fragte er.

Cindy sagte: »Ja, kurz nachdem wir in das Haus in Riverview gezogen waren. Bob brachte eines Tages zwei Welpen mit, später kam noch ein dritter junger Hund dazu. Die haben dann angefangen, sich unter dem Zaun einen Laufgang zu scharren. Ich hörte die Kinder schreien und bin rausgerannt, und da stand Bob mit dem Gewehr und wollte die Hunde erschießen.«

»Hat er laut und vernehmlich gesagt, daß er sie erschießen will?« fragte Blakely verblüfft.

»Ja, Sir«, antwortete Cindy.

»Und die Kinder, haben die geweint?«

»Ja, Sir.«

Vier Stunden lang hielt Cindy Tanner-Mays durch. Nicht ein einziges Mal sah sie Bob an, bis sie darauf zu sprechen kamen, wie das seinerzeit gewesen war, als ihr Kimberly zum erstenmal weggenommen wurde. Da schielte sie doch kurz zu ihm hinüber. Sie sah, daß er – dicht neben ihr, zum Greifen nahe – hektisch auf dem Block mit dem gelben Anwaltspapier herumkritzelte und sich Notizen machte. Sie atmete tief durch.

»Die beiden Mädchen mußten sich nebeneinander auf die Couch setzen«, begann sie, die Stimme zu einem Flüstern gesenkt, »und er hat ihnen gesagt, er könne es nicht mehr länger aushalten, er werde wegziehen und Kimberly mitnehmen. Dann ist ein Freund von ihm gekommen und hat ihm beim Packen geholfen, und er hat Kimberly genommen und in den Wagen geschoben. Sie hat geweint, sie wollte nicht weg, sie wollte bei ihrer Mutter bleiben. Und sie hat's doch nicht anders gewußt, als daß ich ihre Mom bin. Ich kann Ihnen gar nicht sagen, wie schlimm die Zeit ohne sie gewesen ist.«

Cindys Stimme brach. Sie schlug die Hände vors Gesicht und weinte. Als sie aufschaute, sah sie, daß auch Blakely Tränen in den Augen hatte. »Alles in Ordnung?« fragte er. »Oder möchten Sie, daß wir fünf Minuten Pause machen?«

»Ja«, antwortete sie und tupfte sich mit dem Taschentuch die Tränen weg.

Während der Pause kam Ginsberg mit hochrotem Kopf zu Blakely herüber. »Ich weiß nicht, was Sie mit der ganzen Veranstaltung bezwecken«, fauchte er Blakely an. »Sie ist doch einfach nur rachsüchtig. Mein Mandant streitet sämtliche Vorwürfe ab.«

Sieben Monate später, am 2. Mai 1991, standen John Blakely und Arthur Ginsberg wieder vor Richter Owens. Immer noch ging es um das Recht, Dr. Stephen Groff unter Entbindung von seiner ärztlichen Schweigepflicht vorzuladen, weil, wie Blakely ausführte, seine Anhörung zur Wahrnehmung von Kimberlys Interessen unerläßlich sei.

»Die derzeit einzig relevante Frage ist«, führte Ginsberg dagegen aus, »ob weitere Besuche bei den Twiggs im wohlerwogenen Interesse des Kindes liegen. Die Frage, ob Mr. Mays ein guter Vater ist oder nicht, steht hier überhaupt nicht zur Debatte. Das gehört nicht zu den bei Gericht anhängigen Streitpunkten. Die Twiggs wollen offenkundig eine Regelung erzielen, durch die ihnen ein Besuchsrecht in festgelegten Intervallen zugesichert wird. Es geht demnach um etwas, was 1991 geschehen soll, und dafür sind Ereignisse aus dem Jahre 1987 nicht relevant.«

»Euer Ehren«, sagte John Blakely ruhig und bestimmt, »wir haben Hunderte, ja sogar Tausende Dollar aufwenden müssen, um so weit zu kommen, wie wir nun endlich sind. Heute geht es vor diesem Gericht erstens um die Frage, ob die Informationen, die wir von Dr. Groffs Anhörung erwarten, für die Rechtsprechung relevant sind, und zweitens, soweit das noch nötig sein sollte, um die Frage, ob es zur Durchsetzung des Anhörungsbegehrens eines formellen schriftlichen Antrags bedarf. Tatsächlich ist aber Dr. Groffs Aussage von entscheidender Bedeutung, weil durch sie bewiesen werden kann, daß Kimberly von Anfang an schulische Probleme hatte und bereits im Kindergarten gewisse Verhaltensstörungen gezeigt hat – mit anderen Worten: All diese Schwierigkeiten haben überhaupt nichts damit zu tun, daß die Twiggs und Kimberly sich treffen.«

Owens schien geneigt, sich dieser Auffassung anzuschließen. Dennoch wurde den Beteiligten aufgetragen, vor einer Vorladung von Dr. Groff nochmals zu versuchen, in den strittigen Punkten untereinander zu einer einvernehmlichen Regelung zu kommen. Acht Monate gingen ins Land. Bob Mays rückte keinen Deut von seiner bisherigen Meinung ab, nach wie vor gab es keinerlei Kontakte zu Kimberly.

Am 24. Januar 1992 – fünfzehn Monate, nachdem Kimberly und die Twiggs sich zum letzten Mal gesehen hatten – wurde

Dr. Groff mit Hilfe einer richterlichen Anordnung in Blakelys Büro in Tampa vorgeladen. Er war der wichtigste Zeuge, den Blakely hatte, ein angesehener Neuropsychologe, der speziell auf den Gebieten der Konzentrationsschwäche und nervöser Hyperaktivität bei Kindern sowie schulischen Versagens als besonders erfahren galt. Er kannte die ganze Familie. Bevor sich Cindy und Bob getrennt hatten, waren die Mays sechs Monate lang zur psychologischen Beratung bei ihm gewesen. Bob hatte ihn danach noch zu Einzelgesprächen aufgesucht. Wenn die Aussagen, die Cindy Mays gemacht hatte, von Stephen Groff bestätigt wurden, gab es für Ginsberg keine Möglichkeit mehr, sie in Zweifel zu ziehen.

Dr. Groff händigte beiden Anwälten Kopien der Notizen aus, die er sich während der Sitzungen mit den Mays gemacht hatte, und faßte seine Feststellungen wie folgt zusammen: »In kurzen Worten, sie hatten Probleme, und dabei schien es sich immer um den dauernden Streit wegen Bobs Verhalten gegenüber Kimberly zu drehen. Im Kern ging es darum – darüber finden Sie nichts in meinen Aufzeichnungen, aber ich weiß es –, daß Bob, sehr zu Cindys Leidwesen, sich physisch in eigenartiger Weise gegenüber Kimberly verhielt . . .

Sie versagt in der Schule . . . Die Schule empfiehlt psychologische Beratung, aber Bob lehnt es ab, das Mädchen zu einem Psychologen zu schicken . . . Ich habe hier notiert: ›Er glaubt, das Kind mit Schlägen kurieren zu können‹, und davon kann man nun mal keine vernünftigen Resultate erwarten . . . Darum dreht sich im Kern der Streit zwischen Bob und Cindy. In der letzten Eintragung, datiert vom 5. November, heißt es: ›Wenn Bob gerade danach ist, nimmt er sich zu Hause irgend jemand vor. Er beschimpft Kimberly als faul und dumm, er schlägt sie auf die Schenkel und dahinter.‹«

»Streitet er das ab?« fragte Blakely.

»Nein«, antwortete Groff.

Er nahm seine Unterlagen zu Hilfe – die Aufzeichnungen vom 6. Februar, an dem Kimberly allein zur psychologischen Begutachtung bei ihm gewesen war – und führte aus: »Aus fachlicher Sicht würde ich sagen, daß das Kind als durchaus normal zu bezeichnen ist. Nichts deutet auf Konzentrationsschwäche oder Hyperaktivität hin. Die Ursache seiner Probleme ist im physischen Verhalten des Vaters begründet.

Nachdem ich nun hier sitze und dazu aufgerufen bin, Bob zu charakterisieren, so wie ich ihn während der Zeit der therapeutischen Beratung kennengelernt habe«, fuhr Groff fort, »erinnere ich mich insbesondere daran, daß er eigentlich ständig irgendwelche Auseinandersetzungen mit irgend jemandem hatte – entweder mit den Cokers, seinen eigenen Eltern, mit Cindy, den Lehrern oder mit denjenigen, die sich um therapeutische Hilfe bemüht haben. Soweit es um Kimberlys Erziehung ging oder um die Frage des physischen Verhaltens ihr gegenüber, lag er mit allen über Kreuz. So viele Namen auch in den Sitzungen bei mir gefallen sind, es gab keinen, mit dem er je einer Meinung gewesen wäre. Das führte dazu, daß er eine gestörte, von Wut und Ärger geprägte Beziehung zu diesen Leuten entwickelt hat. Wenn sie nicht derselben Auffassung waren wie er, untersagte er ihnen jeglichen Umgang mit Kimberly. Ein unerschöpfliches Thema während der ganzen Zeit, in der ich mit Bob zu tun hatte.«

Er sah Blakely an und sagte sehr bestimmt: »Es ist mir bekannt, daß er auch Ihren Mandanten, den Twiggs, den Umgang mit Kimberly untersagt. Das überrascht mich nicht, das liegt ganz auf der Linie seines üblichen Verhaltens.«

Er wandte sich wieder seinen Aufzeichnungen zu. »20. März – oh, das war eine ganz besondere Sitzung, ich habe da extra ein Sternchen drangemalt . . .« Er schielte zu Ginsberg hinüber, der ihn durchdringend anstarrte. »Heute kann ich sehr gut verstehen, was sich damals abgespielt hat. Es ging um die körperliche Züchtigung, und Cindy sagte: ›Bob, du schlägst das Kind zu viel, das muß aufhören.‹ Sie schilderte mir dann, wie er beim letzten Mal auf das Kind eingeprügelt habe. Er ist schrecklich wütend geworden. Beide haben nur noch Gift und Galle gespuckt, von einem vernünftigen Meinungsaustausch konnte kaum noch die Rede sein. ›Du hast richtig auf sie eingedroschen und sie hart getroffen‹, hielt ihm Cindy vor. Er sagte: ›Nein, das hab ich nicht.‹ Cindy verlangte: ›Dann zeig doch Dr. Groff mal, wie du zugeschlagen hast, mach's ihm vor.‹ Da stand er auf und . . .« Er deutete auf die Glasplatte des Tisches, an dem sie saßen. »Er stand auf und donnerte mit der offenen Hand auf den Tisch, mit voller Wucht. Ich dachte, er schlägt die Glasplatte kurz und klein oder zerschmettert sich die Hand. Und danach ging er einfach raus.«

»Haben Sie ihm noch irgendwas gesagt, ehe er draußen war?« fragte Blakely.

»Na ja, als er zur Tür ging, habe ich gesagt, was ein Psychologe üblicherweise in solchen Situationen sagt: ›Bob‹, habe ich gesagt, ›Sie sollten lieber hierbleiben, damit wir darüber reden können.‹ Aber wenn jemand in einem solchen Zustand ist wie er damals, so geladen, hat gutes Zureden nicht viel Zweck. Und Bob ist ja kein Winzling. Ich meine, er ist groß und kräftig gebaut. Nun, er ging, und ich saß mit Cindy allein da. Das ist alles, was bei dieser Sitzung herauskam.«

»Dieser Schlag auf den Tisch – war der Ihrer Meinung nach härter, als man ein Kind aus erzieherischen Gründen schlagen sollte?« wollte Blakely wissen.

»So hart, wie er auf den Tisch eingeschlagen hat, mußte ich froh sein, daß das Ding eine daumendicke Glasplatte hatte«, antwortete Groff. »Ich war verblüfft, daß er sich nicht die Hand gebrochen hat.«

»Wenn er auf Kimberly so hart eingeschlagen hat wie auf den Tisch, würde das dem Tatbestand einer Kindesmißhandlung entsprechen?«

»Ja«, sagte Groff.

Blakely runzelte die Stirn. Es war ein Sieg, aber er konnte sich nicht darüber freuen.

Dr. Groff zog erneut seine Aufzeichnungen heran. »Unter dem Datum vom 15. April 1986 steht hier: ›Bob geht es um die totale Kontrolle [Kimberly und Cindy].‹ Und dann: die Störungen in seinem Persönlichkeitsbild sind so ernst, daß ›kaum

Aussicht auf Heilung besteht‹. Kurzum, ich bringe mit meiner Prognose zum Ausdruck, daß selbst bei Einsatz aller therapeutischen Mittel kaum eine Besserung zu erwarten ist.«

»Gibt es für diese Persönlichkeitsstörung irgendeine spezielle Fachbezeichnung, oder handelt es sich mehr um eine allgemeine Beschreibung des Verhaltens, das er gegenüber Kimberly an den Tag gelegt hat?« fragte Blakely, ohne Ginsbergs wütenden Blicken Beachtung zu schenken.

»Nein, nein, das ist keineswegs abwertend gemeint«, sagte Groff. »Das ist eine Diagnose, die Sie im *Handbuch für Diagnostik und statische Erhebungen* finden können. In unserem alten grauen Handbuch, das bis vor fünfzehn Jahren unsere Bibel war, wurde das Erscheinungsbild, das ich hier beschreibe, als psychopathisches Persönlichkeitsbild bezeichnet. Später wählte man den Begriff ›soziopathisch‹, so daß ich nach der gängigen Terminologie korrekterweise von einer soziopathischen Persönlichkeitsstörung sprechen sollte.«

Blakelys Augen wurden größer. »So lautete in Mr. Mays' Fall die Diagnose?«

»Ja«, antwortete Groff. Ein langes Schweigen entstand, keiner sagte etwas.

Später ergänzte Dr. Groff dann noch eine sehr wichtige Erläuterung. »Es kommt häufig vor«, sagte er, »daß ein Kind, das mißhandelt oder mißbraucht wird, keineswegs auf kritische innere Distanz zu seinem Peiniger geht. Richtiger gesagt, es kommt nicht nur häufig vor, sondern es ist in der Literatur als das sogenannte Stockholm-Phänomen bekannt. Zum Beispiel bei Geiselnahmen . . . Nach einer gewissen Zeit fangen die Geiseln an, sich innerlich mit dem zu identifizieren, der ihnen ihr Geschick aufgezwungen hat. Sie reden dem Geiselnehmer geradezu nach dem Munde. Und bei Kimberly ist es ähnlich. Selbst wenn sie gerade dabei ist, mir zu erzählen, was er ihr angetan hat, nimmt sie Bob durch ihre Formulierung in Schutz.« Er kam damit auf einen Punkt zurück, den er vorher schon angesprochen hatte: »Sie neigte zu einem Verhalten, das uns unter dem Begriff Selbstverleugnungs-Phänomen bekannt ist. Unbewußt fängt sie ihre Aussage zum Beispiel so an: ›Ja, es stimmt, er hat mich auf die Schenkel geschlagen . . .‹, und dann fügt sie einen zweiten Halbsatz dazu, durch den sie Bob quasi entschuldigt, wie: ›. . . aber ich hatte es verdient‹ oder ›aber es hat nicht weh getan‹, oder ›aber das macht mir nichts aus‹. Wenn ein Kind so etwas sagt und dabei Tränen in den Augen hat, kann man sicher sein, daß es seinen Peiniger unbewußt schützen will.« Groffs Erklärung für Kimberlys Verhalten lautete: »Ich würde von einer nahezu pathologischen Bindung sprechen.«

Wieder gingen, während Dr. Stephen Groffs Aussage dem Richter vorlag, fünf Monate ins Land, dann wurde schließlich ein Gerichtstermin zur Verhandlung der Sorgerechtsfrage festgelegt, für den 13. Juli 1992.

Am 20. Juni erlitt Regina Twigg unter dem starken Streß bei der Vorbereitung auf diesen Termin einen Schlaganfall. Die Arterie am Schläfenbein platzte, Regina kam knapp mit dem Leben davon. Nach der Operation, drei Tage auf der Intensivstation und mehreren Bluttransfusionen begann sich ihr Zustand langsam zu stabilisieren. Die Ärzte beantragten eine Verschiebung des Gerichtstermins, statt dessen wurde die Verhandlung ganz abgesetzt. Das Gericht wies die streitenden Parteien an, nochmals den Versuch einer gütlichen Einigung zu unternehmen. Ein neuer Gerichtstermin wurde nie wieder anberaumt.

Zu wissen, daß sie ihre leibliche Tochter verloren hatten, war für die Twiggs schrecklich genug. Mit dem Wissen leben zu müssen, daß Kimberly einem Mann ausgeliefert war, der sie so schlecht behandelte, war noch schrecklicher.

Kimberly ist eine Gefangene ihrer Gefühle. Einerseits besteht die emotionale Bindung zu Bob Mays, unter dessen Einfluß sie in all den Jahren aufgewachsen ist, andererseits gibt es die starke Kraft der Blutsverwandtschaft, durch die sie sich an die Twiggs gebunden fühlt. Irgendwo zwischen diesen Polen ist sie innerlich hin und her gerissen.

Von Rechts wegen hätten die Twiggs das Kind Bob Mays

wegnehmen und zu sich nach Hause holen können. Sie sind Kimberlys Eltern, sie war ihnen durch eine Verwechslung weggenommen worden, und sie hatten zu keiner Zeit auf das Recht zur Adoption verzichtet.

Nur ihr tiefer Respekt vor Kimberlys Empfindungen hat sie davon abgehalten, diesen Weg zu gehen. Aber es bleibt der immer wiederkehrende Zweifel, ob sie dem Kind durch ihre Zurückhaltung wirklich etwas Gutes getan haben. In der gesamten modernen Rechtsprechung gibt es keinen richtungweisenden Präzedenzfall. Nur in der Bibel wird vom ältesten überlieferten Urteil erzählt, das als Orientierung dienen könnte: Um ihr Kind davor zu bewahren, in zwei Hälften zerrissen zu werden, bittet die leibliche Mutter den König Salomon, es lieber denen zu geben, die in Wahrheit gar nicht seine Eltern sind.

Nur, Kimberlys Schicksal ist eben keine biblische Erzählung und kein Mythos eines anderen Volkes. Ihr Geschick ist der Alptraum aller Eltern und wird es bleiben, bis sich ein neuer König Salomon findet, der in seiner Weisheit Recht zu sprechen vermag.

John Blakely rechnet damit, daß bis zum abschließenden Urteil eines Gerichts noch mehrere Jahre vergehen werden. Bis der Rechtsweg ausgeschöpft ist – zunächst vor dem Obersten Gerichtshof von Florida, danach vor dem Obersten Gerichtshof der Vereinigten Staaten –, bis es (und zwar nur dann, wenn die unterlegene Partei es auf sich nimmt, durch alle Instanzen zu gehen) in der Sorgerechtsfrage zu einem unanfechtbaren Urteil kommt, wird Kimberly, die jetzt vierzehn ist, vielleicht schon volljährig sein.

38. KAPITEL

Das letzte Wort

Am 7. Juni 1991 akzeptierten Ernest und Regina Twigg ein Vergleichsangebot des Hardee Memorial Hospitals über eine Wiedergutmachungszahlung von sieben Millionen Dollar. Der größte Teil der Summe sollte monatlich in Form einer lebenslangen Rente ausgezahlt werden. Der Rechtsstreit war gewonnen, der Anspruch der Twiggs auf Wiedergutmachung anerkannt worden. Damit hatte das Krankenhaus endlich bestätigt, daß den Twiggs unermeßliches Unrecht zugefügt worden war.

Das Geld hat den Twiggs das Leben leichter gemacht, im Luxus schwelgen sie allerdings bis heute nicht. Die Zeit, in der sie mit jedem Penny rechnen mußten, hat zu lange gedauert. Immerhin, Ernest konnte den Job am Fahrkartenschalter der Amtrak aufgeben, sie besitzen nun ein Haus, in dem sie genug Platz für die Kinder und sogar noch ein leeres Zimmer haben – ein Zimmer, das für Kimberly ist.

Regina ist im Grunde dieselbe geblieben, die sie immer war. Sie verdient weiterhin dazu, wirtschaftet sparsam und kommt sogar weiter den Pflichten nach, die sie als Zugehfrau bei einer älteren Nachbarin übernommen hat. Turnusgemäß wurde sie dort ein paar Tage nach der Vereinbarung mit dem Krankenhaus erwartet. Sie kam pünktlich wie immer, sie wollte die alte Dame nicht im Stich lassen. Der einzige Unterschied bestand darin, daß sie nach acht Stunden Putzen die vierzig Dollar, die ihr sonst ausbezahlt wurden, nicht annahm. »Betrachten Sie's als Gefälligkeit«, sagte sie.

Bob Mays verklagte das Krankenhaus auf zehn Millionen Dollar. Die Anwälte Deborah Blue und William Partridge bereiteten sich darauf vor, seine Forderung vor dem Bundesgericht zurückzuweisen. Ihre Absicht war es, dahingehend zu argumentieren, daß den Mays' überhaupt kein Schaden entstanden sei, da sie eine gesunde, hübsche Tochter hätten. Im übrigen wollten sie zu beweisen versuchen, daß die Babys vorsätzlich vertauscht worden waren. Nach dem in Florida geltenden Recht war das Krankenhaus in einem solchen Fall nicht zur Wiedergutmachung verpflichtet.

Und dann erklärte das Hardee Memorial Hospital im Juli 1992 seine Zahlungsunfähigkeit. Es schloß seine Tore und ließ verlauten, einer der ausschlaggebenden Gründe sei diese Verwechslung der Babys. Am 21. September 1992 stimmten das Krankenhaus und der Florida-Patienten-Kompensationsfonds einem Vergleich zu, demzufolge Bob und Kimberly Mays die Summe von 6,6 Millionen Dollar erhalten sollten. Auch hier handelt es sich um eine Zahlung in Form einer lebenslangen Rente.

William Partridge, der Anwalt des Krankenhauses, sagte mir wenige Tage vor Abschluß des Vergleiches: »Ich hoffe dennoch, daß es zu einem Prozeß vor dem Bundesgericht kommt. Ich setze meine Hoffnung auf die Verhandlung und die Geschworenen. Nur in einem Prozeß kann das Problem eines vorsätzlichen Austausches von Neugeborenen grundsätzlich erörtert werden. Nach all den Jahren ist es einfach nötig, daß jemand unter Eid vor den Geschworenen erklärt, wie es zu der Verwechslung der Säuglinge kommen konnte. Die Vermutungen und Verdächtigungen müssen ein Ende haben, wir brauchen eine logische Erklärung. Alles muß in überzeugender Weise klargelegt werden.«

Auch Regina Twigg sagte: »Es wird höchste Zeit, daß das alles lückenlos aufgeklärt wird.« Sie blinzelte gegen die Sonne, die Tränen glitzerten noch in ihren Augen. »Wirklich, es wird höchste Zeit, daß die Wahrheit ans Licht kommt.«

Nun, das wird vielleicht nie geschehen.

Ich hatte mich dazu durchgerungen, wieder nach Florida zu reisen und noch einmal zu versuchen, hinter das Geheimnis von dem zu kommen, was tatsächlich vierzehn Jahre zuvor im Hardee Memorial Hospital geschehen war.

Am 10. Dezember 1991 trat ich die Reise in den Hardee County an, diesmal in Begleitung eines früheren Polizisten, der jetzt als Privatdetektiv arbeitet und meiner Meinung nach der beste auf seinem Gebiet ist. Die Methoden, deren sich Reporter bei ihren Nachforschungen bedienen, sind denen von Privatdetektiven ziemlich ähnlich, wir schauen uns gegenseitig das eine oder andere ab. Überdies stellte Skip Gochenour einen gewissen persönlichen Schutz dar, den ich, wer weiß, womöglich dringend nötig hatte.

Es gibt kaum etwas Schwierigeres, als so viele Jahre nach einem Ereignis Recherchen anzustellen und bruchstückhafte Informationen zu einem Bild zusammenzufügen, besonders dann, wenn in den Akten manipuliert wurde und vieles schlichtweg daraus verschwunden ist.

Sooft ich mit widersprüchlichen Aussagen oder mit unbelegten Tatsachenbehauptungen über den Austausch der beiden Babys konfrontiert wurde, habe ich versucht, mit allen Beteiligten ins Gespräch zu kommen.

Wir stießen auf Kathryn Drevermann, eine frühere Angestellte im Schnellimbiß Circle K. Sie behauptete, eine Hilfsschwester habe ihr gegenüber ein Geständnis abgelegt. Kathryn wohnte mit ihrem Mann und den Kindern in einem kleinen, bescheidenen Haus in einer trostlosen, am Ortsrand gelegenen Straße in Zolfo Springs, einem winzigen Ort in Zentralflorida. Ihr Mann Ray arbeitete bei einem Traktorhändler. Die Drevermanns waren ruhige, einfache Leute. Daß sie auf einmal im Mittelpunkt des Interesses standen, erschreckte sie eher.

Kathryn und ich hatten ein paarmal miteinander telefoniert, sie hatte Vertrauen zu mir gefaßt. Ray öffnete uns die Tür und bat uns herein. Wir gingen durchs Wohnzimmer, vorbei am Elvis-Presley-Bild über der Couch, in die kleine, blitzsauber gehaltene Küche, wo schon Doughnuts und Kaffee auf uns warteten. Da saßen wir dann bis spät in die Nacht und unterhielten uns.

Ray Drevermann berichtete mit verstecktem Schmunzeln: »Als meine Frau seinerzeit nach Hause gekommen ist und mir – noch ganz durcheinander – erzählt hat, was passiert war, hab ich zu ihr gesagt: Halt, verdammt noch mal, den Mund, hab ich gesagt, da kann sich alles mögliche draus entwickeln. Und, seh'n Sie, ich hab recht behalten. Jahrelang haben wir kein Sterbenswörtchen von der Sache gehört, und jetzt ist uns auf einmal die ganze verdammte Welt auf den Fersen.«

Ich erklärte ihnen, daß und wieso ich es gewesen sei, die, wenigstens zu einem guten Teil, für den Wirbel verantwortlich war. Mir waren Ray Starrs Bericht und die Aufzeichnungen der Anhörungen in die Hände gefallen, die drei Jahre lang in einem Hinterzimmer von John Blakelys Büro in irgendeinem Aktenregal verstaubt waren. Weil Blakely nicht vorhatte, den Vorfall zum Gegenstand eines Strafverfahrens zu machen, hatte einer seiner Assistenten die Unterlagen lediglich daraufhin überprüft, ob es Anzeichen für Versäumnisse seitens der Ärzte gegeben habe und dann die Akten irgendwo abgelegt. Ich zeigte sie Blakely, und weil mir vor allem daran gelegen war, der Wahrheit auf die Spur zu kommen, beschloß ich, auch den Anwälten des Krankenhauses einen Wink zu geben, zumal sie die Möglichkeit hatten, eine Gruppe privater Ermittler auf die Sache anzusetzen.

Nachdem Kathryns Geschichte im Krankenhaus bekanntgeworden und auch der Presse zu Ohren gekommen war, konnte sie sich vor Anrufen kaum noch retten. Etwa um diese Zeit tauchte auch der kahlköpfige Typ mit der 357er Magnum auf, der sie auf Schritt und Tritt verfolgte.

»Ich hab mit eigenen Augen die Patronen in seinem Wagen rumliegen sehen«, erzählte mir Ray. »Ich hatte bis dahin nur gehört, daß er überall rumfuhr und die Leute ausfragte, wo wir wohnten. Und dann habe ich beobachtet, daß er auffallend langsam seine Runden bei uns ums Haus drehte. Tja – und eines Tages merke ich, daß er mich verfolgt. Ich schnapp ihn mir und sage: ›He, Mann, was wird hier eigentlich gespielt?‹ Und er antwortet: ›Passen Sie gut auf Ihre Frau auf‹, sagt er, ›bei dem Spielchen geht's immerhin um zehn Millionen.‹ Er wollte uns seinen Schutz anbieten. Wie sich rausstellte, arbeitete er für das Krankenhaus. Die hatten ihn losgeschickt, weil er uns aufspüren sollte. Die wußten nämlich nicht, wo wir wohnten.« Er sah mich an. »Die wußten nur, was Sie denen erzählt hatten.«

Kurze Zeit später rief Deborah Blue im Auftrag des Krankenhauses bei Kathryn an. Ray schilderte mir, wie sich das Ganze abgespielt hatte.

»Tja, also – das ist 'ne richtig feine Dame, mächtig rausgeputzt, ungefähr fünfunddreißig – na, kann sein achtunddreißig, rotkariertes Schottenkostüm, rote Seidenstrümpfe, hochhackige rote Schuhe und kurzes blondes Haar, so gestutzt, wissen Sie? Da war noch ein zweiter Anwalt dabei, so ein hagerer Bursche, Partridge oder so ähnlich. Die beiden haben uns ins Hardee House zum Lunch eingeladen und uns erzählt, sie hätten Dr. Palmer und seinem Anwalt ein paar Fragen gestellt, und der Doc sei ganz schön nervös. Sie wollten, daß wir zu ihnen ins Auto steigen, weil sie nämlich Angst hatten, die Leute im Restaurant könnten sonst vielleicht was mitkriegen. Kathryn hat Deborah erzählt, wie das gewesen war, als Patsy Webb bei ihr aufgetaucht ist und ihr gestanden hat, sie hätte die ID-Bänder vertauscht. Deborah Blue fing regelrecht zu zittern an. ›Ach Gott‹, hat sie gesagt, ›da läuft's mir ja eiskalt den Rücken runter.‹ Und dann wollte sie wissen, wem Kathryn das alles schon erzählt hätte.«

Kathryn konnte sich genau daran erinnern, was sie vor vier Jahren dem Privatdetektiv Ray Starr erzählt hatte. Sie konnte mir auch den Wagen beschreiben, einen alten dunkelgrünen Ford Galaxie, und die Gegend, in der Patsy Webb angeblich in einem halbverfallenen Häuschen wohnen sollte: weit außerhalb der Stadt, auf einem Hügel, immer der gewundenen Landstraße nach.

Skip Gochenour und ich haben sie schließlich mit einiger

Mühe gefunden. Wir haben unterwegs Gott weiß wie oft angehalten und in Läden und an Haustüren nach dem Weg gefragt. Und dann, im Garten, mußten wir uns an all den meckernden Ziegen vorbeischlängeln, die uns dauernd die Waden anknabbern wollten. Ganz zu schweigen von den Hunden, die hinter uns hergejagt kamen. Wie gesagt, wir haben sie gefunden: bettlägerig und an ein Beatmungsgerät angeschlossen, in einem Zimmer, das bis auf den letzten Winkel mit Plunder vollgestopft war und der Wanddekoration nach Ähnlichkeit mit einem Waffenmuseum hatte.

Wir stellten uns vor und fragten sie, ob sie sich noch an die Sache mit den Babys erinnern könne. Sie fing aufgeregt zu gestikulieren an, und da merkten wir erst, daß Skip aus Versehen auf einem der Schläuche stand, der den Sauerstoff aus dem Vorratsbehälter in ihre Lungen pumpte. »O – verdammt, Patsy«, rief er erschrocken und sprang eilends zur Seite, »so wollte ich Sie nun wirklich nicht unter Druck setzen!«

Zuerst behauptete sie, sie könne uns überhaupt nichts erzählen. Wir blieben aber einfach da und plauderten über dies und jenes mit ihr. Und irgendwann sagte sie schließlich, immer wieder von schweren, keuchenden Atemzügen unterbrochen: »Ja, ich kann mich an die Babys erinnern. Da war das mit dem Herzfehler, das ist dauernd blau angelaufen. Man brauchte es nur anzusehen, um zu wissen, daß es krank war.«

Als ich sie ohne Umschweife fragte, ob sie wisse, wer das Identifikationsband der Babys ausgetauscht habe, kniff sie die dünnen Lippen zu einem Strich zusammen, und während ihre dunklen Augen unruhig hin und her huschten, fing sie unter heftigem Kopfschütteln zu jammern an: »Darüber will ich lieber gar nichts sagen, ich werd mir doch nicht selber ein Bein stellen. Und außerdem, nur mal so angenommen – wenn ich's gewesen wäre, würd ich's doch nicht nachträglich zugeben. Nein, nein, das würde ich nicht tun.«

Wir machten dann Polly Rhodos ausfindig, die ältere Hilfsschwester, die eigentlich an dem Abend, an dem die Babys vertauscht worden waren, Dienst gehabt hätte. Auch bei ihr stand es mit der Gesundheit nicht zum Besten, auch sie war bettlägerig, aber sie konnte noch ein paar Schritte laufen. Einsam und allein, wie sie war, hieß sie uns herzlich willkommen, bat uns herein, beschenkte uns mit kleinen Kreuzen, die sie für ihre Kirchengemeinde häkelte, und wollte über alles mögliche mit uns reden, nur nicht über die Sache mit den vertauschten Babys. Sie erzählte uns, daß sie immer noch in regelmäßigem Kontakt zu Dena Spieth, Dr. Palmer und Velma Coker stünde. »Ich mach mir meinen Reim auf das eine oder andere«, sagte sie ein ums andere Mal, »aber ausplaudern werde ich rein gar nichts, weil ich nicht will, daß irgend jemand meinetwegen Schwierigkeiten bekommt.«

Als es Zeit wurde zu gehen, fragte Gochenour sie, ob er irgendwas für sie tun könne. »Wenn Sie ein besonders lieber Junge sein wollen«, sagte sie, »dann flitzen Sie doch schnell mal los zum Schnellimbiß und besorgen mir einen Schlummertrunk.«

»Mit Vergnügen«, sagte er.

Als Gochenour gegangen war, schenkte sie mir ein kokettes, zahnloses Lächeln und sagte noch einmal: »Ich mach mir meinen Reim auf dies und jenes. Oh, meine Liebe, ich weiß, wer's getan hat, aber das kann ich Ihnen beim besten Willen nicht verraten.«

Am nächsten Abend trafen Gochenour und ich uns mit den Anwälten des Krankenhauses und teilten ihnen mit, was wir herausgefunden hatten. Mehrere Stunden lang saßen wir mit Deborah Blue und ihrem Kollegen Bill Partridge zusammen. Deborah, da hatte Ray Drevermann ganz recht, sah in ihrem weißen Rock mit der schwarzen Seidenbluse tatsächlich wie ein herausgeputztes Püppchen aus, aber sie war eine überaus intelligente Frau, immer zu einem Spaß aufgelegt, dabei in der Sache hart und fest entschlossen, den Dingen auf den Grund zu gehen. Später, als es nicht mehr ganz so förmlich zuging, streifte sie die schwarzen Pumps ab, legte die langen, wohlgeformten Beine auf den Schreibtisch und schwor im unverfälschten Slang der Südstaatlerin, sie werde – koste es, was es wolle – keine Ruhe geben, bis sie herausgefunden habe, was es herauszufinden gab.

Am nächsten Tag klopfte ich an Dena Spieths Tür. Keine Antwort. Ich versuchte es später noch ein paarmal. Sie war nicht da, sie besuchte gerade ihre Kinder in Nevada.

Bei einem späteren Telefongespräch lehnte sie es entschieden ab, auch nur in Erwägung zu ziehen, daß Dr. Palmer bei der Manipulation mit den Babys seine Finger im Spiel gehabt haben könne. »Ich schätze Dr. Palmer sehr«, sagte sie, »wir alle tun das. Er ist durch und durch Christ, er hätte nie angeordnet, die Säuglinge zu vertauschen. Ich nehme an, der Irrtum liegt beim Johns Hopkins Hospital, die Babys sind überhaupt nicht vertauscht worden. Ich glaube felsenfest daran, daß Kimberly bei ihrem Vater aufgewachsen ist.«

Bevor wir den Hardee County verließen, gelang es uns noch, Barbaras Mutter ausfindig zu machen, Velma Coker. Als wir ihr Project-Hope-Büro betraten, wurde sie blaß und fing zu zittern an. Wir stellten uns vor, und sie sagte rundheraus: »Ich habe Ihnen nichts, aber auch gar nichts mitzuteilen.«

»Mrs. Coker«, sagte Gochenour, »eine Frage hätte ich trotzdem noch, bevor wir gehen. Erinnern Sie sich daran, daß Sie Ihre Tochter Barbara Mays, kurz bevor sie gestorben ist, zu Regina Twiggs Haus gefahren haben, damit sie ihre kleine Tochter wenigstens einmal sehen konnte? Erinnern Sie sich daran, daß Sie von der Veranda aus durch das Fliegengitter der Außentür einen Blick auf Arlena geworfen haben?«

Velma Cokers Atem ging noch heftiger, sie zitterte so sehr, daß sie es nicht verbergen konnte.

»Keineswegs«, sagte sie. »Ich habe Mrs. Twiggs nie in meinem Leben gesehen und hoffe, ihr nie zu begegnen.«

Kurz nachdem ich wieder zu Hause war, rief Kathryn Drevermann bei mir an, um mir zu sagen, daß ihr das Krankenhaus eine vorbereitete eidesstattliche Erklärung zur Unterschrift zugeschickt habe. Darin hieß es unter anderem: »Mrs. Webb hat zugegeben, daß sie über die Vertauschung der Babys unterrichtet war und sogar selbst dabei mitgewirkt hat.

Sie hat ferner zugegeben, daß der Austausch auf Anweisung von Dr. Ernest Palmer erfolgte. Sie hat weiterhin ausgesagt, ihr sei eindringlich angeraten worden, keinen Kontakt zu den Twiggs aufzunehmen. Als Motiv für den Austausch der Babys nannte Mrs. Webb den Umstand, daß die Mays' keine gesunden Kinder haben konnten.« Kathryn – nach Einschätzung des Krankenhauses eine unbedingt verläßliche Zeugin ohne irgendeinen Grund zur Falschaussage – hat die Erklärung mit dem Zusatz, ihre Zeugenaussage nach bestem Wissen und Gewissen zu machen, bereitwillig unterschrieben.

Als ich kürzlich Patsy Webb anrief, um ihr von der eidesstattlichen Erklärung zu erzählen, hörte ich, wie sie am Telefon nach Luft schnappte. Dann fuhr sie mich an: »Sie ist eine verdammte Lügnerin.«

»Warum sollte Kathryn die Unwahrheit sagen?« fragte Raymond Drevermann. »Sie hätte doch keinerlei Vorteil davon. Alles, was sie sich eingehandelt hat, ist, daß irgendwelche Leute sie verfolgen und ihr angst machen. Sie hat doch Patsy Webb damals nicht aufgefordert, diesen Vorratsraum im Schnellimbiß zu betreten. Und sie ist auch nicht herumgelaufen und hat von sich aus irgend jemandem etwas darüber erzählt. Nein, ihr seid alle zu ihr gekommen und habt ihr Fragen gestellt. Sie hat nur die Wahrheit gesagt. Aber manchmal tut eben gerade die Wahrheit sehr weh.«

»Ja, Ma'am«, bestätigte Cindy Bishop, Kathryn Drevermanns ehemalige Chefin im Schnellimbiß, »ich erinnere mich sehr wohl daran, daß Kathryn eines Morgens mächtig aufgeregt war. Sie hat mir irgendwas von einer verrückten Dame erzählt, die ganz verstört zu ihr in den Geräteraum gekommen sei und sehr lange auf sie eingeredet habe. Aber an Einzelheiten kann ich mich nach dieser langen Zeit wirklich nicht mehr erinnern.«

Gail Bandy, Kathryns Schwägerin, machte einen verschüchterten Eindruck. »Ich weiß noch«, sagte sie, »daß Kathryn zu mir gekommen ist und mir irgendwas von vertauschten Babys erzählt hat. Sie hat eine Dame erwähnt, die ihr erzählt habe,

Dr. Palmer habe ihr Anweisung gegeben, diese Bänder, die die Säuglinge am Fußgelenk tragen, zu vertauschen.« Kathryns Mutter sei bei dem Gespräch ebenfalls dabeigewesen, sagte die Schwägerin. »Ich wünschte, sie wäre noch am Leben und könnte Ihnen das alles selber erzählen. Sie hat sich schrecklich darüber aufgeregt und immer wieder gesagt, so etwas dürfe man nicht einfach verschweigen, das müßten die Leute, die es etwas anging, erfahren. Wir vermuten alle, daß sie etwas mit dem Anruf bei der Polizei zu tun hatte und dafür gesorgt hat, daß dieser Detektiv, Ray Starr, sich der Sache angenommen hat. Mama hat ein paar Leute im Police Department gut gekannt.«

Und Kathryn sagte, als ihre Schwägerin ihr am Telefon davon erzählte: »Es gibt Leute, die mich und meine Kinder bedrohen. Ein Glück, daß mein Mann und ich freiwillig beim Rettungsdienst und bei der Feuerwehr mitarbeiten. Ray fährt am Wochenende oft in den Streifenwagen mit, daher kennt er die Polizisten gut, sie sind unsere Freunde. Sie haben, seitdem das mit den Drohungen angefangen hat, ein wachsames Auge auf uns.«

Nachdem ich mit Patsy Webb und Kathryn Drevermann gesprochen hatte, entschloß ich mich, einen letzten Versuch zu unternehmen, Dr. Palmer zu erreichen. Seine Frau ließ mich wissen: »Unser Anwalt, Mr. Somers, hat uns geraten, uns nicht zu der Angelegenheit zu äußern. Ich persönlich glaube, das Ganze war ein schrecklicher Irrtum, einfach entsetzlich, ein tragischer Fall von menschlichem Versagen. Für einen angesehenen Arzt wie meinen Mann, der sich sein Leben lang im Dienste der Medizin aufgeopfert hat, ist es sehr schlimm, so etwas durchmachen zu müssen.« Ich konnte heraushören, wie schmerzlich das alles für Mrs. Palmer war. Ich bedankte mich und sagte ihr, daß ich nun Kontakt mit ihrem Anwalt aufnehmen wolle.

Ich erreichte Clifford Somers in seinem Büro in Tampa. »Dr. Palmer stellt entschieden in Abrede, daß er irgend etwas über diesen Austausch gewußt hat«, sagte er, als ich ihm von

Kathryn Drevermanns eidesstattlicher Erklärung erzählte. »Ich habe schon viele Leute anwaltlich vertreten und kann Ihnen aufrichtig versichern, daß er einer der anständigsten Menschen ist, die ich je kennengelernt habe. Das ist alles so verworren und undurchsichtig. Er hat bestimmt nichts davon gewußt, nein, das ist ganz einfach nicht wahr.«

Wiederholt habe ich während der drei Jahre, die ich an diesem Buch gearbeitet habe, versucht, ein Gespräch mit Bob Mays zu führen, ich wurde jedesmal abgewiesen. Im Mai 1992 erhielt ich ein Schreiben von einem seiner Anwälte, der mich bat, ihm vor der Veröffentlichung die Möglichkeit zur Einsicht in mein Manuskript zu geben. Ich lehnte das Ersuchen ab und bat erneut um ein Gespräch mit Mr. Mays, damit ich in meinem Buch auch seine Sicht der Dinge darstellen könnte.

Am 18. August 1992 rief Arthur Ginsberg per R-Gespräch bei mir an und erklärte sich endlich bereit, namens seines Mandanten mit mir zu sprechen. »Ich habe keine vernünftige Erklärung dafür, wie es möglich gewesen sein soll, die Babys zu vertauschen, es sei denn, das Ganze wäre geschehen, als sie gebadet wurden«, sagte er. »Aber ich weiß genau, daß Bob Mays nichts damit zu tun hatte.«

Ginsberg stellte kategorisch in Abrede, daß an Cindy Tanner-Mays' Äußerungen über Bobs Jähzorn, über irgendwelche Mißhandlungen von Kimberly, über seine angebliche Trunksucht und über die Episode mit dem Gewehr auch nur ein wahres Wort sei. »Ich kenne Bob seit vielen Jahren. Es gibt keinerlei Anzeichen für eine Neigung zu Gewalttätigkeiten – oder was sonst noch über ihn erzählt wird.« Ginsberg fügte hinzu, Bobs Weigerung, Cindy den Umgang mit Kimberly zu erlauben, sei ein »durchaus kluger Schachzug«, und ein weiteres Zusammentreffen mit Regina Twiggs sei in Kims wohlerwogenem Interesse nicht opportun. Er erwähnte in diesem Zusammenhang das Gutachten eines vereidigten Psychologen, in dem zum Ausdruck gebracht werde, daß Regina selber einer therapeutischen Behandlung bedürfe. Die Möglichkeit, daß Ernest sich mit Kimberly treffen könnte, wollte er nicht ausschließen. Aber unter Beaufsichtigung, verlangte er, »denn Ernest ist Reginas verlängerter Arm«.

Vor nicht allzulanger Zeit tauchte eine neue Zeugin auf. Virginia Jones ist staatlich geprüfte Krankenpflegerin. Sie sagt, sie habe zu der Zeit, als die Babys ausgetauscht wurden, ihre kranke Mutter im Hardee Memorial Hospital besucht. Da die normalen Krankenzimmer überbelegt waren, habe man ihre Mutter seinerzeit in der Entbindungs- und Wöchnerinnenstation untergebracht, und sie selbst sei bei jedem Besuch vor der großen Glasscheibe stehengeblieben und habe sich die beiden hübschen Babys angesehen.

Am 5. Dezember, also am Tag vor Regina Twiggs und Barbara Mays' Entlassung, sei sie ein wenig früher als gewöhnlich gekommen. Als sie aufs Krankenhaus zugegangen sei, habe sie gesehen, wie eine Schwester mit einem Baby im Arm zum Parkplatz rannte. Die Schwester habe das Kind jemandem in den Wagen gereicht und gerufen: »Los, hauen Sie ab! Sehen Sie zu, daß Sie so schnell wie möglich hier wegkommen.«

Virginia Jones nimmt für sich in Anspruch, ein religiös geprägter Mensch zu sein. Daher, sagt sie, habe sie ihr Wissen offenbaren müssen. Sie habe nicht länger mit dem Schuldgefühl leben können, alles für sich zu behalten. Seit der Enthüllung werde sie zwar dauernd anonym bedroht, aber sie habe nun wenigstens ihr Gewissen erleichtert.

So viele Jahre sind vergangen. Niemand kann mit absoluter Sicherheit erklären, weshalb Kimberly drei Mütter gehabt hat und wie es passieren konnte, daß sie bei den falschen Eltern aufgewachsen ist. Was allerdings mit einem hohen Maß an Sicherheit gesagt werden kann, ist, daß das Ganze weder ein Zufall noch ein Versehen war. Beide Babys wurden gleichzeitig mit insgesamt vier Identifikationsbändern markiert. Jemand muß den Austausch vorsätzlich vorgenommen haben, auch wenn wir vielleicht nie erfahren werden, wer es gewesen ist.

Könnte es sein, daß Barbara Mays, nachdem sie erfahren hatte, daß ihr Kind mit einem schweren angeborenen Herzfehler zur Welt gekommen war, in ihrem tiefen Schmerz heimlich ins Säuglingszimmer gegangen ist, die Bänder ausgetauscht und nie jemandem ein Wort davon gesagt hat? Ist es möglich, daß ein Arzt – sei es für Geld oder in einer Anwandlung von Mitleid am falschen Platze – das Ganze arrangiert hat? Kann es sein, daß Bob Mays und seine Frau Barbara den Austausch gemeinsam geplant haben? Ist es denkbar, daß Velma Coker sich, um es ihrer Tochter leichter zu machen, unter den Angestellten des Krankenhauses eine Handlangerin gesucht hat?

Ist es denn überhaupt vorstellbar, daß eine Hilfsschwester in einem schwachen Augenblick einem ihr völlig fremden Menschen den wahren Hergang geschildert hat?

Es ist nicht auszuschließen, daß es aufgrund neuer Zeugenaussagen oder Indizien einen neuen Prozeß geben wird. Solange sie genug Geld haben und gewillt sind, es auszugeben, werden beide Parteien immer Anwälte, Privatdetektive und Psychologen finden, die gern für sie tätig werden. Da nach dem Bundesgesetz der Begriff des Kidnapping nicht eindeutig definiert ist, kann es sogar sein, daß in einem Prozeß Haftstrafen ausgesprochen werden.

Nur eines ist leider unabänderlich: Während der Rechtsstreit weitergeht, verrinnen die Jahre. Kimberlys Kindheit neigt sich dem Ende zu. Bald wird für das Mädchen die Chance, im Kreis der eigenen Familie aufzuwachsen, endgültig vertan sein. Und das ist der Punkt, um den es – ungeachtet aller juristischen Entscheidungen, aller Wiedergutmachungszahlungen und aller abschließenden Schuldzuweisungen – eigentlich geht.

»Kimberly ist meine Tochter«, sagt Regina traurig. »Sie ist das verlorene Glück meines Lebens, man hat mir das Baby buchstäblich aus dem Bauch gestohlen. Nichts vermag daran etwas zu ändern. Solange ich lebe, werde ich sie lieben und nicht aufhören, darum zu beten, daß sie eines Tages heimkommen wird.«

GOLDMANN

Frauen heute

*Autorinnen von heute definieren den Begriff
Weiblichkeit jenseits gängiger Klischees neu und
schreiben mit Witz und Selbstironie über Liebe und
Leben, Erotik und Romantik. Ein zeitgemäßer Typ
Frauenliteratur: emanzipiert, poetisch, provokant,
unterhaltsam und anspruchsvoll zugleich.*

Das große
Frauenlesebuch I   42345

Renan Demirkan, Schwarzer Tee
mit drei Stück Zucker   42346

Margaret Diehl,
Die Männer   42347

Alice Hoffman,
Der siebte Himmel   42348

Goldmann · Der Taschenbuch-Verlag

GOLDMANN

Frauen heute

Autorinnen von heute definieren den Begriff
Weiblichkeit jenseits gängiger Klischees neu und
schreiben mit Witz und Selbstironie über Liebe und
Leben, Erotik und Romantik. Ein zeitgemäßer Typ
Frauenliteratur: emanzipiert, poetisch, provokant,
unterhaltsam und anspruchsvoll zugleich.

Julie Burchill, Die Waffen der
Susan Street   42341

Rossana Campo, Am Anfang war
die Unterhose   42342

Mavis Cheek,
Doch nicht jetzt, Liebling! 42343

Sandra Cisneros, Das Haus in der
Mango Street   42344

Goldmann · Der Taschenbuch-Verlag

GOLDMANN

Frauen heute

Autorinnen von heute definieren den Begriff Weiblichkeit jenseits gängiger Klischees neu und schreiben mit Witz und Selbstironie über Liebe und Leben, Erotik und Romantik. Ein zeitgemäßer Typ Frauenliteratur: emanzipiert, poetisch, provokant, unterhaltsam und anspruchsvoll zugleich.

Bharati Mukherjee,
Jasmine   41070

Alice Walker, Das dritte Leben
des Grange Copeland   9896

Shirley Lowe/Angela Ince,
Eine runde Sache   41399

Simone Borowiak, Frau Rettich,
die Czerni und ich   42134

Goldmann · Der Taschenbuch-Verlag

GOLDMANN

Frauen heute

Autorinnen von heute definieren den Begriff Weiblichkeit jenseits gängiger Klischees neu und schreiben mit Witz und Selbstironie über Liebe und Leben, Erotik und Romantik. Ein zeitgemäßer Typ Frauenliteratur: emanzipiert, poetisch, provokant, unterhaltsam und anspruchsvoll zugleich.

Shirley Lowe/Angela Ince,
Wechselspiele   9613

Elizabeth Jolly,
Eine Frau und eine Frau   9781

Helke Sander,
Oh Lucy   41436

Jenny Fields,
Männer fürs Leben   42323

Goldmann · Der Taschenbuch-Verlag

GOLDMANN

Frauen heute

Autorinnen von heute definieren den Begriff Weiblichkeit jenseits gängiger Klischees neu und schreiben mit Witz und Selbstironie über Liebe und Leben, Erotik und Romantik. Ein zeitgemäßer Typ Frauenliteratur: emanzipiert, poetisch, provokant, unterhaltsam und anspruchsvoll zugleich.

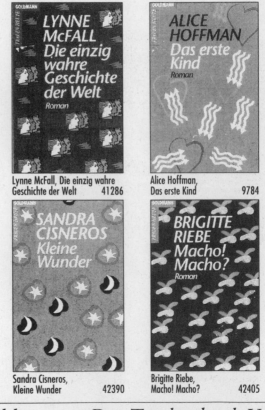

Lynne McFall, Die einzig wahre
Geschichte der Welt   41286

Alice Hoffman,
Das erste Kind   9784

Sandra Cisneros,
Kleine Wunder   42390

Brigitte Riebe,
Macho! Macho?   42405

Goldmann · Der Taschenbuch-Verlag

GOLDMANN TASCHENBÜCHER

*Das Goldmann LeseZeichen mit dem Gesamtverzeichnis erhalten Sie im Buchhandel
oder gegen eine Schutzgebühr von DM 3,50/öS 27,–/sFr 4,50 direkt beim Verlag*

Literatur · Unterhaltung · Thriller · Frauen heute · Lesetip
FrauenLeben · Filmbücher · Horror · Pop-Biographien
Lesebücher · Krimi · True Life · Piccolo · Young Collection
Schicksale · Fantasy · Science-Fiction · Abenteuer
Spielebücher · Bestseller in Großschrift · Cartoon · Werkausgabe
Klassiker mit Erläuterungen

* * * * * * * * * *

Sachbücher und Ratgeber:
Politik/Zeitgeschehen/Wirtschaft · Gesellschaft
Natur und Wissenschaft · Kirche und Gesellschaft · Psychologie
und Lebenshilfe · Recht/Beruf/Geld · Hobby/Freizeit
Gesundheit und Ernährung · FrauenRatgeber · Sexualität und
Partnerschaft · Ganzheitlich heilen · Spiritualität und Mystik
Esoterik

* * * * * * * * * *

Ein SIEDLER-BUCH bei Goldmann
Magisch Reisen
ReiseAbenteuer
Handbücher und Nachschlagewerke

Goldmann Verlag · Neumarkter Str. 18 · 81664 München

Bitte senden Sie mir das neue Gesamtverzeichnis, Schutzgebühr DM 3,50

Name: _____

Straße: _____

PLZ/Ort: _____